Nouvelles du Paradis

Collection de littérature étrangère
créée par Gilles Barbedette

Titre original : *Paradise News*

© 1991, David Lodge
© 1992, Editions Rivages
106, boulevard Saint-Germain - 75006 Paris

ISBN : 2-86930-577-X
ISSN : 0299-0520

David Lodge

Nouvelles du Paradis

Traduit de l'anglais par
Maurice et Yvonne Couturier

Rivages

À Mike Shaw

*Le paradis sur terre ! N'avez-vous
pas envie d'y aller ? Bien sûr que si !*

Harry WHITNEY,
Guide de Hawaii (1875)

Première partie

Crevant chaque soir le nuage baroque
Qui orne ces collines, se laissant glisser dans l'air,
Ils arrivent par milliers en songe à leur désir.

William MEREDITH,
Récit d'une visite à Hawaii

1

« Mais qu'est-ce qu'ils peuvent bien y trouver, hein ? Tu peux me dire ? »

Leslie Pearson, chef d'agence (au comptoir d'accueil de l'aéroport) de Travelwise Tours et Cie, examine les voyageurs agglutinés dans le hall de départ de l'aérogare 4 de Heathrow d'un air de pitié et de mépris. C'est le milieu de la matinée, en pleine saison estivale, et pour aggraver les habituels encombrements, un dispositif spécial de sécurité a été mis en place à la suite d'un récent accident d'avion provoqué, pense-t-on, par un sabotage. (Trois organisations terroristes différentes en ont revendiqué la responsabilité, ce qui signifie qu'au moins deux d'entre elles profitent de l'occasion pour prouver à bon compte qu'elles sont capables de tuer à tout moment. Voilà le monde moderne dans toute son horreur : plus Leslie Pearson le découvre, moins il le comprend et moins il l'aime.)

Ce matin, les voyageurs subissent un interrogatoire en règle aux comptoirs d'enregistrement sur la provenance de leurs bagages, et le personnel de sécurité met plus de zèle que de coutume à fouiller les bagages à main ainsi que leurs propriétaires. D'interminables files d'attente s'étirent, depuis les comptoirs d'enregistrement jusqu'au mur de l'aérogare pratiquement, entrecoupées par deux files encore plus longues qui convergent vers l'étroit passage conduisant au contrôle des passeports, aux portiques de sécurité et à la grande salle d'attente. Les voyageurs dans la file se balancent d'une jambe sur l'autre, prennent appui sur leurs chariots débordant de bagages ou s'assoient sur leurs valises. A leur expression, on les sent tantôt inquiets, tantôt irrités, tantôt las ou stoïques — pas encore excédés. Ils sont plutôt fringants : leurs tenues de voyage très colorées sont propres et bien repassées, leurs joues sont lisses — barbe et maquillage sont encore tout frais —, leurs cheveux brillent et sont impeccables. Mais il suffirait qu'un incident supplémentaire — une grève sauvage des aiguilleurs du ciel, par exemple, ou une grève du zèle des bagagistes — vienne provoquer un sérieux retard, pour que, Leslie Pearson le sait par expérience, en un rien de temps ce vernis de civilisation commence à se craqueler. Il lui est arrivé de voir ce hall de départ et, plus loin, la grande salle d'attente complètement congestionnés par les voyageurs retardés qui dormaient sous les lumières fluorescentes dans leurs vêtements sales et froissés, allongés pêle-mêle sur les tables et par terre, bouches béantes, bras et jambes dans tous les sens, comme les victimes d'un massacre ou d'une bombe à neutrons, tandis que le personnel d'entretien de l'aéroport se frayait un chemin à travers les corps avachis, tels des charognards sur un champ de bataille. La situation n'est pas tout à fait aussi grave aujourd'hui, mais elle l'est déjà bien assez comme ça.

« Mais qu'est-ce qu'ils peuvent bien y trouver ? répète-t-il encore. Qu'est-ce qu'ils cherchent, au fond ?

— Les trois "s" magiques, tu ne crois pas ? » répond Trevor Connolly. Ce dernier, récemment recruté par Travelwise, travaille sous les ordres de Leslie qui doit lui apprendre les ficelles du métier : savoir reconnaître et accueillir les clients de la compagnie, examiner tous leurs papiers pour voir s'ils sont venus le jour convenu (on a des surprises, parfois), vérifier que leurs passeports sont bien en règle et portent les visas nécessaires, puis les orienter vers le comptoir d'enregistrement approprié et, au besoin, les aider à porter leurs bagages et répondre à leurs éventuelles questions. « Soleil, sable et sexe », précise Trevor avec un sourire narquois.

Leslie pousse un grognement de dépit. « Pas besoin d'aller bien loin pour trouver ça, dit-il. Tu as ça à Majorque. Et même à Bournemouth, cette année si tu veux — avec le superbe été qu'on a. Encore que, coincés comme on est dans ce trou, on ne s'en rend pas tellement compte. » Il lève les yeux et jette un regard méchant vers le plafond bas, gris métallisé, où toutes les canalisations et les conduites sont à nu dans un style qui se veut ultra-moderne mais qui donne à Leslie l'impression de travailler dans un sous-sol d'hôtel ou dans la salle des machines d'un cuirassé.

« Enfin, quoi, regarde ce petit groupe — il jette un coup d'œil à la liste des voyageurs d'aujourd'hui sur son bloc-notes. Où est-ce qu'ils vont ceux-là ? A Honolulu. *Honolulu !* Tu te rends compte — il leur faut bien toute une journée pour s'y rendre.

— Dix-huit heures et demie, dit Trevor. Y compris le changement d'avion à Los Angeles.

— Dix-huit heures et demie enfermés dans une de ces boîtes à sardines géantes ? Faut être fou. Ils sont tous fous, à mon avis »,

14

rétorque Leslie, dominant de sa haute silhouette raide et quasi militaire (c'est en fait un policier en retraite) ce hall bondé qu'il balaie de son regard comme un phare. « Regarde-les un peu ! On dirait des lemmings. Des lemmings. » Il prononce le mot en faisant claquer ses lèvres, bien qu'à vrai dire il ne sache pas très bien ce qu'est un lemming. Une sorte de petit animal qui se déplace en bandes stupides et qui se jette à la mer, ce n'est pas ça ?

« C'est le besoin de nouveauté, que veux-tu ! dit Trevor. Majorque, allons, qui a encore envie d'aller à Majorque ? C'est d'un banal, Blackpool-sur-Med ! Même chose pour la Floride, et aussi pour les Caraïbes. Il faut aller de plus en plus loin pour échapper aux Dupont et aux Durand.

— En voilà deux pour nous », dit Leslie. Il a remarqué les étiquettes pourpre et or de Travelwise sur les bagages d'un jeune couple qui vient de franchir les portes automatiques ; ils regardent partout autour d'eux d'un air hésitant. « En voyage de noces, je parie. » A les voir habillés de neuf de la tête aux pieds, avec leurs bagages assortis impeccables, il devine que ce sont des jeunes mariés, bien que l'espace qui les sépare — la femme en avant, légèrement décalée par rapport à son mari qui pousse le chariot à bagages — laisse supposer que la vie commune a pris un mauvais départ. Ils se sont probablement mariés hier, ont passé la nuit à Londres dans une chambre d'hôtel étouffante et bruyante, et maintenant ils vont passer leur première journée de vie conjugale à se faire propulser à l'autre bout du monde, ligotés côte à côte sur des sièges de dentiste très étroits. Ils auraient bien mieux fait d'aller à Bournemouth.

Leslie s'avance en souriant, se présente au couple et examine leurs billets et leurs passeports. « Hawaii — un choix très judicieux pour un voyage de noces, si je puis me permettre, monsieur. »

Le jeune homme sourit d'un air piteux, mais sa femme semble vexée. « Ça se voit tant que ça ? » dit-elle. Elle a des cheveux blonds et lisses, retenus sur le front par un peigne d'écaille, et des yeux clairs, d'un bleu de glace.

« Eh bien, madame, je n'ai pas pu m'empêcher de remarquer que vous étiez Mme Harvey sur ma liste mais Mlle Lake sur votre passeport.

— Vous êtes très observateur, dit-elle sèchement.

— Est-ce que ça a de l'importance ? dit le jeune homme inquiet. Je veux dire, pour le passeport.

— Pas du tout, monsieur. Inutile de vous inquiéter. Faites enregistrer vos bagages au comptoir 21. Il va vous falloir attendre un peu, je le crains.

— Vous ne pouvez pas le faire à notre place ? dit Mme Harvey.

— Les voyageurs doivent identifier eux-mêmes leurs bagages, madame. Par mesure de sécurité. Mon collègue, M. Connolly, se fera un plaisir de vous aider à porter vos bagages.

— On peut très bien pousser notre chariot, merci », dit Mme Harvey, le "on" désignant manifestement son mari, car elle repart aussitôt en direction du comptoir 21 sans même lui adresser un regard.

« Ouah ! dit Trevor lorsque le couple s'est suffisamment éloigné. Je ne voudrais pas me trouver dans la culotte de ce pauvre type. Quelle sale garce !

— L'amour ne fait plus rêver les jeunes comme autrefois, dit Leslie. Tout ça, c'est parce qu'ils vivent ensemble avant de se marier. Ça enlève tout charme à l'amour. »

Ce commentaire plein de sous-entendus est destiné à Trevor qui fait pourtant semblant de ne pas comprendre. « Très juste, dit-il. C'est ce que je ne cesse de dire à Michelle : après le mariage, adieu l'amour. »

Faisant comme s'il n'avait pas entendu le rire insolent de son collègue, Leslie coche les noms de M. et Mme Harvey sur la liste des passagers. « Ouvre bien l'œil et essaie de repérer un client isolé du nom de Sheldrake. Tu vois l'astérisque en face de son nom ?

— Ouais, qu'est-ce que ça veut dire ?

— Ça veut dire qu'il voyage aux frais de la princesse. Généralement, ça veut dire que c'est un journaliste. Un type qui écrit des reportages sur ses voyages.

— Ça ne me déplairait pas comme boulot.

— Encore faut-il savoir écrire, Trevor. Encore faut-il ne pas faire de fautes d'orthographe.

— Ce n'est même plus la peine de nos jours, voyons ! Les ordinateurs font tout à ta place.

— Enfin, si tu veux, mais sois vigilant lorsqu'il se présentera. Essaie de faire bonne impression, sinon il pourrait bien écrire quelque chose de désagréable sur toi.

— Comme quoi ?

— Comme par exemple : *J'ai été accueilli à l'aéroport par un cicérone tout débraillé qui avait des pellicules sur son uniforme et un bouton qui manquait à son col.*

— C'est la faute de Michelle, dit Trevor, la mine un peu basse. Elle a promis de me le recoudre.

— L'aspect extérieur est très important dans ce boulot, Trevor, dit Leslie. Les voyageurs sont désorientés et inquiets quand ils arrivent ici. Ta tenue est censée leur inspirer confiance. Nous sommes comme des anges gardiens, chargés de les faire passer sur l'autre rive.

— Arrête ton char », dit Trevor. Pourtant, il resserre le nœud de sa cravate et tapote les épaules et les revers de sa veste.

Le couple suivant qui se présente devant eux est un couple d'un certain âge habitant Croydon. La femme, aux formes rondelettes, boudinée dans un pantalon élastiss et un pull assorti bleu fluo, paraît fébrile et inquiète. « Il est cardiaque », dit-elle, désignant du pouce son mari à côté d'elle qui fait non de la tête et adresse un sourire rassurant à Leslie. « On ne va tout de même pas lui demander de faire la queue comme ça ! »

L'homme ne paraît pas en effet en très bonne santé : il a le visage rubicond et tacheté, un nez rouge d'ivrogne vissé en plein milieu de la figure comme une ampoule électrique, et sa bedaine, enveloppée dans une chemise blanche, retombe toute flasque par-dessus la boucle de sa ceinture.

« Je peux essayer de vous trouver un fauteuil roulant, si vous voulez, monsieur, dit Leslie.

— Non, non, ne sois pas stupide, Lilian, dit l'homme. Ne faites pas attention à elle. Je vais très bien.

— Il ne devrait sûrement pas partir si loin, dit Lilian, mais nous ne voulions pas décevoir Terry — c'est notre fils. C'est lui qui nous a organisé ces vacances. Il a tout payé. Il habite Sydney et viendra nous rejoindre à Hawaii.

— C'est très gentil de sa part, dit Leslie tout en vérifiant leurs papiers.

— Il a tellement bien réussi là-bas ! Il est photographe de mode et a un studio à lui. Il nous a téléphoné un jour, il était six heures du matin, oui, ils n'ont pas la même heure que nous aux antipodes, je crois. Il a dit : "Je veux vous offrir à toi et à papa les vacances de votre vie. Vous n'aurez qu'à vous rendre à Heathrow et moi je me charge du reste."

— Ça fait plaisir de voir un jeune homme qui aime ses parents,

17

dit Leslie. Surtout de nos jours. Trevor, emmène M. et Mme Brooks au comptoir 16, explique-leur que M. Brooks a des ennuis de santé. C'est la classe Club, leur explique-t-il. La queue est plus courte.

— Aurons-nous un supplément à payer ? demande M. Brooks, inquiet.

— Non, non, vous aurez les mêmes sièges, mais nous avons un accord avec la compagnie pour enregistrer les passagers handicapés au comptoir de la classe Club.

— Handicapé ! Je ne suis pas handicapé. Tu vois ce que tu as fait, Lilian ?

— Tais-toi, Sidney, tu devrais te réjouir. Merci beaucoup », dit Mme Brooks à Leslie.

Trevor les emmène sans grand enthousiasme, car deux femmes assez jeunes en jogging pastel se profilent à l'horizon, serrant contre elles la pochette en plastique pourpre et or qui, dans la brochure de la compagnie, porte le joli nom de Travelpak. Elles ne sont ni l'une ni l'autre d'une beauté transcendante, ni vraiment toutes jeunes, mais c'est le genre de clientes avec qui Trevor aime flirter, ou plutôt qu'il considère, dans son jargon à lui, idéales pour la drague.

« Première fois que vous allez à Hawaii, mesdames ? demande Leslie.

— Oh, oui, c'est la première fois. Nous ne sommes encore jamais allées plus loin que la Floride, n'est-ce pas, Dee ? » dit celle qui porte le jogging rose et bleu pastel. Elle a un large visage joufflu, de gros yeux ronds et un halo de bouclettes fines et légères comme celles d'un bébé.

« Combien de temps dure le vol ? demande Dee, la fille au jogging mauve et vert dont le visage est plus anguleux et moins ouvert.

— Il vaut mieux que vous ne le sachiez pas, répond Leslie, et cette plaisanterie déclenche chez Miss rose-et-bleu un grand fou rire.

— Oh, allons, dites-le-nous ! demande-t-elle.

— Vous serez à Honolulu à huit heures ce soir.

— Mais ça ne tient pas compte du décalage horaire, remarque Dee.

— Elle enseigne les sciences, ajoute sa compagne, comme pour expliquer la justesse de cette observation.

— Ah ! Alors, il vous faut ajouter onze heures, dit Leslie.

— Oh, Seigneur !

— Ne t'en fais pas, Dee, on sera très heureuses une fois arrivées là-bas. »

La fille en rose et bleu s'adresse à Leslie :

« On dit que ça ressemble au paradis, est-ce vrai ?

— Absolument, répond Leslie. Et permettez-moi de vous féliciter, mesdames, d'avoir choisi ce type de vêtement pour le voyage. A la fois pratique et seyant, si je puis me permettre. »

Miss rose-et-bleu rougit et glousse, et même Dee sourit de bonheur comme une princesse. Elles s'en vont prendre place dans la longue file devant le comptoir 21. Trevor revient trop tard pour les aider à porter leurs volumineux bagages.

« Que sont donc devenues les deux nanas ?

— Je me suis occupé d'elles, Trevor, dit Leslie. Je les ai mises sur le bon chemin avec mon inimitable courtoisie chevaleresque.

— Zut ! » dit Trevor.

La matinée avance. Les queues s'allongent. L'atmosphère sous les tuyaux et les poutrelles d'un gris métallique devient étouffante et de plus en plus lourde de frustration et d'angoisse, tandis que les voyageurs avancent à petits pas dans la longue file qui progresse lentement en attendant de passer par le bureau de contrôle des passeports ; ils regardent leur montre et se demandent s'ils ne vont pas rater leur avion. Le voyageur R. J. Sheldrake, vêtu d'un costume safari beige et traînant une de ces valises rigides à roulettes si pratiques, présente son billet gratuit et fait une remarque acerbe sur les files d'attente. Il a un crâne large et arrondi qui montre des signes de calvitie précoce et une forte mâchoire saillante, le reste de ses traits paraissant quelque peu coincé entre ces deux protubérances.

« Ne vous inquiétez pas, monsieur, dit Leslie avec un clin d'œil complice. Suivez-moi, je vais vous faire passer par le comptoir de la classe Club pour votre enregistrement.

— Non, non, je veux être traité comme tout le monde, dit le Dr Sheldrake (car tel est son titre sur son billet). Tout ça fait partie de ma recherche », ajoute-t-il d'un ton énigmatique. Refusant l'aide de Trevor, il disparaît avec sa valise à roulettes et se mêle à la foule.

« Était-ce le journaliste ? demande Trevor.

— Je ne sais pas, réplique Leslie. D'après son billet, c'était un docteur.

— Il avait davantage de pellicules que moi, dit Trevor. Et presque pas de cheveux.

— Surtout, ne regarde pas, dit Leslie, on est en train de te filmer. » A une dizaine de mètres d'eux, un grand type costaud aux favoris touffus, vêtu d'un blouson bicolore et d'un pantalon bien repassé, tient une caméra portative braquée sur eux. Une femme en robe de coton imprimée, parasols rouges sur fond jaune, arborant tout un tas de bijoux fantaisie traîne derrière lui et regarde autour d'elle d'un air détaché, dans cette attitude typique qu'ont les propriétaires de chien lorsque leur petit toutou s'est arrêté pour lever la patte contre un arbre.

« Sacré toupet, dit Trevor.

— Chut, dit Leslie. C'est encore un de nos clients. »

M. et Mme Everthorpe viennent de débarquer des Midlands de l'Est sur un vol inter.

« Ça ne vous dérange pas d'être sur notre film de famille, j'espère ? dit M. Everthorpe en s'approchant. J'ai tout de suite remarqué l'uniforme quand on est entrés.

— Pas le moins du monde, répond Leslie. Puis-je voir vos billets ?

— Hawaii, nous voilà, hein ? J'ai très hâte de les saisir dans mon objectif, ces belles danseuses exotiques.

— En tout cas pas devant moi, dit Mme Everthorpe, en donnant une tape sur l'un des gros poignets de son mari. Je croyais que ça devait être notre seconde lune de miel ?

— Alors il faudra que tu enfiles toi aussi un de ces pagnes, ma chérie, dit M. Everthorpe en adressant un clin d'œil à Leslie et à Trevor. J'en rêve déjà. »

Mme Everthorpe lui administre une nouvelle petite tape, et Trevor les regarde d'un air complice — c'est son genre d'humour.

La famille Best, quant à elle, semble ignorer toute forme d'humour. M. Best est très préoccupé par ces coupons qu'il a trouvés dans son Travelpak et qui offrent des réductions pour des endroits touristiques tels que le Luau de Paradise Cove, le musée des baleines du Pacifique, le parc des chutes Waimea, etc., etc. Il semblerait qu'il n'y ait que trois lots de coupons dans sa pochette, et ils sont quatre chez les Best. Ils se tiennent là devant Leslie, épaule contre épaule — le père, la mère, le fils et la fille, parfaitement alignés dans un ordre de grandeur décroissant, les yeux pâles, les cheveux blond roux, les lèvres minces, tandis que Leslie essaie de leur expliquer que cette erreur sera rectifiée par le représentant Travelwise à Honolulu.

« Pourquoi ne pouvez-vous pas nous les donner maintenant ? » demande M. Best.

Leslie leur explique qu'ils n'ont pas de coupons en stock dans leur bureau de Heathrow.

« Ce n'est pas normal, dit M. Best, un homme grand et osseux avec une petite moustache rousse.

— Tu devrais te plaindre, Harold, dit Mme Best.

— Mais je me plains, dit M. Best. C'est exactement ce que je suis en train de faire. Qu'est-ce que tu crois ?

— Je veux dire que tu devrais écrire.

— Oh, j'écrirai, dit M. Best d'un air sombre, reboutonnant son blazer bleu marine. Ne t'inquiète pas, j'écrirai. » Il repart à grandes enjambées, suivi à la file indienne par toute sa famille.

« Il est avocat, vous savez ! » Mme Best lance cette dernière invective par-dessus son épaule.

« Encore un client satisfait, dit Trevor.

— Il y a des clients qui ne sont jamais satisfaits, dit Leslie. Je connais le genre. Je peux les repérer à un kilomètre. »

Mais Leslie ne voit pas à quel genre appartiennent leurs clients suivants. Ils ne ressemblent pas du tout à des touristes. C'est probablement le père et le fils, car ils portent tous les deux le même nom, Walsh. Le plus âgé, avec son visage de rapace ridé et étroit, et sa mèche de cheveux blancs dressée sur la tête comme une crête de cacatoès, semble bien avoir au moins soixante-dix ans ; le plus jeune doit avoir dans les quarante-cinq ans, bien qu'il soit difficile de le dire à cause de sa barbe, une affreuse chose en bataille poivre et sel. Ils portent tous les deux des vêtements sombres assez lourds d'un style totalement démodé. Le plus jeune s'est tout de même permis une petite fantaisie pour se plier aux exigences du voyage et de leur destination : il porte une chemise ouverte dont le col est retourné avec soin par-dessus les revers de sa veste — un style vestimentaire que Leslie n'a pas vu par ici depuis les années 50. Le vieux porte un costume marron à rayures en laine peignée, avec col et cravate. Il soupire souvent dans son coin en regardant, avec des yeux inquiets et larmoyants, tous ces gens autour de lui qui avancent par vagues successives en traînant les pieds.

« Comme vous voyez, il y a un petit embouteillage au contrôle des passeports, dit Leslie, tout en vérifiant leurs papiers. Mais ne vous inquiétez pas — nous ferons en sorte que vous ne ratiez pas votre avion.

— Personnellement, ça ne me dérangerait pas si on le ratait, dit le vieux.

— Mon père n'a encore jamais pris l'avion, dit le plus jeune. Il est un peu nerveux.

— C'est bien compréhensible, dit Leslie. Mais vous apprécierez le voyage, monsieur Walsh, une fois que vous aurez décollé — n'est-ce pas, Trevor ?

— Hein ? Oh, ouais, dit Trevor. On n'a pas l'impression de voler dans ces sacrés jumbo-jets. C'est comme si on était dans un train, je vous assure. »

Le vieil homme renifle d'un air sceptique. Son fils range le Travelpak avec précaution dans la fausse poche de sa veste en tweed et se positionne comme une bête de somme entre leurs deux valises. « Prends ma serviette, papa, dit-il.

— Trevor, donne un coup de main à M. Walsh avec ses bagages, dit Leslie.

— C'est très gentil à vous, dit le plus jeune des deux Walsh. Je n'ai pas pu trouver un chariot libre. »

Trevor, lorgnant d'un air méprisant les deux misérables valises tout éraflées et balafrées, obéit sans enthousiasme à Leslie. Il revient quelques minutes plus tard en disant : « Je vois pas ce que ces deux zigotos vont faire à Hawaii !

— J'espère que tu emmèneras ton vieux père en vacances avec toi quand tu en auras les moyens, Trevor.

— Tu plaisantes, dit Trevor. Je l'emmènerais même pas à l'autre bout de la rue, sauf si je voulais me débarrasser de lui.

— Tu sais ce que c'est qu'un théologien, Trevor ?

— J'sais pas, un truc en rapport avec la religion, non ? Pourquoi ?

— C'est ce qu'il est, le fils, théologien. C'est écrit sur son passeport. »

Plus tard — une quarantaine de minutes plus tard — le vieil homme et son fils furent la cause d'une véritable panique au portique de sécurité entre le contrôle des passeports et la grande salle d'attente. Lorsque le vieil homme franchit le détecteur de métal, quelque chose sur lui déclencha le bip-bip de l'appareil. On lui demanda de donner ses clés et de retraverser le portique. L'alarme se déclencha de nouveau. A la demande du contrôleur, il vida ses poches et enleva sa montre-bracelet — en vain. Le préposé le fouilla avec des petits gestes rapides et experts, passant les mains sur le torse du vieil homme, sous ses aisselles et à l'intérieur de ses jambes de haut en bas et de bas en haut. Le vieil homme, les bras écartés comme un épouvantail, tressaillait et tremblait tandis qu'on le fouillait. Il lançait des regards accusateurs à son fils qui haussait les épaules, désemparé. Les autres voyageurs de la même file, qui avaient déjà envoyé leurs bagages à main à travers la machine à rayons X et devinaient l'infâme entassement quelque part de l'autre côté du portique, s'agitaient, s'énervaient et manifestaient leur impatience en échangeant toutes sortes de grimaces.

« Vous n'auriez pas par hasard une plaque de métal dans votre tête, monsieur ? dit le préposé.

— Non, je n'en ai pas, dit le vieil homme d'un ton irrité. Pour qui me prenez-vous, pour un robot ? » Il prononça ce mot, avec un fort accent irlandais en faisant sonner la consonne finale.

« Un jour, on a eu un monsieur qui en avait une. Ça nous a pris toute la matinée pour comprendre. Il avait sauté sur une mine pendant la guerre. Il avait aussi les jambes pleines de mitraille. Vous n'avez pas ce genre de chose, alors ? conclut-il d'un air songeur.

— Qu'est-ce que je vous ai déjà dit ?

— Vous voulez bien enlever vos bretelles, monsieur, et essayer encore une fois ? »

Le bip-bip électronique retentit de nouveau. Le préposé soupira. « Je suis désolé, monsieur, mais je dois vous demander d'enlever le reste de vos habits.

— Ah ça non ! dit le vieil homme, serrant le haut de son pantalon.

— Pas ici, monsieur. Si vous voulez bien me suivre...

— Papa ! Ta médaille miraculeuse ! » s'exclama tout à coup le fils. Il desserra la cravate de son père, défit le bouton du col de sa chemise et sortit une médaille couleur d'étain qui pendait à une chaînette à mailles fines en acier inoxydable.

« Voilà la coupable, dit le préposé tout heureux.

— C'est Notre-Dame de Lourdes, prenez garde à ce que vous dites, dit le vieil homme.

— Oui, bon, si ça ne vous fait rien de l'enlever quelques instants et de repasser par le portique...

— Je n'ai encore jamais enlevé cette médaille de mon cou depuis le jour où ma pauvre femme me l'a donnée — que Dieu ait son âme ! Elle l'a rapportée d'un pèlerinage en 1953.

— Si vous refusez de l'enlever, vous ne prendrez pas l'avion, dit le préposé, commençant à s'impatienter.

— Ce serait pas un drame pour moi, répondit le vieil homme.

— Allons, papa », dit le fils pour l'amadouer, et il passa doucement la médaille et la chaînette par-dessus la tête chenue du vieil homme. Il recueillit l'écheveau de métal luisant dans la paume de sa main et le tendit au préposé. Le vieil homme sembla perdre soudain tout instinct belliqueux. Ses épaules s'affaissèrent, et il passa docilement sous le portique, sans déclencher l'alarme cette fois.

Dans la salle d'embarquement bondée, Bernard Walsh aida son père à remettre la médaille miraculeuse autour de son cou, passant la chaînette par-dessus les oreilles du vieil homme — de grosses protubérances rouges et charnues dont les replis étaient hérissés de poils blancs rugueux. Il glissa la médaille sous le gilet de corps jaunâtre de son père, boutonna le col de sa chemise et resserra la cravate. Un brusque déclic se fit soudain dans sa mémoire : il se revit à onze ans, le jour de la rentrée au collège Saint-Augustin, son père inspectant son nouvel uniforme et resserrant le nœud de sa cravate, sa cravate d'école peu discrète, de couleur bordeaux et or, un peu comme l'uniforme de Travelwise Tours.

On n'avait pas encore annoncé leur vol ; il alla donc chercher deux gobelets de café au snack-bar, s'installa sur une rangée de sièges face à un écran de télévision et distribua les journaux qu'il avait achetés entre le centre de Londres et l'aéroport : le *Guardian* pour lui et le *Mail* pour son père. Mais, en finissant de lire un article sur le Nicaragua, il constata que son père s'était éclipsé. Lorsqu'il leva les yeux, le siège à côté de lui était vide, et M. Walsh avait de toute évidence disparu. Pris de panique, Bernard sentit son estomac se nouer. Il parcourut du regard le salon d'attente (et, bizarrement, trouva le temps de se dire que ce mot « salon » était décidément ridicule et inapproprié pour désigner cette vaste salle bondée, avec ce va-et-vient continuel de corps, ce bourdonnement de conversations, cette atmosphère confinée et l'éclat aveuglant du verre) sans apercevoir son père nulle part. Pour avoir une meilleure vue d'ensemble, il monta sur son siège — huit petits yeux pâles indignés se braquèrent sur lui, les yeux de tous les membres de la famille Poil-de-carotte assis en face de lui avec leurs sacs de voyage à leurs pieds. Sur l'écran de télévision, le message : « EMBARQUEMENT PORTE 29 » se mit à clignoter en face du numéro du vol pour Los Angeles.

« C'est pour nous », dit le chef de la famille Poil-de-carotte, un grand homme mince vêtu d'un blazer impeccable à boutons chromés. « Porte 29. Allez, debout. » Dociles, sa femme et ses enfants se levèrent tous en même temps.

Un grognement sourd de désespoir s'échappa des lèvres de Bernard. « Excusez-moi », dit-il en s'adressant à la famille Poil-de-carotte — ils avaient, remarqua-t-il tout à coup, les étiquettes pourpre et or de Travelwise sur leurs bagages — « vous n'auriez pas vu par hasard où est allé mon père — le vieux monsieur qui était assis là ?

— Il est parti par là », répondit le plus jeune membre de la famille, une fillette pleine de taches de son qui pouvait avoir une douzaine d'années. Elle montra du doigt le magasin de produits détaxés.

« Merci », dit Bernard.

Bernard trouva en effet son père dans le magasin en train d'examiner les différentes marques de whisky détaxé ; il était planté devant les rayons, les mains croisées derrière le dos et la tête penchée en avant pour lire les étiquettes, tel un homme visitant un musée.

« Dieu merci, je t'ai retrouvé. Mais, désormais, ne t'éloigne pas tout seul comme ça.

— Un litre de Jameson pour huit livres, dit le vieil homme. C'est une affaire.

— Tu ne vas pas traîner une bouteille de whisky à l'autre bout du monde, dit Bernard. De toute façon, on n'a pas le temps. Notre vol est annoncé.

— Est-ce que ce sera aussi bon marché à Hawaii ?

— Oui... non. Je ne sais pas », dit Bernard. Il finit par acheter une bouteille de Jameson et une cartouche de cigarettes comme on achèterait des bonbons à un enfant pour qu'il se tienne tranquille. Il regretta tout de suite son geste, car la bouteille était lourde dans son carton et pas commode à porter dans le sac en plastique qui venait s'ajouter à sa serviette et à son imperméable, tandis qu'ils arpentaient des couloirs larges comme des boulevards qui semblaient s'étirer à l'infini.

« Est-ce qu'on va devoir se rendre à pied à Hawaii ? » marmonna son père.

Il y avait des tapis roulants par endroits, des espèces d'escalators horizontaux, mais ils ne fonctionnaient pas tous. Il leur fallut un bon quart d'heure pour atteindre la porte 29, et là il se produisit un autre incident. Lorsque la fille en uniforme au comptoir demanda à voir leurs cartes d'embarquement, M. Walsh fut incapable de montrer la sienne.

« Je crois que je l'ai laissée au magasin d'alcools, dit-il.

— Oh, mon Dieu, soupira Bernard. Ça va nous prendre une demi-heure pour faire l'aller et retour. » Il se tourna vers l'hôtesse de service. « Ne pouvez-vous pas lui en délivrer une nouvelle ?

— Ce n'est pas si simple, dit-elle. Vous êtes sûr que vous ne l'avez pas, monsieur ? Peut-être qu'elle est à l'intérieur de votre passeport ? »

Mais M. Walsh avait aussi laissé son passeport dans le magasin de produits détaxés.

« Tu le fais exprès, dit Bernard, sentant son visage s'empourprer de colère.

— Non, ce n'est pas vrai, dit M. Walsh d'un ton boudeur.

— Où les as-tu laissés ? Près des bouteilles de Jameson ?

— Quelque part par là. Il faudrait que j'y retourne.

— Avons-nous le temps ? demanda Bernard à la fille.

— Je vais faire venir un buggy », dit-elle, en prenant un téléphone portatif.

Le buggy était une petite voiture électrique ouverte, apparemment destinée aux passagers infirmes ou handicapés. Ils refirent à toute vitesse le chemin à l'envers le long des interminables couloirs, le conducteur klaxonnant de temps en temps pour se frayer un passage à travers les hordes de piétons marchant dans l'autre sens. Bernard avait l'étrange impression que leur voyage allait en sens inverse, pas seulement de façon temporaire mais pour de bon — qu'ils allaient passer des heures à chercher en vain les documents

26

manquants, tandis que leur avion partirait, les laissant avec leurs billets inutiles et non transférables, sans autre possibilité que de prendre le métro et de retourner à Londres. Peut-être M. Walsh avait-il la même intuition — sinon comment expliquer son air brusquement enjoué ? Il faisait de grands sourires et saluait les piétons qui se dirigeaient vers les salles d'embarquement en traînant les pieds, tel un enfant qui fait un tour de manège dans une foire. L'un de ces voyageurs, un costaud à favoris qui portait un caméscope, s'arrêta pour les filmer, pivotant sur ses talons au moment où ils passèrent.

Ils trouvèrent les papiers — la carte d'embarquement glissée à l'intérieur du passeport — là où M. Walsh les avait laissés, sur un rayon entre les whiskies écossais et les whiskies irlandais.

« Pourquoi, Grand Dieu, les as-tu mis là ? demanda Bernard.

— Je cherchais mon argent, dit M. Walsh. Je cherchais mon porte-monnaie. Tout ce cirque à la machine, là-bas, à cause de la médaille miraculeuse, m'a complètement déboussolé. Tout s'est retrouvé dans la mauvaise poche. »

Bernard poussa un grognement. L'explication était plausible ; la perte des documents n'avait peut-être pas été une manœuvre consciente pour éviter de monter à bord de l'avion, mais elle l'avait sûrement été inconsciemment. Il empoigna le bras de son père et le ramena autoritairement jusqu'au buggy comme un prisonnier. Le conducteur, qui écoutait crépiter les instructions dans son talkie-walkie, les accueillit avec jovialité.

« Tout est rentré dans l'ordre ? Alors, tenez-vous bien. J'ai deux ou trois voyageurs à prendre en route. »

Ils prirent d'abord une gigantesque dame noire qui portait une robe en coton rayée aussi large qu'un chapiteau ; elle ahana et gloussa en se hissant à bord et prit place sur le siège arrière à côté de M. Walsh, étalant ses vastes hanches et obligeant Bernard à se jucher en équilibre précaire sur la rambarde latérale ; ils s'arrêtèrent ensuite pour prendre un unijambiste qui s'assit à côté du conducteur, la béquille posée sur l'avant du buggy et pointée comme une lance. Ce spectacle de carnaval attira l'attention des voyageurs à pied qui s'amusèrent follement en les voyant passer, et de petits plaisantins firent même semblant de faire du stop.

Bernard regarda sa montre — il ne leur restait plus que cinq minutes avant le départ de l'avion. « Je crois qu'on va y arriver. »

Il n'avait pas besoin de s'inquiéter : le vol était retardé d'une demi-heure, et les passagers n'avaient même pas commencé à embarquer. Certains jetèrent à Bernard et à son père des regards accusateurs, comme s'ils les soupçonnaient d'être responsables de ce retard. La salle d'embarquement était bondée — il semblait impossible que tant de gens puissent entrer dans le même avion.

Tandis que Bernard et son père cherchaient un coin pour s'asseoir, ils passèrent devant les quatre membres de la famille Best, assis en rang d'oignons, leurs sacs sur leurs genoux. « Je l'ai trouvé », dit Bernard à la fillette aux taches de son, montrant son père d'un geste de la tête ; il reçut en retour un petit sourire coincé.

Ils se trouvèrent deux sièges libres à l'autre bout de la salle et s'installèrent.

« Je veux aller aux toilettes, dit M. Walsh.

— Non, dit Bernard d'un ton brutal.

— C'est le café. Le café me donne toujours envie de pisser.

— Tu peux attendre qu'on soit dans l'avion », dit Bernard. Mais il se ravisa : combien de temps allaient-ils devoir attendre avant de décoller ? « Oh, c'est bon, d'accord, dit-il d'un ton las en se relevant.

— Tu n'es pas obligé de venir avec moi.

— Je ne te quitte plus des yeux, désormais. »

Tandis qu'ils étaient côte à côte dans les urinoirs, son père dit : « Tu as vu le popotin qu'elle avait, cette Noire ? Nom d'un chien, j'ai cru que j'allais me faire écraser. »

Bernard se demanda s'il ne devait pas profiter de l'occasion pour faire un petit sermon sur le respect dû aux minorités mais jugea préférable de se taire. Encore heureux que le mot « Noir », que M. Walsh avait toujours employé par dérision, fût devenu le terme le plus couramment admis dans la société. Les Polynésiens appréciaient-ils cependant de se faire qualifier de Noirs ? Il n'en avait pas la moindre idée. Probablement pas.

Lorsqu'ils revinrent dans la salle d'attente à côté de la porte 29, leurs sièges étaient occupés mais, remarquant leur embarras, une jeune femme en jogging rose et bleu enleva son sac du siège à côté d'elle et l'offrit à M. Walsh. Bernard s'assit sur le rebord d'une table basse en plastique.

« A quel hôtel descendez-vous ? dit la jeune femme.

— Je vous demande pardon ? dit Bernard.

— Vous voyagez avec Travelwise, n'est-ce pas ? Comme nous. » Elle montra du doigt l'étiquette pourpre et or que le cicérone avait fixée à la serviette de Bernard. « Nous descendons au Waikiki Coconut Grove », dit-elle. Il remarqua alors qu'il y avait une autre jeune personne, habillée de la même façon mais en mauve et vert, assise à côté d'elle.

« Oh oui, en effet. Mais je ne sais pas exactement à quel hôtel.

— Vous ne savez pas ? (La fille semblait perplexe.)

— Je l'ai su, mais je ne me souviens plus. Nous nous sommes décidés à faire ce voyage pratiquement au dernier moment.

— Oh, je vois, dit la fille. La bonne occase de dernière minute. On n'a guère de choix dans ces cas-là, bien sûr ! Mais c'est une grosse économie. On a fait ça une année avec la Crète, n'est-ce pas, Dee ?

— Ne m'en parle pas, répondit Dee. Ces toilettes !

— Je suis sûre qu'on n'a pas à s'inquiéter des toilettes à Hawaii, dit la fille en rose et bleu avec un sourire rassurant. Les Américains sont très pointilleux sur ces choses-là, vous ne pensez pas ?

— Je ne savais pas que nous allions dans un hôtel, dit M. Walsh d'un ton bougon. Je croyais que nous allions habiter chez Ursula.

— Ce sera sûrement le cas, papa, dit Bernard. Mais on ne le saura qu'en arrivant. » Il se tut quelques instants mais, poussé par les deux femmes dont la curiosité avait été piquée au vif, il expliqua : « Nous allons voir la sœur de mon père. Elle habite à Honolulu. On n'aura sans doute pas besoin de chambre d'hôtel ; ça peut paraître ridicule, mais c'était la façon la moins chère de faire le voyage — prendre le forfait.

— Quelle chance de vivre à Honolulu ! On doit avoir l'impression d'être en vacances toute l'année », dit la jeune femme. Elle se tourna vers M. Walsh. « Il y a très longtemps que vous n'avez pas vu votre sœur ?

— On peut dire ça, oui, répondit M. Walsh.

— Vous devez avoir hâte de la revoir.

— Je ne peux pas dire que je crève d'impatience, dit-il d'un air taciturne. C'est elle qui veut me voir. En tout cas, c'est ce qu'on me raconte. » Il lança un regard hostile à Bernard par-dessous ses sourcils touffus.

« Ma tante ne va pas bien, malheureusement, dit Bernard.

— Oh, mon Dieu !

— Elle est mourante », avoua M. Walsh d'un air sinistre.

Les deux jeunes femmes se turent. Elles baissèrent les yeux et donnèrent l'impression de se tasser et de se recroqueviller complètement dans leurs joyeuses tenues de sport. Bernard se sentit gêné et presque coupable, comme si son père et lui avaient commis quelque erreur de goût ou violé un tabou. Il y avait, en effet, quelque chose d'incongru, d'indécent même, à utiliser un forfait de vacances pour rendre visite à une parente mourante.

2

L'appel était arrivé il y a une semaine, le vendredi très tôt, vers cinq heures du matin. Bernard n'avait pas de téléphone personnel dans sa chambre au collège, parce qu'il ne pouvait pas se le permettre ; le concierge avait donc pris la communication et, devinant l'urgence de la situation, il l'avait réveillé et conduit au rez-de-chaussée jusqu'au téléphone des élèves dans le hall d'entrée. Bernard s'était retrouvé là en pyjama et en robe de chambre, pieds nus sur le carrelage glacé (dans sa confusion, il n'avait pas retrouvé ses pantoufles), la tête enfoncée sous la coquille antibruit couverte d'un indiscriptible palimpseste de numéros de téléphone gribouillés dans tous les sens, et à ce moment-là, il avait entendu une voix de femme rauque, fatiguée, avec un accent traînant bien américain légèrement mâtiné d'irlandais de Londres.

« Salut, c'est Ursula.

— Qui ?

— Ta tante Ursula.

— Grand Dieu !

— Tu te souviens de moi ? La brebis galeuse de la famille. Le petit canard boiteux, si tu préfères.

— Ah oui. Mais c'est moi, maintenant, la brebis galeuse de la famille.

— Ouais, c'est ce que j'ai entendu dire... Écoute, quelle heure est-il en Angleterre ?

— Environ cinq heures du matin.

— Du *matin* ! Mon Dieu, je suis désolée, je me suis complètement trompée dans mes calculs. Est-ce que je t'ai réveillé ?

— Ça ne fait rien. Où es-tu ?

— A Honolulu. A l'hôpital Geyser.

— Tu es malade, alors ?

— Si je suis malade ? C'est un euphémisme, Bernard. On m'a ouverte, on a jeté un coup d'œil à l'intérieur et on m'a recousue tout de suite.

— Oh, mon Dieu, je suis désolé. (Comme ces mots lui

31

paraissaient creux et inadéquats !) C'est terrible, dit-il. Il n'y a vraiment rien qu'ils puissent...

— Bah ! J'avais cette douleur depuis quelque temps, je croyais que c'était un mal de dos, j'ai toujours eu des problèmes de dos, mais ce n'était pas ça. C'est le cancer.

— Oh, mon Dieu ! dit-il de nouveau.

— Mélanome malin, pour être précis. Ça commence comme une espèce de verrue. Je ne m'en suis pas préoccupée. Quand on vieillit, on attrape toutes sortes de taches sur la peau. Quand je me suis décidée à le faire examiner, on m'a opérée le jour même, mais c'était trop tard. J'ai des métastases partout. »

Pendant qu'il écoutait, Bernard essayait de deviner l'âge que pouvait avoir Ursula. La dernière fois qu'il l'avait vue, elle était toute jeune — c'était la superbe tante d'Amérique qui s'était déshonorée dans des circonstances obscures, qui portait une alliance mais n'avait pas de mari ; elle était venue rendre visite à ses parents un jour au début des années 50, quand il était encore écolier, et avait rapporté avec elle d'Amérique des boîtes de bonbons, croyant que les sucreries étaient encore rationnées en Angleterre (il va sans dire qu'ils furent pourtant les bienvenus dans cette famille frugale, toujours à court d'argent). Il avait gardé d'elle une image bien précise : il la revoyait dans le jardin derrière la maison, vêtue de sa robe longue à manches ballons et à petits pois rouges sur fond blanc, avec ses ongles et ses lèvres qui brillaient d'un rouge éclatant, et ses cheveux blonds qui retombaient en vagues souples sur ses épaules — sa mère avait sournoisement déclaré qu'ils étaient « teints ». Elle devait avoir maintenant dans les soixante-dix ans, conclut-il.

Les pensées d'Ursula avaient suivi, semblait-il, le même chemin. « Ça fait drôle de parler avec toi, Bernard. Tu t'imagines, la dernière fois que je t'ai vu, tu étais encore en culotte courte ?

— Oui, dit Bernard, ça fait drôle. Pourquoi n'es-tu jamais revenue ?

— C'est une longue histoire. Et un sacré long voyage, mais ce n'était pas pour ça. Comment va ton père ?

— Il va bien, pour autant que je sache. Je ne le vois pas très souvent, à vrai dire. Les relations sont un peu tendues entre nous.

— C'est une spécialité dans la famille. Si tu écris un jour l'histoire de la famille, voilà comment tu pourras l'intituler : *Relations tendues*. » Bernard se mit à rire, éprouvant soudain une grande admiration et une réelle affection pour cette brave vieille dame qui plaisantait encore au seuil de la mort.

« Tu es écrivain, c'est bien ça ? dit-elle.

— Je n'ai écrit que quelques articles barbants dans des revues de théologie. Je ne suis pas un vrai écrivain.

— Écoute, parle à Jack de mon état de santé, tu veux bien, Bernard ?

— Bien sûr.

— Je n'ai pas eu la force de l'appeler. Je ne me voyais pas faire face à la situation.

— Il va être bouleversé.

— Tu crois ? Sa voix se fit songeuse.

— Bien sûr... Il n'existe vraiment aucun traitement ?

— Ils m'ont proposé une chimiothérapie, mais quand j'ai demandé à mon oncologiste quelles étaient mes chances de guérison, il m'a dit nulles, une rémission de quelques mois, peut-être. Alors j'ai dit non merci, je préfère mourir avec tous mes cheveux.

— Tu es très courageuse », dit Bernard, conscient, très égoïstement, de son propre inconfort, si trivial en comparaison, tandis qu'il frottait l'un après l'autre ses pieds glacés contre ses mollets.

« Non, je ne le suis pas, Bernard. Je suis morte de peur. C'est le cas de le dire ! On se surprend constamment malgré soi à faire ces affreuses plaisanteries. Dis à Jack que je veux le voir.

— Quoi ? dit Bernard, se demandant s'il avait bien entendu.

— Je veux voir mon frère avant de mourir.

— Ah, je ne sais pas... » dit-il. En fait il savait très bien : jamais son père n'accepterait l'idée de faire un tel voyage.

« Je pourrais l'aider à payer le voyage.

— Ce n'est pas seulement la dépense. Papa vieillit. Et il n'a jamais aimé voyager. Il n'a même jamais pris l'avion.

— Seigneur, ce n'est pas vrai !

— Je ne crois pas qu'il soit capable de prendre l'avion pour se rendre à l'autre bout du monde. Il n'y a vraiment aucun moyen pour que tu puisses venir ici pour... pour... (Il n'osait pas dire « pour mourir », mais c'était bien ce qu'il pensait.) Pour ta convalescence ? conclut-il piteusement.

— Tu plaisantes ? Je ne peux même pas retourner dans mon appartement. Hier, je suis tombée en essayant d'aller toute seule aux toilettes. Fracture du bras. »

Bernard exprima comme il put son désarroi et sa commisération.

« Ça ne m'a pas fait grand-chose. On me donne tellement de calmants que je n'ai même pas eu mal. Mais je suis si faible. On parle de me mettre dans une maison de soins. Il faut que je m'occupe de mon appartement, de toutes mes affaires... » Sa voix devint inaudible, soit à cause de la mauvaise qualité de la ligne, soit parce qu'elle se sentait mal.

« Tu n'as pas d'amis qui pourraient t'aider ?

— Oh, si ! j'ai des amis, des vieilles dames comme moi, pour la plupart. Elles ne me sont pas d'un grand secours. Elles n'osent même pas me regarder quand elles viennent à l'hôpital. Elles passent leur temps à arranger mes fleurs. Ce n'est pas comme la famille, tu comprends.

— Non, bien sûr.

— Dis à Jack que j'ai recommencé à aller à l'église. Et pas seulement depuis cette semaine, je veux dire. Depuis quelques années maintenant.

— D'accord, je lui dirai.

— Ça devrait lui faire plaisir. Peut-être que ça le décidera à venir ici.

— Tante Ursula, dit Bernard, je peux y aller moi-même, si tu veux.

— Tu veux venir à Honolulu ? Vraiment ? Quand ?

— Dès que je vais pouvoir m'organiser. La semaine prochaine, peut-être. »

Il y eut un moment de silence, et lorsque Ursula reprit la parole, sa voix avait l'air encore plus grave. « C'est très généreux de ta part, Bernard, de laisser tomber tous tes projets du jour au lendemain...

— Je n'ai aucun projet, dit-il. Ce sont les grandes vacances. Je n'ai rien à faire jusqu'à la fin septembre.

— Tu ne vas pas en vacances quelque part ?

— Non, dit Bernard. Je n'en ai pas les moyens.

— Je paierai ton billet d'avion, dit Ursula.

— Tu seras bien obligée, je le crains, tante Ursula. Je n'ai qu'un travail à mi-temps, et je n'ai pas d'économies.

— Renseigne-toi, et vois si tu ne peux pas trouver un tarif intéressant sur un charter. »

Ce conseil, bien que fort sensé, surprit un peu Bernard. On avait toujours cru traditionnellement dans la famille, qu'Ursula était riche, à l'abri de ces petites tracasseries pécuniaires qui gâchaient leurs propres existences. Ça faisait partie de sa légende : la jeune épouse du GI qui avait rejeté tous ses liens familiaux et ses allégeances religieuses pour mener une vie sybaritique et matérialiste en Amérique. Mais les gens deviennent souvent parcimonieux en vieillissant.

« Je vais faire mon possible, promit-il. Je n'ai guère d'expérience en la matière.

— Tu pourras occuper mon appartement. Ça économisera de l'argent. Ça te divertira peut-être, hein ? J'habite en plein centre de Waikiki.

— Je ne sais pas très bien me divertir, dit Bernard. Je viens pour te voir, Ursula, pour essayer de t'aider.

— Eh bien, je suis vraiment très touchée, Bernard. J'aurais aimé voir Jack, mais tu es après lui ce que j'ai de plus cher. »

Bernard trouva un bout de papier dans la poche de sa robe de chambre et écrivit le numéro de téléphone de l'hôpital avec un petit crayon qui pendait à une ficelle au-dessus du téléphone. Il promit de rappeler Ursula dès qu'il aurait organisé son voyage. « A propos, dit-il, comment connaissais-tu mon numéro de téléphone ?

— Je l'ai eu par les renseignements. Je savais le nom du collège par ta sœur Teresa. »

Nouvelle surprise !

« Je ne savais pas que tu correspondais avec Tess.

— On s'envoie une carte à Noël. Souvent, elle griffonne au dos quelques nouvelles de la famille.

— Sait-elle que tu es malade ?

— En fait, j'ai essayé de l'avoir avant de t'appeler. Mais je n'ai pas eu de réponse.

— Ils sont probablement partis en vacances.

— Eh bien, je suis heureuse que ça se soit passé ainsi, Bernard, dit Ursula. J'imagine que c'était la providence. Je ne crois pas que Teresa aurait tout laissé tomber pour venir ici.

— Non, dit Bernard. Elle a déjà bien assez de soucis comme ça. »

Bernard retourna se coucher mais ne retrouva pas le sommeil. Mille questions, souvenirs et spéculations s'agitaient dans son esprit à propos d'Ursula, du voyage qu'il s'était engagé à faire sans même prendre le temps d'y réfléchir. L'occasion n'avait rien de réjouissant et il voyait mal quel réconfort et quelle aide matérielle il pourrait apporter à sa tante. Pourtant, il sentait une sorte d'excitation, de jubilation même, s'insinuer dans le cours généralement paresseux de ses pensées. Partir en avion à l'autre bout du monde, avec seulement quelques jours pour se retourner, c'était l'aventure, quelle qu'en fût l'occasion ; c'était un « changement », comme on dit souvent, pour sûr, et il eût été bien difficile d'imaginer rupture plus radicale dans le rythme monotone de sa présente existence. Et puis — Hawaii ! Honolulu ! Waikiki ! Ces syllabes résonnaient dans sa tête, associées à de fabuleux plaisirs exotiques. Il imagina des palmiers, du sable blanc, le roulement des vagues et le sourire de filles basanées vêtues de pagnes. Cette dernière image fit surgir spontanément dans sa mémoire l'image de Daphné le jour où il avait vu pour la première fois ses gros seins nus en liberté, dans la chambre de la pension de Henfield Cross, de gros zeppelins de chair blanche auréolés d'un cercle foncé à la pointe comme une cible, qui s'étaient balancés lourdement lorsqu'elle s'était retournée vers lui en souriant. Quarante ans de célibat ne l'avaient pas préparé à un tel spectacle ; il avait tressailli et détourné les yeux — le premier de ses nombreux échecs au cours de leurs brèves fréquentations. Lorsqu'il s'était retourné vers elle, elle était déjà rhabillée et son sourire s'était évanoui.

Il avait pris la résolution de ne plus penser à Daphné, mais l'esprit est un animal fantasque et indiscipliné. On ne peut pas toujours le tenir en laisse, et il replonge sans cesse dans les fourrés du passé, déterrant quelque vieil os du souvenir et le ramenant, en frétillant de la queue, pour le déposer à vos pieds. Lorsque l'aube projeta à travers les rideaux de sa chambre le dessin oblong de sa fenêtre, il lutta de toutes ses forces, concentra tous ses esprits sur le voyage à venir pour effacer de sa pensée l'image des seins pendants de Daphné se balançant comme des cloches pour sonner le glas de leurs relations.

Il alluma sa lampe de chevet et alla chercher dans sa bibliothèque un atlas qui était posé à plat au-dessus de sa collection de poésies. L'océan Pacifique couvrait deux pages, une étendue bleue si vaste que même l'Australie ne semblait être qu'une grande île dans le coin sud-ouest. Les îles Hawaii ne formaient que des petits points minuscules regroupés près de la pliure des pages : Kauai, Molokai, Oahu (avec le nom d'Honolulu flottant au-dessus comme un drapeau), Maui et Hawaii — celle-ci étant la seule à être assez grande pour se voir gratifier d'une tache de couleur verte. Le bleu de l'océan était traversé par des lignes sinueuses en pointillés qui retraçaient le parcours des premiers explorateurs. Apparemment, Drake avait raté de justesse l'archipel d'Hawaii lorsqu'il avait fait le tour du monde en 1578-1580, mais l'expédition du capitaine Cook en 1776 était passée en plein milieu. Une légende, en tout petits caractères, mentionnait même : « *Cap. Cook, tué à Hawaii, le 14 fév. 1779* », ce que Bernard ignorait. Contemplant l'immense vasque bleue du Pacifique, retenue, aurait-on dit, par les bras verts enveloppants de l'Asie et des deux Amériques, il se rendit compte qu'il savait vraiment très peu de choses sur l'histoire et la géographie de cette partie du globe. Ses études, son travail, toute sa vie et toute sa vision des choses avaient été marqués par les contours d'une mer beaucoup plus petite et plus peuplée : la Méditerranée. Dans quelle mesure le développement du christianisme à ses débuts n'avait-il pas été lié à cette conviction qu'avaient les croyants de vivre au « centre du monde » ? Discutez cette pensée, ajouta-t-il mentalement avec dérision, se rendant compte qu'il venait d'adopter le jargon de l'examinateur. Et pourquoi pas ? Ça obligerait les Asiatiques et les Africains inscrits à ce diplôme à se creuser la tête. Il consigna rapidement la question dans le carnet qu'il gardait à portée de la main pour noter ce genre d'idée. Sur une autre page, il dressa la liste des choses qu'il avait à faire :

> *Agence de voyages : vols, tarifs*
> *Banque (travellers)*
> *Passeport encore valide ? Visa oblig. ?*
> *Papa.*

Après le petit déjeuner qu'il prit dans le réfectoire presque vide (un groupe de pentecôtistes nigérians discutaient bruyamment en buvant leur thé dans le coin le plus ensoleillé de la salle, tandis qu'à l'autre bout un lugubre luthérien de Weimar déversait des cuillérées de yaourt dans un trou au milieu de sa barbe en lisant le dernier numéro de *Theologicum*), Bernard prit un bus jusqu'au centre commercial le plus proche et entra dans la première agence de voyages qu'il trouva. Les fenêtres et les murs étaient placardés d'affiches aux couleurs éclatantes où l'on voyait des jeunes tout bronzés en maillot de bain mini, au comble du plaisir, en train de se caresser sur des plages ou de batifoler dans la mer, ou encore de s'accrocher aux toiles multicolores de leurs planches à voile. Il y avait un petit tableau noir sur le comptoir où s'affichaient des destinations de vacances comme des plats sur un menu de restaurant : « *Palma 14 jours 242 livres. Benidorm 7 jours 175 livres. Corfou 14 jours 298 livres.* » En attendant qu'on s'occupe de lui, Bernard feuilleta toute une pile de brochures. Elles semblaient affreusement répétitives : sur des pages et des pages, ce n'étaient que baies, plages, couples, véliplanchistes, hôtels en gratte-ciel et piscines. Majorque ressemblait à Corfou, et la Crète à la Tunisie. La Méditerranée paraissait bien être le centre du monde, mais pas à la manière dont se l'imaginaient les premiers chrétiens.

Au cours de sa propre vie, le concept populaire de « vacances » semblait avoir subi, comme beaucoup d'autres choses, une profonde mutation. Le mot évoquait encore pour lui les imperméables en plastique, les galets mouillés et les gros rouleaux froids et gris de Hastings où ils allaient invariablement tous les ans lorsqu'il était enfant, et les salades à la mortadelle de Mme Humphrey, dans la salle à manger sombre un peu moisie à l'arrière de la pension, dans la rue parallèle au front de mer. Plus tard, les vacances avaient souvent signifié pour lui un remplacement en paroisse rurale pendant les congés d'été, ou un congrès à Rome, ou un pèlerinage qu'il fallait accompagner en Terre Sainte — quelque chose de formateur, d'improvisé et de subventionné. L'idée de réserver quinze jours de bonheur standardisé sur un catalogue imprimé lui était totalement étrangère, même s'il en voyait les avantages, et les prix semblaient très raisonnables.

« Au suivant », lança de derrière un comptoir un jeune homme perdu dans un costume trop grand pour lui, dont les épaules se retrouvaient pratiquement au niveau des coudes. Bernard s'assit sur un siège haut semblable à un tabouret de bar.

« Je veux aller à Hawaii, dit-il. A Honolulu. Le plus tôt possible. » La requête parut à ses oreilles si peu conforme à son personnage qu'il dut réprimer un gloussement.

Le jeune homme, las peut-être de renseigner les gens sur Benidorm et Corfou, le dévisagea avec une lueur d'intérêt et attrapa une brochure sous le comptoir.

« Pas pour des vacances, s'empressa d'ajouter Bernard. C'est pour un problème de famille. Je veux seulement un vol très économique.

— Combien de temps pensez-vous rester ?

— Je ne sais pas vraiment, dit Bernard qui n'avait pas envisagé le problème. Deux ou trois semaines, je suppose. »

Le jeune homme tapota sur son clavier d'ordinateur avec des doigts affreusement rongés. Le tarif officiel en classe touriste s'élevait à un prix exorbitant, et il n'y avait pas de tarif Apex disponible pour les quinze jours à venir. « Je pourrais vous trouver un voyage organisé pour à peu près le même prix qu'un tarif Apex, dit le jeune homme. Une annulation de dernière minute ou je ne sais quoi. Travelwise en propose un, mais leur ordinateur est en panne pour l'instant. Je vais m'en occuper. »

Il rentra à pied au collège. C'était une belle journée, mais l'intense circulation sur la nationale ne rendait pas la promenade particulièrement agréable, surtout avec cette incessante navette de camions qui desservaient l'énorme usine de voitures implantée dans une banlieue à quelques kilomètres de là. Des camions à deux étages, tellement chargés de voitures qu'on aurait dit des carambolages ambulants sur une autoroute, remontaient péniblement la côte en première, faisant siffler leurs freins à air comprimé et voler poussière et graviers le long des caniveaux avec leur pot d'échappement. Bernard pensa aux brises humides de la mer et au chuchotement du ressac, se réjouissant à l'avance.

Heureusement, le collège Saint-Jean se trouvait en retrait par rapport à la nationale, isolé dans son parc. C'était un de ces nombreux collèges théologiques fondés à la fin du XIXe siècle ou au début du XXe pour former les pasteurs de l'Église libre. Ils s'étaient adaptés au déclin de leur clientèle et à l'esprit plus œcuménique des temps modernes en ouvrant leurs portes à toutes les confessions, en fait à toutes les croyances, aux laïques aussi bien qu'aux clercs. On y enseignait l'étude comparée des religions, les relations interconfessionnelles, et il y avait des centres pour l'étude du judaïsme, de l'islam et de l'hindouisme, et bien sûr des cours sur tous les aspects du christianisme. Parmi les étudiants, on comptait des travailleurs sociaux au service de la ville, des missionnaires étrangers, des clercs indigènes venus du tiers monde, des retraités et des intellectuels au chômage de la région.

En fait, presque n'importe qui pouvait étudier presque n'importe quel sujet touchant de près ou de loin à la religion dans l'un ou l'autre de ces collèges : il y avait des cycles ou des diplômes en études pastorales, en études bibliques, en études liturgiques, en études missionnaires et en études théologiques. Il y avait des cours sur l'existentialisme, la phénoménologie et la foi, sur la morale situationniste, la théorie et la pratique du charisme, les hérésies du christianisme à ses débuts, la théologie féministe, la théologie noire, la théologie négative, l'herméneutique, l'homilétique, la gestion des églises, l'architecture ecclésiastique, les danses sacrées et une quantité d'autres choses. Bernard avait souvent l'impression que les collèges de Rummidge-Sud — c'est sous cette dénomination qu'on les avait regroupés — constituaient une sorte de supermarché de la religion, et ils combinaient les avantages et les inconvénients de ce genre d'établissement. Ils offraient un choix inouï, avaient assez d'espace pour exposer toutes les marchandises pour lesquelles il y avait de la demande et proposaient toute une variété de marques. Sur les rayons, on pouvait trouver tout ce qu'on voulait ; les produits étaient faciles d'accès et joliment emballés. Mais ce mode de shopping si facile engendrait fatalement une certaine saturation, un certain ennui. S'il y avait un tel choix, c'était peut-être que rien n'avait vraiment d'importance. Malgré tout, Bernard préférait ne pas se plaindre. Il n'y avait pas tant d'emplois que ça pour des théologiens sceptiques, et le collège Saint-Jean lui en avait offert un. Il ne travaillait qu'à mi-temps, il est vrai, mais il espérait bien pouvoir obtenir par la suite un poste à temps plein ; en attendant, on l'autorisait à vivre dans une des chambres d'élèves du collège, ce qui lui évitait bien des soucis et bien des frais.

Il retourna dans sa chambre et fit son lit, un lit en fer très étroit qu'il avait laissé dans un beau désordre tant il était pressé de sortir pour se rendre à l'agence de voyages. Il s'assit à son bureau et sortit les notes qu'il avait prises sur un livre sur la nouvelle théologie américaine dont il faisait une recension pour la *Revue d'eschatologie*. Le Dieu de la théologie en action, lut-il, est l'amant cosmique. « Sa transcendance est dans Sa fidélité totale à Lui-même dans l'amour, dans Ses ressources infinies en tant qu'amant, et dans Son infinie capacité d'adaptation à toutes les circonstances où Son amour peut être actif. » Vraiment ? Qui dit ça ? Le théologien. Et qui ça intéresse, à part les autres théologiens ? Pas les gens qui choisissent leurs vacances dans les brochures d'une agence de voyages. Ni les chauffeurs des transports de voitures. Bernard avait souvent l'impression que cette théologie radicale, au discours très moderne, était tout aussi peu plausible et infondée que l'orthodoxie qu'elle avait supplantée, mais personne ne s'en était rendu compte, parce que personne ne la lisait sauf ceux qui trouvaient un intérêt professionnel à ce qu'elle se perpétue.

Quelqu'un frappa à sa porte et lui cria qu'on l'appelait en longue distance au téléphone des étudiants. C'était Ursula.

« Cette heure te convient mieux ? dit-elle.

— Oui, c'est parfait. Onze heures du matin.

— J'ai réfléchi, peut-être que Jack viendrait lui aussi si tu l'emmenais avec toi.

— Je ne sais pas, dit Bernard d'un ton hésitant. Je ne suis pas sûr que ça changerait grand-chose.

— Essaie toujours. Je tiens réellement à le voir.

— Ça va faire des frais supplémentaires.

— Je paierai. Sacré nom d'un chien, à quoi vont me servir mes économies ?

— Bon, alors, je vais essayer de le convaincre », dit Bernard. Il était sincère, mais il ne se sentait plus aussi euphorique. S'il parvenait à convaincre son père, le voyage à Hawaii risquait de prendre une tournure différente, moins attrayante. « Je n'ai pas grand espoir », ajouta-t-il.

A peine avait-il raccroché que la sonnerie du téléphone retentit de nouveau. C'était le jeune homme au costume zazou de l'agence de voyages. Il avait trouvé un forfait vacances de quatorze jours à Waikiki avec Travelwise Tours pour un prix défiant toute concurrence, départ jeudi prochain sur vol régulier partant de Heathrow via Los Angeles. « C'est sept cent vingt-neuf livres, sur la base de deux personnes par chambre. Il y a cependant un supplément de dix livres par jour pour une chambre individuelle.

— Vous voulez dire que je pourrais avoir deux billets à ce tarif ? demanda Bernard.

— Ce sont deux places groupées, en fait. Une annulation de dernière minute. Mais je croyais que vous voyagiez seul.

— C'était mon intention. Mais il se peut que je sois accompagné.

— Ah oui ? dit le jeune homme d'un ton bizarre, comme s'il faisait un clin d'œil à distance.

— Mon père », s'empressa stupidement d'ajouter Bernard.

Le jeune homme dit qu'il allait mettre les billets de côté pour le week-end et que Bernard devrait confirmer la réservation lundi.

Bernard essaya par deux fois de téléphoner à son père au cours de la matinée, sans succès. Après le déjeuner, il essaya de nouveau, toujours sans succès. Alors, sans trop réfléchir, il fit le numéro de Tess. Elle répondit tout de suite.

« Oh, c'est toi », dit-elle froidement. La dernière fois qu'ils s'étaient parlé, c'était trois ans plus tôt au cours de la réunion de famille qui avait suivi l'enterrement de leur mère. Tess l'avait accusé d'avoir provoqué la rechute fatale. Il avait posé sans y avoir goûté son verre de cherry et était sorti de la maison. Relations tendues.

Il lui parla de la maladie d'Ursula et de l'offre qu'il lui avait faite d'aller la voir à Honolulu.

« Un beau geste de ta part, dit-elle sèchement. Espères-tu hériter ?

— Ça ne m'a même pas effleuré l'esprit, dit-il. D'ailleurs, je ne crois pas qu'Ursula soit très riche.

— Je croyais que son ex-mari lui versait des mille et des cents en pension alimentaire.

— Je n'en sais rien. Je ne sais rien de sa vie privée, en fait. Je comptais sur toi pour combler mes lacunes.

— Pas maintenant, si ça ne te fait rien. Nous venons tout juste de rentrer de Cornouailles. Le voyage a été affreux. Nous sommes partis au petit matin pour éviter la circulation mais ça n'a rien changé.

— Les vacances ont été bonnes ?

— Il y a une terrible sécheresse là-bas, on a été obligés d'aller chercher notre eau à une fontaine. Tant qu'à faire, je préfère encore me taper les tâches ménagères à la maison avec l'eau courante.

— Tu devrais dire à Frank de vous emmener à l'hôtel.

— Tu te rends compte de ce que ça coûte d'emmener une famille de sept à l'hôtel ? »

Bernard se tut car il n'en avait pas la moindre idée.

« Et, de toute façon, ça ne résoudrait pas le problème de Patrick », ajouta Tess. Patrick était son fils handicapé mental. Il avait subi un traumatisme cérébral à la naissance. C'était un enfant aimable, gentil, mais il bavait, il articulait mal et avait tendance à faire tomber accidentellement la vaisselle de la table. Bernard se retint de suggérer que Patrick pourrait être placé ailleurs pendant une semaine ou deux. Tess s'occupait de Patrick avec un dévouement admirable, mais elle l'utilisait aussi comme un bâton pour fustiger le reste de l'univers.

« Écoute, dit Bernard, est-ce que papa est chez lui ? J'ai essayé toute la journée de lui téléphoner.

— C'est leur anniversaire de mariage aujourd'hui, dit Tess. Il a probablement fait dire une messe pour maman ce matin et s'est rendu ensuite au cimetière.

— Oh ! » lança-t-il, quelque peu honteux d'avoir oublié cette date importante. « Mais il devrait être de retour maintenant, tu ne crois pas ? Je viens d'essayer de l'appeler.

— Il regarde *Neighbours*. Il regarde toujours *Neighbours* après le déjeuner et ne répond jamais au téléphone pendant l'émission.

— C'est une émission de télévision ?

— Bernard, tu dois être la seule personne dans tout le pays à ne pas savoir ce qu'est *Neighbours*. Je dirai à papa ce qui arrive à Ursula, si tu veux. Je vais sans doute aller faire un tour ce soir.

— Non, je crois que je ferais mieux de le faire moi-même. J'avais justement pensé descendre le voir demain.

— Pour quoi faire ?

— Pour discuter d'Ursula.

— Qu'y a-t-il à discuter ? Ça ne fera que le bouleverser, que réveiller le passé.

— Ursula veut que je l'emmène à Honolulu.

— *Quoi ?* »

Tandis qu'il écoutait patiemment les récriminations que Tess lui adressait en un flot de paroles — leur père ne songerait jamais à faire une chose pareille, d'ailleurs elle ne le permettrait sûrement pas, le voyage et la chaleur allaient être insupportables pour lui, Ursula n'était pas raisonnable, etc., etc. —, Bernard sentit qu'on tirait doucement sur sa manche ; il se retourna et vit une religieuse des Philippines et derrière elle toute une file de gens qui voulaient utiliser le téléphone. « Désolé, Tess, mais je ne peux pas te parler maintenant, dit-il. Je t'appelle d'une cabine publique et il y a des gens qui attendent.

— Quel âge as-tu, Bernard, quarante-quatre ans ? et tu n'as même pas de téléphone à toi ! dit Tess d'un ton méprisant. Tu as vraiment gâché ta vie. »

Bernard ne contestait pas le verdict, même si ce problème de téléphone était le dernier de ses soucis.

« Dis à papa que j'arriverai demain après-midi », dit-il, puis il raccrocha.

Le lendemain, Bernard prit le car à Rummidge pour se rendre à Londres. Le trajet était censé durer deux heures et quart, mais l'autoroute était très embouteillée ; des voitures chargées de bagages pour les vacances, certaines tractant des caravanes ou des bateaux, côtoyaient curieusement des voitures et des bus bourrés de supporters de football, écharpes rayées flottant par les portières comme des serpentins, qui se rendaient (comme l'informa l'homme assis à côté de lui) à Wembley pour le tournoi de foot, le premier de la saison. Ils arrivèrent donc très tard au centre de Londres. La capitale était une véritable ruche humaine. La gare Victoria était chaotique — touristes étrangers penchés avec concentration sur des cartes de la ville, jeunes auto-stoppeurs chargés de volumineux sacs à dos, familles en partance pour les plages, citadins se rendant à la campagne pour le week-end, supporters de football excités — tout ce petit monde jouant des coudes, se poussant et se bousculant. La gare retentissait de cris, de jurons, de bribes d'hymnes sportifs et de petites phrases en français, en allemand, en espagnol et en arabe. Il y avait des files d'attente qui serpentaient à l'infini devant la station de taxis et les guichets du métro. Bernard n'avait jamais été autant frappé par l'extrême fébrilité du monde moderne dans ses migrations collectives et ne s'était jamais senti agressé et violenté à ce point. Si par hasard il existait un Être Suprême, il serait plutôt drôle de l'imaginer frappant dans ses mains, tel un instituteur exaspéré devant une classe turbulente devenue soudain silencieuse et assagie, et disant : « Voulez-vous bien vous taire et retourner tranquillement à vos places. »

En temps normal, c'était déjà une entreprise très pénible de se rendre à la maison paternelle au sud de Londres. Il fallait prendre, de London Bridge à Brickley, un sordide train électrique au décor intérieur lamentable — sièges défoncés, graffitis au crayon feutre —, faire ensuite un kilomètre et demi à pied ou bien attendre un bus pour se rendre au bas de Haredale Road, enfin remonter péniblement la côte jusqu'au numéro 12, pratiquement au bout de la rue. Bernard se sentit submergé par une émotion soudaine, faite plutôt de dégoût que de nostalgie, lorsqu'il tourna au coin de la rue et commença à gravir la côte. Combien de fois avait-il remonté cette pente, courbant l'échine sous le poids de son sac plein de livres d'école. Les petites maisons accolées, toutes semblables, escaladaient toujours la colline à la queue leu leu sur deux rangées titubantes, chacune avec son jardinet entouré de grilles et ses quelques marches en pierre à l'entrée. Pourtant, il y avait une différence subtile entre cette rue et celle qu'il avait connue dans son enfance : une multitude de détails trahissaient la fierté des propriétaires — les stores, les volets, les porches, les fenêtres en aluminium, les corbeilles de fleurs suspendues. Et bien sûr, il y avait encore un autre changement : des deux côtés, la rue était bordée de voitures garées pare-chocs contre pare-chocs. Brickley aussi avait apparemment bénéficié du boom immobilier des années 80, même si les nombreuses pancartes « A vendre » suggéraient que la baudruche avait éclaté, ici comme ailleurs.

La maison du numéro 12 paraissait nettement plus minable que ses voisines ; la peinture craquelait et s'écaillait sur les montants des fenêtres à guillotine. Il y avait une Golf Volkswagen flambant neuve garée juste devant, dont le propriétaire devait se réjouir que M. Walsh ne possédât pas de véhicule à lui. Bernard gravit les marches, un peu essoufflé après cette montée, et appuya sur la sonnette. Le visage flou et coloré de son père surgit derrière le petit vitrail de la porte d'entrée tandis que le vieil homme cherchait à identifier son visiteur. Puis il ouvrit la porte.

« Oh, c'est toi ! dit-il sans un sourire. Entre.

— Je m'étonne que tu puisses encore monter cette côte », fit observer Bernard en suivant son père le long du couloir sombre jusqu'à la cuisine, à l'arrière de la maison. Une légère odeur de viande et de choux flottait dans l'air.

« Je ne sors pas beaucoup, dit son père. J'ai une aide ménagère qui fait mes courses, et je fais venir mon dîner par la cantine ambulante. Ils m'apportent deux repas le vendredi et j'en réchauffe un le samedi. Tu as mangé ? »

Il parut soulagé lorsque son fils lui répondit que oui. « Mais je veux bien une tasse de thé », dit Bernard. Son père hocha la tête et se dirigea vers l'évier pour remplir la bouilloire. Bernard fit le tour de la petite pièce. Elle avait toujours été le noyau central de la maison, et maintenant son père y passait manifestement l'essentiel de son temps. Elle ressemblait à un nid surpeuplé : il y avait le poste de télé et le fauteuil favori de son père, ainsi que des souvenirs qui se trouvaient autrefois dans le salon de devant.

« La maison est un peu grande pour toi maintenant, non ?

— Tu ne vas pas me taquiner là-dessus toi aussi, pour l'amour du ciel ! Tess me houspille constamment pour que je la vende et que j'aille m'installer dans un appartement.

— Eh bien, ce n'est pas une mauvaise idée.

— Rien ne se vend par ici en ce moment. Tu n'as pas vu les pancartes « A vendre » en montant ?

— Tu en tirerais sûrement de quoi t'acheter un petit appartement ?

— Je ne tiens pas à m'en débarrasser », dit M. Walsh.

Bernard, sentant qu'il avait abordé un sujet délicat, préféra ne pas poursuivre. Il examina le reliquaire familial au-dessus du buffet. Autour d'une photo de studio un peu passée représentant sa mère jeune étaient regroupées des photos de son frère, de ses sœurs et de leurs familles respectives : Tess, Frank et leurs cinq enfants, Brendan, sa femme Frances et leurs trois enfants, Dympna, son mari Laurie et les deux fils qu'ils avaient adoptés. Certains de ces personnages apparaissaient plus d'une fois, dans des landaus, sur des photos de classes, en habits de mariés et en toge universitaire. Aucune photo de Bernard dans cette galerie de portraits. Sur le montant du buffet étaient agrafées avec des punaises des notes et des listes manuscrites : *payer l'électricité ; préparer le linge sale pour Mme P. ; messe pour M. vendredi ; timbres ; bouteilles de lait ; Neighbours 1 h 30.*

« Tu aimes bien *Neighbours* ? » fit remarquer Bernard, pensant que ce serait un sujet de conversation moins risqué ; mais son père parut vexé de voir ses pratiques télévisuelles révélées au grand jour. « C'est un tas de foutaises, dit-il d'un air bougon. Mais ça me permet de m'asseoir et de digérer mon repas. » Il versa de l'eau bouillante dans la théière et l'agita.

« Alors, qu'est-ce qui te ramène ici après tout ce temps ? dit-il.

— Ça fait longtemps, papa, parce que j'avais l'impression que tu ne voulais pas me voir. » Papa. Le terme avait déclenché quelques sarcasmes lorsqu'il était petit garçon, car les autres enfants de la rue appelaient leur père « père ». Mais c'était la coutume chez les Irlandais. M. Walsh, le dos tourné, ne répondit rien. « Tess ne t'a pas dit pourquoi je venais ?

— Elle a parlé d'Ursula.

— Ursula est gravement malade, papa.

— Ça nous arrive à tous un jour, dit son père avec un tel calme que Bernard fut persuadé que Tess lui avait tout dit.

— Elle veut te voir.

— Ha ! » Son père eut une sorte de petit rire triste. Il apporta la théière et la posa sur la table.

« Je lui ai proposé d'y aller, mais c'est toi, en fait, qu'elle veut voir.

— Pourquoi moi ?

— Tu es son plus proche parent, que veux-tu ?

— Qu'est-ce que ça change ?

— Elle est en train de mourir, papa, toute seule, à l'autre bout du monde. Elle veut voir sa famille. C'est bien naturel.

— Elle aurait dû y penser quand elle s'est installée dans ce sacré pays, comment est-ce qu'il s'appelle déjà, Hawaiiii. » Il fit vibrer la voyelle finale comme une corde de banjo par dérision.

« Pourquoi s'est-elle installée là-bas ? »

Son père haussa les épaules. « Ne me le demande pas. Il y a belle lurette que je n'ai pas eu de contacts avec Ursula. Elle est partie là-bas passer des vacances, je crois, elle a apprécié le climat et a décidé de rester. Elle pouvait vivre où elle voulait, elle n'avait rien qui la retenait. Ç'a toujours été le problème avec Ursula, elle a toujours fait ce qui lui plaisait. Maintenant, elle paie la note.

— Elle m'a dit de te dire qu'elle avait recommencé à aller à l'église. »

M. Walsh rumina l'information en silence pendant un moment. « Je suis heureux de l'apprendre, dit-il sèchement.

— Pourquoi a-t-elle quitté l'église, d'abord ?

— Elle a épousé un divorcé.

— Oh, c'était donc ça ! Maman et toi, vous étiez tous les deux si cachottiers lorsqu'il s'agissait de tante Ursula. Je n'ai jamais très bien su ce qui s'était passé.

— Nous n'avions aucune raison de t'en parler. Tu n'étais qu'un gosse en 1946.

— Je me souviens quand elle est revenue en Angleterre, ça devait être en 1952.

— Oui, son mari venait juste de la quitter.

— Il l'a quittée si tôt que ça ?

— C'était un mariage condamné à l'avance. On l'avait prévenue mais elle ne voulait rien entendre. »

Petit à petit, mis en confiance et aiguillonné par Bernard,

M. Walsh se mit à tracer les grandes lignes de l'histoire d'Ursula. Elle était dans la famille la plus jeune des cinq, et la seule fille. Les Walsh avaient émigré d'Irlande pour s'installer en Angleterre vers 1935, elle devait avoir alors treize ans. Quand la Seconde Guerre mondiale avait éclaté, elle vivait à la maison, travaillant comme sténo-dactylo dans la Cité. Elle avait voulu s'engager dans l'un des services réservés aux femmes, mais ses parents l'en avaient dissuadée, en partie parce qu'ils craignaient pour sa moralité et aussi parce que, tous leurs fils ayant été appelés sous les drapeaux, ils ne voulaient pas se retrouver complètement seuls. Lorsque leur aîné, Sean, avait été tué dans un transport de troupes coulé par des torpilles (il occupait une place d'honneur dans le reliquaire familial, portrait en pied d'un caporal en tenue de combat, au repos et souriant devant la caméra), ils étaient devenus plus que jamais dépendants d'elle.

Elle avait donc continué à vivre à la maison jusqu'à fin de la guerre, sous la menace constante du Blitz et des attaques de V1 et de V2, travaillant pour un ministère à Whitehall, jusqu'au jour où elle avait rencontré un aviateur américain, en 1944, un sergent-chef des transmissions posté en Angleterre en attendant le jour J et dont elle était tombée amoureuse. Bernard avait vu assez de vieux films d'actualités pour recréer le contexte de ce récit : les rues de Londres plongées dans le black-out, l'immense parquet du palais de danse où tourbillonnaient ces hommes rasés en uniforme qui enlaçaient des jeunes filles aux cheveux longs, en robes courtes, carrées aux épaules, l'atmosphère de danger, d'excitation et d'incertitude, les sirènes, les projecteurs, les télégrammes et les gros titres des journaux. Il s'appelait Rick Riddell. « Rick, tu parles d'un nom », commenta son père. « Ç'aurait dû la mettre sur ses gardes. » En fait, Rick avait déjà une femme aux États-Unis. Il y eut une grosse crise familiale. Rick fut envoyé en France et en Allemagne pendant la phase finale de la guerre en Europe. Lorsqu'il fut démobilisé, il se sépara de sa femme qui avait mené une vie dissolue pendant qu'il était à l'étranger, et il écrivit d'Amérique à Ursula pour lui demander de l'épouser. « Elle est partie sans hésiter un seul instant, dit M. Walsh amèrement. Sans penser qu'elle brisait le cœur de ses parents qui étaient déjà déchirés par la mort de Sean. Sans s'inquiéter de les abandonner dans leur vieillesse.

— Mais, fit remarquer Bernard, vous étiez alors rentrés de la guerre, toi, l'oncle Patrick et l'oncle Michael, n'est-ce pas ? » Cette allusion aux états de service de M. Walsh était quelque peu flatteuse : possédant un dossier médical assez médiocre, il avait passé une bonne partie de ces années dans une unité chargée des barrages de ballons dans le sud de Londres.

« On était déjà tous chefs de famille », observa M. Walsh en se relevant pour aller chercher la bouilloire qu'il avait remise à chauffer. « Et les temps étaient difficiles. L'argent était rare. Ce que rapportait Ursula à la maison toutes les semaines améliorait drôlement la situation des vieux. Mais ce n'était pas seulement une question d'argent. Ils avaient besoin d'elle pour les aider à oublier la mort de Sean. Ils l'adoraient, ce fils, leur aîné, tu comprends. » M. Walsh remit de l'eau chaude dans la théière, puis, tenant toujours la bouilloire vide, il alla vers le buffet et contempla la photo du caporal tout souriant. « On n'a jamais retrouvé son corps, dit-il. On a tous eu du mal à admettre qu'il était vraiment mort.

— De toute façon, elle aurait bien fini par se marier ?

— Pour nous, Ursula n'était pas le genre de fille à se marier. Elle avait toujours adoré les bals, les sorties, mais elle n'avait jamais eu d'amoureux attitré. Elle les envoyait toujours balader quand ils essayaient de passer aux actes. C'était une vraie flirteuse, pour tout te dire. C'est pour ça qu'on a été si choqués quand elle s'est jetée dans les bras de ce Yankee. Toujours est-il qu'elle a sauté dans le premier bateau qu'elle a pu trouver, le *Mauritania* si je me souviens bien, pour partir dans le « Nou Jersey » épouser Rick. Au début, ç'a été pour elle le paradis terrestre. On recevait des lettres et des cartes postales où elle n'arrêtait pas de délirer sur l'Amérique, sur sa lune de miel en Floride, la grandeur de leur maison, la taille de leur voiture, celle de leur réfrigérateur avec tout son sacré stock de bibines et de boustifaille. Ce n'est pas ça qui nous remontait le moral, tu penses bien, nous qui étions toujours rationnés après la guerre.

— Elle nous envoyait quand même des colis de nourriture, dit Bernard. Je m'en souviens. » Dans sa mémoire jaillit soudain l'image d'un pot de beurre de cacahuètes, une denrée dont ils ne connaissaient ni la couleur ni l'existence auparavant, posé sur la table de la cuisine, et il entendait encore la voix de sa mère lui dire sèchement, après qu'il eut demandé d'où ça venait : « De ta tante Ursula, qu'est-ce que tu crois ? » Sur l'étiquette du pot, il y avait une cacahuète de forme humaine qui disait avec un grand sourire :

« *Dé-lii-cieux !* » dans une bulle qui lui sortait de la bouche. Bernard avait reçu une tape sur la tête lorsqu'il avait trempé son doigt dans le pot pour en tester la saveur — la pâte avait un goût bizarre et écœurant, à la fois sucré et salé.

« C'était le moins qu'elle puisse faire, dit M. Walsh. Bref, les lettres se sont faites de plus en plus rares. Rick a obtenu un autre boulot en Californie, il gagnait bien sa vie, il travaillait dans l'industrie aéronautique, et ils ont déménagé pour aller s'installer là-bas. Finalement, un jour, on a reçu une lettre dans laquelle elle nous disait qu'elle revenait en Angleterre pour les vacances, toute seule.

— Je me souviens de cette visite, dit Bernard. Elle avait une robe blanche à pois rouges.

— Sainte Mère de Dieu ! Elle portait une robe différente chaque jour de la semaine, et des pois en veux-tu en voilà à te faire bigler, dit M. Walsh. Mais elle n'avait pas de mari. Elle a bien été obligée d'avouer que Rick l'avait abandonnée quelques mois auparavant pour une autre femme. Elle ne pouvait pas dire qu'on ne l'avait pas avertie. Heureusement, il n'y avait pas d'enfants.

— Est-ce qu'elle envisageait de revenir s'installer en Angleterre ?

— Elle avait peut-être cette idée derrière la tête. Mais elle ne s'est pas plu ici. Elle n'arrêtait pas de se plaindre du froid et de la saleté. Elle est donc retournée en Californie. Elle a divorcé et obtenu de Rick une rente confortable, c'est ce qu'on a cru comprendre. Elle a trouvé une espèce de boulot, secrétaire chez un dentiste, quelque chose comme ça. Puis elle a travaillé dans un bureau d'avocats. Elle changeait de boulot et déménageait constamment. On l'a perdue de vue.

— Elle ne s'est jamais remariée ?

— Non. Chat échaudé craint l'eau froide.

— Elle n'est jamais revenue ?

— Non. Même pas quand notre père était sur le point de mourir. Elle a prétendu n'avoir reçu la lettre que plusieurs mois plus tard. Les relations se sont encore tendues à cause de ça. Après tout, c'était sa faute si nous avions envoyé la lettre à une ancienne adresse. »

Ils burent leur thé en silence pendant quelques instants.

« Je crois que tu devrais venir à Hawaii avec moi, papa, dit finalement Bernard.

— C'est trop loin. Quelle distance ça fait ?

— C'est loin, reconnut Bernard. Mais ça prend moins d'un jour en avion.

— Je ne suis jamais monté dans un aéroplane de ma vie, dit M. Walsh, et je n'ai pas l'intention de le faire maintenant.

— Ce n'est pas une telle aventure. Tout le monde prend l'avion de nos jours, les personnes âgées, les bébés. C'est statistiquement la façon la plus sûre de voyager.

— Ça ne me fait pas peur, dit M. Walsh avec dignité. Ça ne me dit rien, c'est tout.

— Ursula a proposé de payer nos billets.

— Combien ?

— Eh bien, on m'a offert un billet spécial très bon marché à sept cent vingt-neuf livres.

— Dieu du ciel ! Chacun ? »

Bernard hocha la tête. Il voyait bien que son père était impressionné, malgré le commentaire qui suivit.

« Elle doit s'imaginer, je suppose, que ça fait oublier tout le reste. Elle coupe les ponts avec sa famille pendant près de quarante ans et elle croit qu'il lui suffit de lever le petit doigt pour qu'on aille tous à son secours, du moment qu'elle paie les billets. Le dollar fait tout passer.

— Si tu ne viens pas, tu le regretteras peut-être un jour.

— Pourquoi veux-tu que je le regrette ?

— Je veux dire, si elle meurt — quand elle mourra, tu t'en voudras peut-être de ne pas être allé la voir alors qu'elle le demandait.

— Elle n'a pas à exiger ça, marmonna son père mal à l'aise. Ce n'est pas juste envers moi. Je suis un vieil homme. C'est bon pour toi. Vas-y.

— Je la connais à peine. C'est toi qu'elle veut voir. » Puis il eut la maladresse d'ajouter : « Visiter les malades, c'est une œuvre de miséricorde corporelle.

— Tu ne vas quand même pas me rappeler mes devoirs de chrétien ! » répliqua le vieil homme d'un ton cinglant, tandis que deux taches rouges venaient colorer ses pommettes saillantes. « Surtout pas toi. »

Bernard pensa avoir perdu le peu d'espoir qu'il lui restait de persuader son père, surtout que Tess débarqua quelques minutes plus tard, n'ayant pas hésité à venir en voiture de sa verte banlieue à la limite du Kent dans l'espoir évident d'arbitrer la discussion. Tess, celle des enfants qui habitait le plus près de M. Walsh (Brendan travaillait dans une université du Nord comme responsable adjoint de la scolarité et le mari de Dympna était vétérinaire dans l'East Anglia), était fatalement aussi celle qui s'occupait le plus de lui, responsabilité qui lui permettait en échange d'accabler ses frères et sa sœur de ses vertueuses récriminations et d'exercer sur son père une discrète tyrannie. A peine avait-elle débarqué dans la maison qu'elle se mit à ramasser des articles vestimentaires qui, déclara-t-elle bien haut, avaient besoin d'être lavés, elle passa le doigt sur le rebord des meubles pour se plaindre de la négligence de l'aide ménagère et fourra son nez dans le réfrigérateur, jetant à la poubelle tous les produits que son flair jugeait douteux. Elle déambulait lourdement dans la cuisine, faisant trembler la porcelaine sur les étagères ; c'était une femme corpulente, aux hanches larges marquées par les maternités successives, qui avait hérité du nez aquilin de son père et de sa tignasse de cheveux crépus où apparaissaient maintenant des fils argentés.

« Alors qu'est-ce que tu penses de cette idée d'aller voir Ursula ? » dit-elle à son père, à la grande surprise de Bernard qui s'attendait à ce qu'elle rejetât cette proposition avec mépris. M. Walsh, qui boudait après cette razzia en règle dans son stock de nourriture, parut lui aussi surpris.

« Ne me dis pas, toi aussi, que je devrais y aller ?

— J'irais volontiers moi-même, dit Tess, si je pouvais tout laisser tomber comme Bernard. Ça ne me déplairait pas de faire un voyage à Hawaii, tous frais payés.

— Ça ne va pas être vraiment une partie de plaisir, tu sais, dit Bernard. Ursula est en train de mourir.

— C'est ce qu'elle prétend. Comment sais-tu qu'elle ne panique pas ? As-tu parlé à son médecin ?

— Pas personnellement. Mais elle m'a dit qu'il ne lui donnait plus que quelques mois à vivre, même avec la chimiothérapie, et elle a refusé le traitement.

— Pourquoi ? dit M. Walsh.

— Elle a dit qu'elle voulait mourir avec tous ses cheveux. »

M. Walsh eut un petit sourire glacial.

« Ça, c'est Ursula tout craché, dit-il.

— Peut-être que tu devrais y aller, papa, si tu te sens la force de faire le voyage, dit Tess en posant la main sur son épaule. Après tout, tu es son plus proche parent encore vivant. Elle a sans doute besoin de toi là-bas... pour mettre de l'ordre dans ses affaires. »

M. Walsh devint songeur. Bernard décoda instantanément le message qui venait de passer entre eux. Si Ursula était mourante, elle allait peut-être laisser derrière elle de l'argent, beaucoup d'argent. Elle n'avait ni mari ni enfants. Son frère Jack était son plus proche parent encore vivant. S'il venait à hériter de sa fortune, il la redistribuerait fatalement un jour ou l'autre à ses enfants et à leurs enfants respectifs, la répartissant à sa guise en fonction de leurs mérites, ce qui impliquerait des facteurs comme le dévouement filial, la respectabilité et la charge d'enfants handicapés. Si Bernard allait seul à Hawaii, on courait le risque de voir la tante reconnaissante laisser tout son argent à lui, la brebis galeuse.

« Oui, je ferais peut-être bien d'y aller, dit M. Walsh en soupirant. Après tout, c'est ma sœur, la pauvre femme.

— Parfait », approuva Bernard, heureux de cette décision pour Ursula, même si les motivations étaient égoïstes et les conséquences pratiques désastreuses pour lui. Je vais confirmer les réservations, alors. On part jeudi prochain.

— Jeudi prochain ! s'exclama Tess. Comment papa peut-il être prêt pour jeudi prochain ? Il n'a même pas de passeport. Et les visas ?

— Je ferai la queue pour le passeport à Petty France, dit Bernard. Et maintenant on n'a plus besoin de visa pour une courte visite en Amérique. » Le jeune homme à l'agence de voyages lui avait fourni tous ces renseignements.

« Je ferais bien de faire une liste », dit M. Walsh. Il écrivit : « *Faire une liste* » sur un bout de papier qu'il scotcha sur le côté du buffet.

« Bon, j'espère que tu es content », dit Tess, comme si elle s'avouait battue après ce bras de fer. « Je te tiens pour entièrement responsable de papa. »

3

« C'est sûr qu'il n'y a pas de meilleure façon de voyager. Si j'avais su que c'était si facile, je l'aurais fait depuis longtemps. Je suis un vrai pacha, on est aux petits soins pour moi, ces charmantes petites demoiselles m'apportent mon repas sur un plateau, et l'alcool est gratis par-dessus le marché — on n'a pas ça à la cantine ambulante, tu peux me croire. Oh, belle enfant, la prochaine fois que tu passes par ici, ça ne te dérangerait pas de m'apporter encore une de ces mignonnes petites bouteilles comme celle-ci ?

— Un instant, monsieur !

— Tu en as déjà eu assez comme ça, papa.

— Fiche-moi la paix ! Je tiens l'alcool aussi bien que n'importe qui. Tu roulerais sous la table bien avant moi.

— Tu vas être malade après. L'alcool déshydrate le corps.

— Déshydrate, mon cul, oui ! Oh, excuse mon affreux langage, petite, ma langue a fourché. Je me suis laissé aller à des grossièretés, ça n'arrivera plus. C'est ce type qui m'exaspère et qui me traite comme un gamin. Comment est-ce que tu t'appelles, petite ? Ginny ? Oh, *Jeannie* ! C'est un bien joli nom. *"Je rêve à Jeannie et à ses beaux cheveux châtains..."* »

Le vieil homme se met à fredonner la chanson d'une voix de ténor un peu cassée, mais il est pris d'une quinte de toux, une longue toux grasse qui lui arrache les poumons et semble remonter des profondeurs d'un puits artésien.

« Ça va, ça va, petite, je vais bien, dit-il enfin en reprenant son souffle. Ne t'inquiète pas pour moi. J'avais un chat dans la gorge. Ce qu'il me faut, c'est une clope ou deux pour tout remettre en place. Tu peux rire si tu veux, mais, crois-moi, ça réussit toujours. Ça vous retape un homme. Allons, prends-en une.

— Papa, je t'ai dit qu'on était dans la partie non-fumeurs.

— Oh, j'avais oublié. Avec lui, c'était fatal qu'on tombe dans la partie non-fumeurs. Il pense qu'à lui. Comme Ursula — c'est ma sœur. Nous allons lui rendre visite à Honolulu. Elle est malade, très malade. Tu comprends ce que je veux dire ? *Le cancer !* »

Le vieil homme prononce ce mot en un chuchotement si sonore

qu'il se propage dans toute la rangée — ça fait d'ailleurs une heure qu'ils supportent tout son bavardage —, depuis la pauvre Jeannie bien sûr et son petit ami jusqu'à Roger Sheldrake, assis sur le deuxième siège côté tribord dans cette rangée de six au centre de la cabine touriste du jumbo-jet. Roger Sheldrake fronce les sourcils, essayant de concentrer toute son attention sur un dossier plein de tableaux et de statistiques que lui a fourni le bureau de tourisme de Hawaii, dossier qu'il se voit contraint de tenir au-dessus des dépouilles de son déjeuner, à moins que ce soit de son dîner, à cette heure indéterminée, quelque part au-dessus de l'Atlantique Nord.

« Si tu ne veux pas ce bout de fromage, ma petite Jeannie, je me ferai un plaisir de t'en débarrasser. Oh, regarde, tu as laissé aussi du beurre. » Le vieil homme se met à faire le ménage sur le plateau de sa voisine et récupère, parmi les débris, fromage et biscuits dans leur enveloppe de cellophane, tubes de beurre miniature, et il fourre le tout dans ses poches de veste.

« Pour l'amour du ciel, papa, qu'est-ce que tu fais ? Ces trucs-là vont fondre et tacher tes vêtements.

— Sûrement pas, c'est scellé her-mé-ti-que-ment.

— Donne-les-moi. »

Le vieil homme redonne à contrecœur son butin et le fils enveloppe le tout dans une serviette en papier pour le ranger dans son sac.

« Il faudra qu'on se débrouille tout seuls, tu comprends, explique le vieil homme à Jeannie. Et qui sait si les magasins seront ouverts quand on arrivera ? On sera peut-être contents de trouver un morceau de fromage pour tuer la faim. Est-ce que tu vas à Hawaii toi aussi, par hasard ?

— Non, je m'arrête à L.A. » dit Jeannie, modifiant peut-être brusquement ses projets de voyage, horrifiée à l'idée d'avoir à écouter cet ennuyeux vieillard pendant cinq heures de plus.

Depuis l'embarquement à Heathrow, il n'avait cessé d'être une source de problèmes et de désordre. D'abord, il provoqua un embouteillage sur la passerelle conduisant à l'avion parce que, pris d'une ultime panique à l'idée de voler, il refusait purement et simplement de monter à bord, s'agrippant désespérément à la main courante au bout de la rampe, tandis que son fils et plusieurs responsables de la compagnie essayaient de l'amadouer et de le ramener à la raison. Puis, une fois convaincu de monter à bord et installé sur son siège, il se mit à gémir, à pleurnicher et à marmonner des prières, serrant sa médaille miraculeuse qu'il avait ressortie de dessous sa chemise.

Soudain, poussant un cri de douleur perçant, il se rappela la bouteille de whisky détaxé que son fils ou lui avait laissée sous un siège à l'aérogare, et on dut l'empêcher de force de retourner la chercher, car l'avion roulait déjà vers la piste de décollage. Il resta pétrifié de frayeur devant l'écran de télévision sur lequel un steward souriant montrait comment enfiler le gilet de sauvetage, mais fut vite distrait et amusé en voyant apparaître, dans une incrustation aux rebords flous dans le coin gauche de l'écran, une femme qui relayait ces instructions par des signes destinés aux passagers mal entendants. « Qu'est-ce que c'est que ça, qu'est-ce que c'est que cette bonne femme là-haut ? C'est une fée, un fantôme ou quoi ? » s'écria-t-il. Lorsque l'avion s'élança avec fracas sur la piste, il serra dur les paupières, s'agrippa si fort aux accoudoirs de son siège que les articulations de ses doigts devinrent toutes blanches, et se mit à baragouiner des « Jésus, Marie, Joseph » à n'en plus finir ; puis, lorsqu'ils s'élevèrent dans les airs et que le train d'atterrissage rentra en faisant un grand bruit, il s'écria : « Oh, Sainte Mère de Dieu ! C'est une bombe qui vient d'exploser ? »

Comme l'avion s'élevait, traversant en douceur la couverture nuageuse, que la lumière du soleil envahissait la cabine et que le bruit des réacteurs diminuait, le vieil homme se calma tout en demeurant sur ses gardes, toujours agrippé aux accoudoirs de son siège, s'imaginant qu'il maintenait ainsi l'avion dans les airs. Ses yeux clignaient et roulaient dans leurs orbites comme ceux d'un oiseau en cage tandis qu'il observait l'attitude décontractée de ses compagnons de voyage et du personnel de cabine. Peu à peu, il se détendit et se calma totalement lorsque apparurent les chariots à boissons. Il commanda un whisky irlandais mais se contenta d'un whisky écossais en lançant une boutade qui fit sourire l'hôtesse et l'incita, bien malencontreusement, à lui refiler deux bouteilles de Haig miniature au lieu d'une. En moins d'un quart d'heure, ses craintes et ses inhibitions s'étaient envolées et il devint alors intarissable, accablant d'un flot de paroles, d'abord son fils, qui l'écouta patiemment, puis sa voisine de droite, Jeannie, l'étudiante californienne.

Il parle maintenant depuis le début du repas et ne semble pas vouloir s'arrêter.

« Oui, ma sœur Ursula a émigré aux États-Unis juste après la guerre. C'était — comment on dit déjà ? — une femme de GI, elle a épousé un soldat yankee, mais c'était un bon à rien, il s'est barré avec une autre femme ; heureusement il n'y avait pas d'enfants et il a dû lui verser une grosse pension — comment on dit déjà ? — alimonétaire, si bien qu'elle a pu habiter où elle voulait, et elle a choisi Hawaii, elle ne pouvait pas s'éloigner plus de sa famille, pas vrai, et maintenant qu'elle est mourante, c'est à nous de nous trimbaler à l'autre bout du monde pour aller la voir... »

En 1988, environ 6 100 000 touristes ont visité Hawaii, y dépensant 8 140 000 000 de dollars et y séjournant en moyenne 10,2 jours. Alors qu'en 1982, il y avait eu 4 250 000 visiteurs et seulement 700 000 en 1965. L'accroissement rapide du nombre des visiteurs est manifestement lié à la mise en service des jumbo-jets en 1969. En 1970, le nombre des visiteurs arrivant par mer n'était plus que de 16 735 alors qu'il en arrivait 2 170 000 par avion, et en 1975 ce chiffre devint trop insignifiant pour être comptabilisé. Roger Sheldrake fronce les sourcils, essayant de concentrer son attention sur ces statistiques et d'oublier le monologue du vieux qui jacasse comme une pie. La distraction est doublement éprouvante, car ce vieil homme et son fils ne sont pas des touristes ordinaires et il ne peut donc pas glaner quelques petites anecdotes utiles à sa recherche.

« Le meilleur étudiant de l'année au collège anglais de Rome, qu'ils ont dit... Il aurait pu devenir quelqu'un. Un monseigneur. Un évêque, même. Mais il a tout envoyé promener. J'appelle ça une vie gâchée... »

Le vieil homme parle maintenant à mi-voix, sur un ton confidentiel, détournant la tête pour que son fils dont il est manifestement question ne l'entende pas. Jeannie semble gênée par ces confidences, mais Roger Sheldrake dresse l'oreille.

« C'est un petit professeur à mi-temps, rien de plus, dans — comment on dit déjà ? — un collège théologique... Ça doit être une belle théologie que ses étudiants apprennent d'un gars comme lui... »

Roger Sheldrake se penche en avant pour voir à l'autre bout de la rangée le sujet de toutes ces révélations. L'homme à la barbe dort, prie ou médite — en tout cas, il a les yeux fermés et ses mains grand ouvertes reposent sur ses cuisses. Sa poitrine et son diaphragme se soulèvent et retombent à rythme régulier.

« Toute la théologie dont on a besoin se trouve dans le Petit Catéchisme, je l'ai toujours dit... »

Qui vous a créé ?
C'est Dieu qui m'a créé.
Pourquoi vous a-t-il créé ?
Dieu m'a créé pour le connaître, l'aimer, le servir en ce monde, et pour goûter le bonheur éternel avec lui dans l'autre monde. (Notez bien : pas question de bonheur en ce monde.)
A quelle image et à quelle ressemblance Dieu vous a-t-il créé ?
Dieu m'a créé à son image et à sa ressemblance. (Construction gauche — on devrait dire : « à l'image de qui », non ? Il doit y avoir un distinguo théologique subtil dans cette formulation, sûrement.)
Cette ressemblance à Dieu est-elle dans votre corps ou dans votre âme ?
Cette ressemblance est surtout dans mon âme. (Notez bien ce « surtout ». Pas « exclusivement ». Dieu à visage humain. Dieu image du père. Longue barbe blanche, cheveux blancs qui auraient bien besoin d'un petit coup de ciseaux. Visage blanc, aussi, bien sûr. Sourcils légèrement froncés, il semble prêt à se mettre en rage à la moindre provocation. Assis sur son trône au ciel, Jésus à sa droite, le Saint-Esprit suspendu au-dessus de sa tête, le chœur des anges, Marie et tous les saints montant la garde. Tapis de nuages.)
Quand avez-vous cessé de croire en ce Dieu-là ?
Peut-être quand j'étais encore au séminaire. Très certainement quand j'enseignais à Saint-Ethelbert. Je ne m'en souviens pas très bien.
Vous ne vous en souvenez pas ?
Qui parmi nous se souvient du jour où il a cessé de croire au Père Noël ? Ce n'est généralement pas à un instant précis — un parent qu'on surprend en train de mettre les cadeaux au pied du lit. C'est une intuition qu'on a, une conclusion qu'on tire à un certain âge ou à un certain stade de son développement, et on ne veut pas l'admettre tout de suite, ni se forcer à poser ouvertement la question : *le Père Noël existe-t-il ?* parce que, en son for intérieur, on craint de recevoir une réponse négative — d'une certaine manière, on préfère continuer à croire qu'il y a un Père Noël. Après tout, ça marche assez bien, les

cadeaux continuent d'arriver, et s'ils ne sont pas toujours ceux qu'on souhaitait, eh bien, on peut toujours se consoler et rationaliser sa déception en se disant qu'ils viennent du Père Noël (peut-être n'a-t-il pas reçu votre lettre), mais s'ils viennent des parents, alors toutes sortes d'implications pénibles peuvent surgir.

Seriez-vous en train de mettre sur le même plan la croyance en Dieu et la croyance au Père Noël ?

Non, bien sûr que non. C'est juste une analogie. On cesse de croire à une idée qui nous est chère bien avant de l'admettre au fond de soi. Certains ne l'admettent jamais. Je me demande souvent où en étaient les autres étudiants au Collège anglais, ainsi que mes collègues à Saint-Ethel... Peut-être qu'aucun d'entre nous n'avait la foi et que personne ne voulait l'admettre.

Comment pouviez-vous continuer à enseigner la théologie à de futurs prêtres si vous ne croyiez plus en Dieu ?

On peut parfaitement enseigner la théologie sans croire au Dieu du Petit Catéchisme. En fait, parmi les théologiens modernes les plus éminents, très peu y croient.

Alors à quel Dieu croient-ils ?

A un Dieu « fondement de notre être », à un Dieu « préoccupation ultime », à un Dieu « transcendance parmi Nous ».

Et comment prie-t-on ce Dieu-là ?

Bonne question. Il y a bien sûr des réponses : par exemple, on peut dire que la prière est l'expression symbolique de nos pulsions religieuses — de notre soif de vertu, de désintéressement, d'abnégation, de générosité, de notre besoin d'être libéré de tout désir.

Mais quel individu souhaiterait assumer ces pulsions religieuses s'il n'y a pas un vrai Dieu pour le récompenser ?

C'est totalement désintéressé.

Êtes-vous religieux dans ce sens-là ?

Non. J'aimerais l'être. J'ai cru l'être autrefois. Je me trompais.

Comment l'avez-vous découvert ?

En rencontrant Daphné, j'imagine.

Bernard ouvrit les yeux. Tandis qu'il sommeillait, réfléchissait ou rêvassait, on lui avait enlevé son plateau avec son amas d'emballages en plastique, et une nuit artificielle était tombée sur la cabine de l'avion. Les rideaux avaient été tirés devant les hublots et les lumières mises en veilleuse. Sur l'écran de télévision, monté contre une cloison vers l'avant de la cabine, clignotaient les images saccadées d'un film aux couleurs pastel. Une poursuite en voiture était engagée. Des bolides viraient aux coins des rues, sautaient en l'air, se renversaient, explosaient et s'embrasaient en un ballet silencieux plein de grâce. M. Walsh s'était endormi et ronflait bruyamment, la tête complètement retombée sur sa poitrine comme une marionnette flasque. Bernard inclina le siège de son père vers l'arrière, souleva sa tête et la cala avec un oreiller. Le vieil homme mécontent se mit à geindre mais cessa de ronfler.

Bernard avait emporté avec lui la monographie sur la nouvelle théologie américaine qu'il devait recenser, mais il n'avait aucune envie de lire. Il mit ses écouteurs et se brancha sur la bande sonore du film. Il saisit vite les grandes lignes de l'intrigue. Le héros était un policier américain sur le point de prendre sa retraite à qui on avait annoncé à tort, à la suite d'une substitution dans un lot d'analyses médicales, qu'il était atteint d'une maladie incurable. Immédiatement, il s'était porté volontaire pour assurer les tâches les plus dangereuses pendant sa dernière semaine de service, espérant se faire tuer dans l'exercice de ses fonctions pour que sa femme qui l'avait quitté puisse recevoir une pension assez conséquente et envoyer leur fils à l'université. Non seulement le policier, totalement exaspéré, échappait à tous les dangers auxquels il s'exposait, mais il devenait de surcroît un héros public bardé de décorations, à la grande stupéfaction de ses collègues jaloux qui l'avaient toujours considéré d'une prudence excessive.

Bernard se surprit à rire en regardant le film en dépit de tout le mépris que lui inspirait cette exploitation éhontée de la maladie incurable. Les spectateurs pouvaient apprécier le pathétique et la noblesse de la réaction du héros confronté à son destin, d'autant plus tranquillement qu'ils le savaient bien portant et que les conventions du genre le mettaient à l'abri de toute mort violente. Bien sûr, il y avait quelque part, en marge de cette histoire, un autre personnage (un chauffeur de bus noir, comme par hasard, personnage ainsi doublement marginalisé), sur qui avait été fait le prélèvement incriminé. C'était un homme condamné sans le savoir, mais, dans la fiction, quand un personnage n'apparaît pas, il n'existe pas. Dans la dernière séquence, on voyait le héros tomber du sommet d'un haut bâtiment, et lorsque dans la scène suivante on assistait à un enterrement, on avait le sentiment que les réalisateurs, en un brusque sursaut d'intégrité artistique, avaient joué un sale tour aux spectateurs. Mais c'était en fait leur tour de passe-passe le plus cynique : la caméra se retournait et montrait le héros, soutenu par des béquilles et réconcilié avec sa femme, qui assistait à l'enterrement du chauffeur de bus noir.

Tandis que le générique défilait, Bernard se leva de son siège et alla prendre place dans la queue devant les toilettes au fond de l'avion, juste derrière un jeune homme en bras de chemise et à bretelles rouges. A l'autre bout de la queue, une femme invisible, au verbe haut, disait à quelqu'un, avec un gros accent des Midlands de l'Ouest que Bernard reconnut à la façon qu'elle avait de martyriser les voyelles, que son mari et elle partaient pour leur seconde lune de miel. Le jeune homme fit un bruit de glotte comme s'il s'étranglait et se tourna vers Bernard :

« Très drôle, dit-il amèrement.

— Je vous demande pardon ? répliqua Bernard.

— Vous avez entendu ça ? Une seconde lune de miel. A mon avis, faut être complètement maso. »

Il avait les cheveux tout ébouriffés, et dans ses yeux brillait une petite lueur sauvage. Bernard en déduisit que son père n'était pas le seul passager à avoir abusé de l'alcool au déjeuner.

« Vous êtes marié ? demanda le jeune homme.

— Non.

— Suivez mon conseil : restez célibataire.

— A vrai dire, je ne crois pas que ça me sera très difficile.

— Charmant, hein, une lune de miel avec une femme qui refuse de vous parler ? »

Bernard en déduisit que le jeune homme se trouvait dans cette situation.

« Mais elle ne peut pas rester comme ça indéfiniment, je suppose ? dit Bernard.

— Vous ne connaissez pas Cecily, dit le jeune homme d'un air sombre. Moi, je la connais très bien. Elle est impitoyable quand elle est en colère. Impitoyable. Je l'ai vue s'en prendre à des serveurs de restaurant — des serveurs londoniens, je précise, des hommes mûrs, des cyniques qui en ont vu d'autres — eh bien, je les ai vus pleurer devant elle. (Il semblait lui-même au bord des larmes.)

— Pourquoi... ?

— Pourquoi je l'ai épousée ?

61

— Non, j'allais dire pourquoi refuse-t-elle de vous parler ?

— Cette salope de Brenda, je vous dis pas ! dit le jeune homme. Elle était complètement bourrée à notre mariage et elle a eu la stupidité d'aller tout raconter à Cecily, de lui dire qu'on s'était envoyés en l'air dans la réserve pendant le cocktail de Noël dernier au bureau. Cecily l'a traitée de menteuse et lui a jeté un verre de champagne à la figure. Oh, ce fut une charmante réception ! Absolument charmante. (Au souvenir de cette scène, la bouche du jeune homme se tordit en un rictus amer.) Ils ont foutu Brenda à la porte, mais elle n'arrêtait pas de crier à Cecily : "Dismoi un peu s'il n'a pas une cicatrice sur le ventre ?" J'en ai une, en effet, une blessure de gosse que je me suis faite en escaladant les grilles d'un parc. » Il se frotta la hanche comme si la blessure était encore douloureuse.

« Excusez-moi, jeunes gens ! » Une femme d'un certain âge en robe imprimée avec des parasols de plage rouges sur fond jaune canari passa à côté d'eux en les forçant à s'écarter, traînant derrière elle des bouffées d'un parfum violent.

« Ah, je crois qu'il y a une cabine de libre, dit Bernard discrètement.

— Oh, oui, merci. » Le jeune homme entra machinalement dans une des cabines étroites, jurant à voix basse tandis qu'il essayait de refermer la porte en accordéon derrière lui.

Quelques minutes plus tard, en retournant à son siège, Bernard repéra l'homme dans l'obscurité grâce à sa chemise rayée et à ses bretelles rouges ; il était avachi sur son fauteuil à côté d'une jeune femme aux cheveux lisses et blonds ramenés au-dessus de son front pâle par un peigne en écaille et des écouteurs. L'air concentrée mais impassible, Cecily écoutait manifestement de la musique tout en lisant distraitement un roman en livre de poche qu'elle tenait un peu de biais pour recevoir la lumière du plafonnier. Le jeune homme lui dit quelque chose, posant une main sur son bras pour attirer son attention. Elle le repoussa violemment sans lever les yeux de son livre et il se cala alors tristement sur son siège.

Bernard repéra aussi la dame à la robe jaune assise à côté de l'homme au caméscope et aux favoris en broussaille. Il occupait un siège près du hublot et avait relevé le rideau pour filmer quelque chose dehors — mais que pouvait-il bien filmer à cette altitude, se demanda Bernard, alors qu'on volait à 10 000 mètres au-dessus d'un tapis de nuages ininterrompu ? Il tituba dans l'allée lorsque l'avion se cabra soudain et fit une embardée. Le petit bip sonore retentit, le signal lumineux « ATTACHEZ VOS CEINTURES » s'alluma et, d'une voix étouffée, le capitaine demanda aux passagers de regagner leurs sièges car on traversait une petite zone de turbulences. Lorsque Bernard regagna sa rangée, M. Walsh était assis tout raide dans son fauteuil, les mains agrippées aux accoudoirs, les yeux écarquillés de terreur.

« Qu'est-ce que c'est, pour l'amour du ciel ? Qu'est-ce qui se passe ? Est-ce que l'avion va s'écraser ?

— Une petite turbulence, rien de plus, papa. Des courants atmosphériques. Inutile de s'inquiéter.

— Je veux boire quelque chose.

— Non, dit Bernard. Il y a un autre film qui commence. Tu ne veux pas le regarder ?

— Je meurs de soif. Il ne me serait pas possible d'avoir une tasse de thé ?

— J'en doute. Pas tout de suite, en tout cas. Je peux aller te chercher du jus de fruit, si tu veux. Ou un verre d'eau.

— Je ne me sens pas bien, gémit le vieil homme. J'ai des gaz, mes pieds sont tout gonflés et j'ai la bouche aussi sèche que le désert de Gobi.

— C'est de ta faute, tu as trop bu. Je t'avais averti.

— Je n'aurais jamais dû t'écouter et me laisser entraîner dans cette expédition, geignit le vieil homme. C'est de la folie à mon âge. Ça va être ma mort.

— Tu te sentirais mieux si seulement tu faisais ce qu'on te dit », dit Bernard, se baissant avec peine dans l'espace réduit pour desserrer les lacets de son père. Il se redressa, tout rouge et essoufflé par l'effort, sous le regard hostile d'un homme au crâne chauve, en costume safari beige, qui tenait un livre et se penchait en avant à l'autre bout de la rangée comme pour vérifier la cause de ce nouveau remue-ménage. Bernard jeta un coup d'œil à sa montre et fut consterné de constater qu'il ne s'était écoulé que cinq heures sur les onze que devait durer le vol.

« Est-ce qu'ils ont des chiottes dans ce machin-là ? demanda M. Walsh.

— Oui, bien sûr, tu veux y aller ?

— Peut-être que ça me permettrait de me débarrasser un peu de ces gaz. Seigneur, ils n'ont pas besoin de moteur à réaction pour faire voler ce machin-là, ils n'ont qu'à m'attacher à la queue de l'avion et, avec mes gaz, je les emmène tous à Hawaii. »

Bernard gloussa en douce — en fait, il était un peu choqué. L'alcool ou l'altitude avaient réveillé chez son père une veine paillarde qu'il ne lui connaissait pas, quelque chose lié peut-être au monde rude et viril du travail et des pubs, un monde bien à lui dont il avait toujours tenu sa famille à l'écart. Pendant presque toute sa vie, M. Walsh avait travaillé comme employé aux expéditions dans une entreprise de transport aux docks de Londres, et il avait fini sa carrière comme responsable des expéditions. Un jour, pendant les vacances scolaires, Bernard, qui avait alors à peu près quatorze ans, avait inventé un prétexte pour aller voir où travaillait son père : c'était un misérable hangar en bois dans le coin d'une cour pleine de camions ; les chauffeurs avaient des bras tatoués comme des jambons, ils crachaient par terre et donnaient des coups de pieds dans les énormes pneus rainurés de leur véhicule avant de grimper dans leur cabine. Son père, assis devant un bureau en fer couvert de dossiers et de factures empalées sur une tige de fer, avait levé les yeux et demandé : « Que diable fais-tu ici ? » Il n'était pas content. « Ne remets plus jamais les pieds ici », avait-il dit dès que Bernard avait fini de débiter son message ridicule. Bernard avait alors compris pour la première fois que son père avait honte de faire un travail si humble dans un cadre aussi sordide. Il avait voulu répondre quelque chose de gentil, de réconfortant, mais n'avait pu trouver les mots. Il s'était éclipsé discrètement, la mine basse, peu fier de lui. Il avait assisté en quelque sorte à la scène primitive, version irlandaise, une scène où il avait eu la révélation d'un secret social et non sexuel.

En sortant des toilettes où elle a passé pas mal de temps à essayer d'enlever une tache de sauce sur le haut de son survêtement rose et bleu, Sue Butterworth se retrouve nez à nez avec le vieil Irlandais avec qui elle a bavardé à l'aérogare et qui bloque presque la porte coulissante lorsqu'elle l'ouvre. Aussi déconcerté qu'elle, il a un mouvement de recul et dit rageusement à son fils qui se trouve derrière : « Tu ne m'aurais pas emmené aux toilettes des dames ?

— Ne t'en fais pas, papa. Les toilettes sont pour tout le monde.

— Est-ce que vous avez aimé le film ? demande Sue pour

masquer sa gêne. Je me suis laissé avoir à la fin par cet enterrement. »

Le vieil homme ne répond rien.

« Il vient de se réveiller, il ne se sent pas très bien, dit le fils barbu. Est-ce que tu peux t'en tirer tout seul, papa ?

— Bien sûr que oui.

— Qu'est-ce que tu attends alors ? »

A en juger par le regard furieux qu'il lui adresse, Sue comprend qu'il attend qu'elle disparaisse pour entrer dans la cabine. Elle retourne à son siège à côté de Dee qui lit un exemplaire de *Cosmopolitan* offert par la compagnie.

« Je viens de rencontrer le vieil Irlandais et son fils aux toilettes.

— Je n'aurais jamais cru qu'on pouvait tenir à trois là-dedans.

— Non, idiote, je veux dire comme je sortais des toilettes. Ils attendaient. Il est plutôt sympathique, le fils, tu ne trouves pas ? Il irait bien avec toi, Dee.

— De quoi je me mêle ? Il doit bien avoir cinquante ans.

— Moins que ça, à mon avis. Peut-être quarante-cinq. C'est difficile à dire avec la barbe.

— Je déteste les barbus. (Dee frissonne un peu.) Quand ils t'embrassent, on a l'impression d'avancer au milieu des toiles d'araignée la nuit.

— Il pourrait la raser. Il est très gentil avec son vieux père. J'apprécie la gentillesse chez un homme.

— Prends-le pour toi, alors, s'il te plaît tant que ça.

— Dee ! J'ai déjà Des.

— Hawaii est loin de Harlow.

— Dee ! Tu es abominable, rétorque Sue en gloussant.

— De toute façon, je pense qu'il doit être marié.

— Non, ça m'étonnerait bien. Il est peut-être veuf, par contre. Il a le regard d'une personne qui a souffert.

— Son vieux le fait souffrir, ça c'est sûr », remarqua Dee.

Les heures passaient lentement, très lentement. Un autre film débuta. Cette fois, c'était une chronique familiale qui se passait dans le Wyoming et racontait les relations d'un jeune garçon avec son cheval. Bernard trouva le film atrocement sentimental mais le regarda malgré tout pour encourager son père à faire de même. Derrière les rideaux baissés, le soleil brillait de tous ses feux. Il inonda la cabine lorsqu'on les releva pour servir le second repas, un léger snack. Il brillait encore, mais d'un éclat plus diffus voilé de smog, lorsqu'ils atterrirent à Los Angeles, à quatre heures de l'après-midi heure locale, mais à minuit d'après l'horloge biologique des passagers. Ils déambulèrent lentement, avec une raideur d'automates, le long des couloirs moquettés ; ils se laissèrent porter en silence sur les tapis roulants tels des objets inanimés sur une chaîne de montage ; ils s'alignèrent en rang d'oignons dans un immense hall silencieux, compartimenté par des barrières mobiles et de gros cordons, pour faire viser leurs passeports. Bernard se dit que tous ces lieux lui rappelaient quelque chose, mais quoi ?' Très certainement, se dit-il, ces images de l'au-delà, ou du passage dans l'au-delà, qu'il avait vues, enfant ou adolescent, dans des films au petit cinéma miteux de Brickley, des films où des pilotes de guerre qui venaient d'être atteints en plein ciel s'élevaient avec sérénité sur des escaliers mobiles jusqu'à une sorte de hall d'accueil céleste, fait de surfaces synthétiques blanches et de meubles intégrés aux lignes incurvées, pour se présenter à l'ange de service. Le *pareschaton* populiste.

« En vacances ? » dit le préposé qui examinait la fiche de débarquement de Bernard.

Il répondit que oui, comme le lui avait conseillé le jeune homme de l'agence de voyages, afin d'éviter d'éventuelles tracasseries, car ils n'avaient pas de visa.

« Le vieux est avec vous ?

— C'est mon père. »

Le préposé les regarda l'un après l'autre puis examina leurs fiches de débarquement.

« Vous allez descendre au Waikiki Surfrider ?

— Oui. » Bernard avait retrouvé le nom de l'hôtel dans le Travelpak.

Le préposé tamponna leurs passeports et enleva la partie détachable de leurs fiches de débarquement. « Profitez bien de votre visite, dit-il. Méfiez-vous du surf. »

Bernard eut un petit sourire discret. M. Walsh ne remarqua pas l'ironie, il ne remarquait rien, en fait. Il était fourbu, ses bras retombaient lamentablement de ses épaules avachies, ses yeux, injectés de sang, étaient brillants. Bernard évitait de le regarder, tant il se sentait coupable. Heureusement, on ne les retint pas longtemps à la douane, mais on retint en revanche la famille Poil-de-carotte, ce qui eut le don d'exaspérer le père.

« C'est absurde, dit-il contrarié. Est-ce qu'on a des airs de contrebandiers ?

— Si les contrebandiers ressemblaient tous à des contrebandiers, mon vieux, notre travail serait infiniment plus facile », répondit le douanier en déversant le contenu d'une valise. « Qu'est-ce que c'est que ça ? » Il renifla un paquet d'un air soupçonneux.

« Du thé.

— Pourquoi n'est-il pas dans des sachets ?

— On n'aime pas le thé en sachets, dit la mère de famille. Et on n'aime pas votre thé. »

Une femme noire, apparemment exténuée, vêtue de l'uniforme Travelwise, s'approcha de Bernard et de son père : « Bonjour, vous allez bien aujourd'hui ? » Et, sans attendre la réponse, elle poursuivit : « Votre vol pour Honolulu part du terminal 7. Il vous suffit de suivre les indications jusqu'à la sortie et d'attendre le tram qui fait la navette. Je vous préviens, il fait très chaud dehors aujourd'hui. » Bernard et son père sortirent des limbes du hall des arrivées internationales et débouchèrent dans le tohu-bohu et l'effervescence du hall principal du terminal. Ici, le changement était palpable, on était dans un autre pays et à une tout autre heure de la journée : des gens portant toutes sortes de tenues variées, depuis le costume trois-pièces jusqu'au short, allaient et venaient fébrilement, mais avec détermination, ou étaient assis à des tables en train de boire et de manger ou encore achetaient des choses dans les boutiques. Appuyé sur son chariot à bagages, Bernard avait l'impression d'être invisible à leurs yeux, comme un fantôme.

« C'est ça, Hawaii ? dit M. Walsh.

— Non, papa, c'est Los Angeles. Il faut qu'on prenne un autre avion pour Honolulu.

— Je ne monterai pas dans un autre avion, dit M. Walsh. Ni aujourd'hui, ni jamais plus.

— Ne sois pas ridicule, dit Bernard, prenant un petit ton badin. Tu ne veux pas passer le reste de tes jours à l'aéroport de Los Angeles, quand même ? »

Dès qu'ils eurent franchi la porte automatique du terminal climatisé pour se retrouver sur le trottoir, Bernard se sentit soudain trempé de sueur. Les gouttes de sueur dégoulinaient le long de ses côtes et ses vêtements devenus soudain trop épais l'irritaient incroyablement. L'air, qui empestait le kérosène et les gaz d'échappement de véhicules diesels, était si chaud qu'on se demandait s'il n'allait pas s'embraser spontanément. M. Walsh ouvrait et fermait la bouche comme un poisson échoué sur le rivage. « Sainte Mère de Dieu, soupira-t-il, je fonds littéralement ! »

En plus de la chaleur, il y avait le bruit : le crissement des pneus sur l'asphalte, les notes caverneuses des voitures qui klaxonnaient comme des trombones, le tonnerre des avions qui décollaient. Des voitures, des taxis, des camionnettes et des bus aux couleurs vives défilaient en un flot sans fin, comme des poissons dans un aquarium, surgissant et déboîtant en un chassé-croisé permanent. Il n'y avait pas de tram en vue, pourtant. Bernard inspecta les environs avec consternation, clignant des yeux dans la lumière diffuse de l'après-midi, et il aperçut soudain la fille en jogging rose et bleu qui leur faisait signe, debout sur le marchepied d'un petit bus garé un peu plus loin.

« Allons-y, papa.

— Où va-t-on maintenant ? »

Le bus (qu'on appelait pour des raisons peu évidentes un tram) avait un compartiment sur le côté pour les bagages. Après que Bernard eut rangé leurs valises à l'intérieur, le chauffeur ouvrit brusquement la porte coulissante du véhicule et la referma sur eux tout aussi brusquement, comme s'il s'agissait d'une trappe en acier. A l'intérieur, les passagers frissonnaient sous le souffle froid de la climatisation. Bernard adressa un petit sourire de gratitude à la fille en rose et bleu qui, en esquissant un sourire, finit par bâiller. Sa compagne, assise à côté d'elle, avait les yeux fermés et semblait un peu souffrante. En avançant le long de l'allée, Bernard salua d'un geste de la tête le jeune marié assis tristement à côté de sa Cecily, ses bretelles rouges cachées sous une veste en lin aux manches retroussées. Cecily regardait par la portière côté rue comme si le va-et-vient de la circulation constituait le spectacle le plus fascinant au monde. La famille Poil-de-carotte grimpa dans le bus ; les deux enfants étaient blêmes et avaient les yeux tout rouges. De tout le contingent Travelwise, seuls les deux vieux tourtereaux semblaient ne pas être affectés par la fatigue, conversant avec animation au fond du bus. Lorsque le chauffeur manifesta son intention de partir, ils le supplièrent à grands cris d'attendre un couple du groupe Travelwise qui n'était pas encore là et qui apparut enfin, tout rouge et dégoulinant de sueur, la femme avec son pull et son pantalon bleu fluo poussant un chariot rempli de bagages, et son mari pansu tirant la patte derrière. Ils se hissèrent dans le bus et furent accueillis avec des cris d'encouragement par les joyeux Midlanders qui se vantèrent d'avoir fait attendre le chauffeur pour eux et les informèrent que leur course avait été prise au caméscope. Les deux femmes avaient apparemment fait connaissance pendant le vol entre Londres et Los Angeles et c'était maintenant au tour des maris d'être présentés. Ils s'installèrent tous les quatre sur la banquette du fond derrière Bernard qui ne ne put s'empêcher d'entendre leur conversation.

« Ouf ! On s'est un peu perdus après la douane, dit la dame au pull bleu. On aurait été dans de beaux draps si on avait loupé la correspondance ; qu'aurait dit Terry en arrivant à l'aéroport d'Honolulu en ne nous voyant pas ?

— A l'aéroport des Midlands de l'Est, ce matin, on a failli rater notre vol ; la circulation était abominable sur le périphérique, dit la dame à la robe jaune.

— Terry a dit qu'il venait avec une personne qui lui était très chère et qu'il veut nous présenter. J'imagine que cette personne sera à l'aéroport avec lui.

— Ce n'est pas la route qu'aurait choisie Brian pour aller à l'aéroport, mais on a pris un taxi pour ne pas avoir à payer le parking pour la voiture. C'est affreux le prix qu'ils font payer, vous ne trouvez pas ?

— Ça marche fort la photographie pour lui là-bas, il travaille pour toutes les plus grandes revues de mode aux antipodes. J'ai dit à Sidney : je ne serais pas surprise de voir que sa petite amie est un mannequin.

— Brian s'intéresse aussi beaucoup à la photo, seulement comme hobby, bien sûr, car il a son entreprise à diriger.

— Une entreprise, ah ? dit Sidney.

— Ouais. Tables de bronzage, location et vente, dit Brian. On faisait de bonnes affaires jusqu'à l'an dernier, mais ça ne marche pas très fort ces temps-ci. J'attribue ça à tous ces articles alarmistes sur le cancer de la peau. Des articles écrits par des crétins qui ne savent pas la différence entre UVA et UVB.

— Hein, quoi... ?

— Ultraviolets A et ultraviolets B. Ce sont les deux types de rayons qui vous font bronzer.

— Oh !

— Les UVA agissent sur la mélanine dans les cellules mortes de notre épiderme externe...

— Les cellules mortes ? dit Sidney quelque peu troublé.

— Mortes ou en train de mourir, ajouta Brian. C'est un processus permanent. Les UVA agissent sur la mélanine pour vous faire bronzer. Les UVB vous donnent des brûlures. Le soleil émet ces deux types de radiations mais les tables de bronzage émettent essentiellement des UVA, ce qui est infiniment mieux pour vous. C'est logique.

— Vous les utilisez vous-même ?

— Moi ? Non, je... je suis allergique, vous comprenez. Ça n'arrive qu'à une personne sur mille environ. Mais la plupart des gens peuvent les utiliser en toute confiance. Je peux vous en faire avoir une à un très bon prix si ça vous intéresse.

— Moi ? Oh, non, merci. Il faut que je fasse attention.

— Pour tout vous dire, je pourrais vous en vendre environ cent cinquante à très bon marché. On envisage de se mettre à vendre des appareils de musculation. »

Le tram déposa au terminal 7 les membres du groupe Travelwise qui se laissèrent emporter par toute une nouvelle série d'escalators et de tapis roulants jusqu'à la grande salle où ils devaient attendre leur correspondance. Les deux couples d'âge mûr, infatigables, poursuivirent leur incessant bavardage pendant ce transfert.

« ...Oui, il serait temps qu'il se marie, comme je disais encore à Sidney la semaine dernière, il serait temps que Terry s'installe, il ne pense qu'à s'amuser — bals, restaurants, surf. C'est bien beau tout ça, mais il ne faut pas attendre trop longtemps pour fonder une famille. Avez-vous des enfants ?

— Deux garçons. On leur a laissé la responsabilité de la maison, sous la surveillance de ma mère. On ne s'encombre tout de même pas d'enfants quand on part pour un deuxième voyage de noces !

— J'ai une fille qui est mariée et qui habite à Crawley, son mari est dans les ordinateurs. Ils ont une maison charmante, un salon qui fait sept mètres de long et une cuisine intégrée en chêne clair. Sidney leur a fait une salle de bains comme cadeau de mariage — baignoire circulaire, bain bouillonnant incorporé, robinets dorés. Il était du métier, vous comprenez.

— Alors, comme ça, vous êtes dans la construction ? demanda Brian.

— Je l'étais. Plomberie et chauffage central. Salles de bains de prestige. Je travaillais seulement avec trois employés. J'ai dû vendre l'affaire.

— Vous en avez tiré un bon prix ?

— Juste assez pour prendre ma retraite.

— Vous ne seriez pas par hasard à la recherche d'un petit investissement ?

— Non, merci.

— L'inconvénient avec les appareils de musculation, c'est qu'ils sont ennuyeux. Vous avez déjà essayé ? Croyez-moi, ils sont mortellement ennuyeux. C'est pour ça que les gens se mettent des baladeurs quand ils les utilisent. Voilà ce que je voudrais faire : au lieu de vous faire acheter, disons une machine de musculation qui vous condamne à ramer jour après jour, ou encore un vélo d'appartement qui ne vous permet pas de faire autre chose que de pédaler, je vous fais signer un contrat de location et on vous donne un appareil différent tous les mois. Un peu comme un bibliobus. Une bibliothèque d'appareils de musculation. Qu'est-ce que vous dites de ça ?

— Je ne vois pas ce que ça m'apporterait à moi, hélas. Ou plutôt si, ça me tuerait. Je n'ai pas le cœur très costaud, vous comprenez. J'ai dû me retirer des affaires très tôt, sur ordre de mon médecin.

— Mais ils sont bons pour le cœur, ces appareils de musculation ! C'est exactement ce qu'il vous faut.

— Et vos tables de bronzage, qu'est-ce que vous allez en faire maintenant ?

— Essayer de les bazarder à un prix raisonnable. J'ai pensé que je pourrais essayer des hôtels à Honolulu. »

Sidney eut un petit rire hésitant.

« Je ne pensais pas qu'il pouvait y avoir un telle demande pour des tables de bronzage à Hawaii.

— Vous avez sans doute raison. Mais si je prends quelques rendez-vous d'affaires pendant que je serai là-bas, je pourrai déduire tous mes frais de voyage de mes impôts, vous comprenez ? On fera passer Beryl pour mon assistante de direction, bien sûr.

— Oh, je vois. Astucieux », dit Sidney.

Les autres voyageurs Travelwise ne fraternisaient pas entre eux mais ils s'étaient tous regroupés dans le même coin de la salle d'attente, chacun gardant un œil sur son voisin de peur de manquer l'annonce du vol pour Honolulu. La salle dominait une piste et, par les fenêtres, on pouvait voir atterrir les avions. Bernard contemplait le ciel au-dessus de l'horizon, fasciné. Toutes les minutes ou presque, un petit point apparaissait au milieu de cette plage de ciel, un minuscule point lumineux, pareil à une étoile, qui grossissait peu à peu pour devenir un gros jet, ailerons baissés et feux d'atterrissage allumés. Il descendait lentement vers le sol, ses roues heurtaient la piste en faisant de la fumée, et, quelques secondes plus tard, cette masse énorme et redoutable disparaissait à toute vitesse du champ de vision. Alors Bernard consultait à nouveau le ciel apparemment vide où un autre point apparaissait presque aussitôt, telle une petite graine lumineuse, pour se transformer en un autre avion.

« Il se passe des choses intéressantes là-bas ? »

Bernard se retourna et vit l'homme au costume safari beige debout à côté de lui.

« Les avions qui atterrissent, c'est tout. Toutes les minutes ou presque, avec une précision d'horloge. J'imagine que ce doit être l'un des aéroports les plus fréquentés du monde.

— Non, il ne figure même pas parmi les dix premiers, en fait.

— Vraiment ?

— L'aéroport O'Hare à Chicago est celui qui a le trafic aérien le plus important. Heathrow reçoit davantage de vols internationaux, et davantage de passagers.

— Vous avez l'air de bien connaître le sujet, dit Bernard.

— Pour les besoins de ma profession.

— Vous travaillez dans l'industrie du tourisme ?

— Oui, d'une certaine manière. Je suis anthropologue, mon domaine de recherche est le tourisme. J'enseigne à l'université du sud-est de Londres. »

Bernard le dévisagea avec un regain d'intérêt. Il avait le crâne dégarni, bien qu'il ne semblât pas avoir plus de trente-cinq ou trente-six ans, et une puissante mâchoire inférieure maintenant hérissée de poils noirs très drus semblables à de la limaille de fer aimantée.

« Vraiment ? s'étonna Bernard. Je ne savais pas que le tourisme pouvait intéresser l'anthropologie.

— Oh, si, c'est même un sujet en pleine expansion. On reçoit des quantités d'étudiants qui viennent de l'étranger et qui paient leurs études — ça nous donne de l'importance auprès des administratifs. Et il y a un tas d'argent de disponible pour la recherche. Études d'impacts... Études d'attractivité... Les anthropologues de la vieille école nous regardent de haut, bien sûr, mais c'est pure jalousie. Quand j'ai commencé mon doctorat, mon directeur de thèse voulait que j'étudie une obscure tribu africaine, les Oofs. Dans leur langue, ils n'ont pas de futur, apparemment, et ils ne se lavent qu'aux solstices d'été et d'hiver.

— Oh, très intéressant ! dit Bernard.

— Oui, mais personne ne vous accordera une bourse décente pour aller étudier les Oofs. Et, de toute manière, qui voudrait aller passer deux ans dans une hutte en torchis, entouré d'une bande de sauvages puants qui n'ont même pas de mot pour dire "demain" ? Mon domaine de recherche me permet de descendre dans les hôtels trois étoiles, au moins trois étoiles... Au fait, mon nom est Sheldrake, Roger Sheldrake. Vous avez peut-être vu un de mes livres, *Voyage et tourisme,* Presses universitaires du Surrey.

— Non, je suis désolé.

— Ah ! J'ai cru comprendre que vous étiez vous aussi universitaire. Dans l'avion, je n'ai pas pu m'empêcher d'entendre votre père — c'est bien votre père ?... (Sheldrake pointa son formidable menton en direction de M. Walsh qui était avachi sur un siège tout près, avec cet air hagard et figé qu'ont les réfugiés dans les camps de transit.) Il a dit que vous étiez théologien.

— Oui, enfin, j'enseigne dans un collège de théologie.

— Vous n'êtes pas croyant ?

— Non.

— Merveilleux, dit Sheldrake. Je m'intéresse moi aussi à la religion, de manière oblique, poursuivit-il. La thèse que je défends dans mon livre est que le tourisme est un substitut de rites religieux. Les voyages touristiques comme pèlerinages séculiers. Autant de grâces accumulées que de sanctuaires culturels visités. Les souvenirs remplaçant les reliques. Les guides de voyages se substituant aux livres de piété. Vous voyez l'idée générale.

— Très intéressant, dit Bernard. Il s'agit donc en quelque sorte pour vous de vacances studieuses ? (Il montra du doigt l'étiquette Travelwise sur la mallette en inox de Sheldrake.)

— Seigneur, non ! répondit Sheldrake avec un petit sourire

grimaçant. Je ne prends jamais de vacances. C'est même pour ça que je me suis spécialisé dans ce domaine. J'ai toujours détesté les vacances, même quand j'étais gosse. C'est un tel gaspillage de temps de rester assis sur une plage à faire des pâtés de sable, alors qu'on pourrait faire quelque chose d'intéressant chez soi, pratiquer son hobby. Ensuite, quand je me suis fiancé — on était tous les deux étudiants à l'époque —, ma fiancée a insisté pour qu'on parte faire le tour des hauts lieux touristiques d'Europe : Paris, Venise, Florence, le tour habituel, quoi. Ça m'a complètement barbé, jusqu'au jour où, assis sur un gros rocher près du Parthénon et regardant des touristes tourner en rond, mitrailler avec leurs appareils photo, baragouiner entre eux dans une multitude de langues différentes, j'ai eu une brusque révélation : le tourisme est la nouvelle religion de la planète. Catholiques, protestants, hindous, musulmans, bouddhistes, athées ont tous une chose en commun : ils pensent tous qu'il est indispensable de voir le Parthénon une fois dans sa vie. Ou la chapelle Sixtine, ou la tour Eiffel. J'ai tout de suite décidé de faire ma thèse sur ce sujet. Je n'ai jamais changé d'avis. Non, ce voyage organisé par Travelwise est une bourse de recherche d'un nouveau genre. L'Association britannique des agents de voyages règle la note. Ils pensent que c'est bon pour leurs public-relations de subventionner la recherche universitaire de temps en temps. S'ils savaient ! (Il eut le même petit sourire grimaçant.)

— Que voulez-vous dire ?

— Je fais pour le tourisme ce que Marx a fait pour le capitalisme, ou Freud pour la vie familiale. Je le déconstruis. Je ne crois pas, voyez-vous, que les gens tiennent tant que ça à aller en vacances, pas plus qu'ils ne tiennent à aller à l'église. Ils ont subi un tel conditionnement qu'ils sont persuadés que ça leur fera du bien, ou que ça les rendra heureux. En fait, de nombreuses études révèlent que les vacances sont d'incroyables sources de stress.

— Tous ces gens ont l'air plutôt gais », dit Bernard en montrant les voyageurs qui attendaient d'embarquer pour Honolulu.

Le départ étant imminent, ils étaient maintenant très nombreux dans la salle : des Américains, pour la plupart, en tenues sport très bigarrées, certains en short et en sandales comme si, en débarquant de l'avion, ils allaient se rendre tout droit à la plage. Il y avait un brouhaha croissant de voix traînantes, de sons nasillards, d'éclats de rire, de cris et d'exclamations.

« Une gaieté artificielle, dit Sheldrake. Entretenue dans bien des cas par des Martini bien tassés, je n'en serais pas surpris. Ils savent comment les gens qui partent en vacances sont censés se comporter. Ils ont appris leur leçon. Regardez bien au fond de leurs yeux, et vous verrez de l'anxiété et de la peur.

— Regardez au fond des yeux de n'importe qui, et c'est ce que vous verrez. Regardez dans les miens, faillit rétorquer Bernard, mais il se retint et dit : Alors, comme ça, vous allez étudier les visites touristiques à Hawaii ?

— Non, non, il s'agit d'un genre de tourisme bien différent. La visite des lieux touristiques n'est pas un véritable argument de vente pour les vacances balnéaires en pays lointains : l'île Maurice, les Seychelles, les Caraïbes, Hawaii. Regardez ça... » Il extirpa brusquement de sa mallette une brochure de vacances et la présenta à Bernard, cachant avec sa main la légende imprimée sur la couverture. C'était une photo en couleurs représentant une plage tropicale — mer et ciel d'un bleu éclatant, sable blanc aveuglant, avec, un peu plus loin, quelques silhouettes humaines nonchalantes étendues à l'ombre d'un palmier vert.

« Quelle légende mettriez-vous sous cette image ?

— Passeport pour le paradis », dit Bernard.

Sheldrake parut décontenancé.

« Vous l'aviez déjà vue, dit-il d'un ton accusateur, enlevant la main qui masquait le slogan.

— Oui. C'est la brochure de Travelwise, fit remarquer Bernard.

— Vraiment ? (Sheldrake examina la brochure de plus près.) En effet. Peu importe, elles sont toutes pareilles, ces brochures. J'en ai tout un paquet avec moi, même photo, même légende sur toutes, à quelque chose près. Le paradis. Ça n'a rien à voir avec la réalité, bien sûr.

— Vous croyez ?

— Six millions de personnes ont visité Hawaii l'an dernier. Je ne pense pas que beaucoup aient trouvé une plage aussi déserte que celle-ci, qu'en dites-vous ? C'est un mythe. Ça va être le sujet de mon prochain livre, le tourisme comme mythe du paradis. C'est pour ça que je vous raconte tout cela. Je pensais que vous pourriez me donner des idées.

— Moi ?

— Eh bien, c'est encore une question de religion, non ?

— J'imagine que oui... Qu'espériez-vous démontrer exactement avec votre recherche ?

75

— J'espère sauver le monde, répliqua Sheldrake avec solennité.

— Je vous demande pardon ?

— Le tourisme épuise notre planète. »

Sheldrake fouilla de nouveau dans sa mallette argentée et sortit une pile de coupures de presse soulignées par endroits au marqueur jaune. Il les feuilleta.

« Les sentiers du district des Lacs sont devenus de vraies tranchées. Les fresques de la chapelle Sixtine sont détériorées par la respiration et la chaleur animale des visiteurs. Cent huit personnes entrent à Notre-Dame toutes les minutes : ils usent le pavé avec leurs chaussures et les gaz d'échappement des bus qui les amènent attaquent les sculptures. La pollution provoquée par les files de voitures qui se rendent dans les stations de ski alpines tue les arbres, déclenche des avalanches et des glissements de terrain. La Méditerranée est une sorte de W.-C. sans chasse d'eau : en vous y baignant, vous avez une chance sur six d'attraper une infection. En 1987, on a dû fermer Venise toute une journée parce que la ville était saturée. En 1963, quarante-quatre personnes ont descendu le Colorado en radeau, maintenant il y a mille descentes par jour. En 1939, un million de personnes voyageaient à l'étranger ; l'an dernier, quatre cents millions. En l'an 2000, il se peut qu'il y ait six cent cinquante millions de personnes voyageant à l'étranger, et cinq fois plus de gens dans leur propre pays. La consommation d'énergie que cela implique est colossale.

— Seigneur ! dit Bernard.

— La seule façon d'arrêter ça sans faire intervenir le législateur, c'est de montrer aux gens qu'ils ne s'amusent pas vraiment quand ils sont en vacances, mais qu'ils participent à un rite superstitieux. Ce n'est pas un hasard si le tourisme s'est développé au moment même où la religion commençait à décliner. C'est le nouvel opium du peuple, et il faut le dénoncer comme tel.

— Mais vous allez perdre votre gagne-pain, si vous réussissez ? fit observer Bernard.

— Je ne crois pas qu'il y ait de risque dans l'immédiat », répondit Sheldrake, parcourant des yeux la salle bondée.

A ce moment précis, il y eut une brusque effervescence dans la salle d'attente et un mouvement de foule vers la porte, car un membre du personnel au sol de la compagnie venait de se saisir d'un micro.

« Mesdames et messieurs, nous allons procéder à l'embarquement en commençant par les rangées 37 à 46, annonça-t-il.

— C'est nous, dit Bernard. Je ferais bien de remettre mon père sur ses pieds.

— Je suis dans la rangée 21, dit Sheldrake en examinant sa carte d'embarquement. Il semblerait que l'avion soit plein. Dommage, j'aimerais bien vous pomper quelques idées. Peut-être qu'on pourrait se revoir à Honolulu. Où logez-vous ?

— Je ne sais pas encore, dit Bernard.

— Je descends au Wyatt Imperial. Le meilleur hôtel dans la brochure Travelwise. Trente livres de plus en principe à débourser par jour si j'avais à payer moi-même. Venez boire un verre un de ces jours.

— C'est très gentil, dit Bernard. Je verrai. Je ne sais pas du tout si mon emploi du temps me le permettra. Je ne suis pas en vacances moi non plus, vous savez.

— C'est ce que j'ai cru comprendre, en effet », dit Sheldrake, en jetant un coup d'œil vers M. Walsh.

4

Ils avaient couru après le soleil toute la journée, mais, pendant qu'ils attendaient leur correspondance à Los Angeles, le soleil avait pris beaucoup d'avance sur eux ; aussi, pendant le vol vers Hawaii, la nuit les surprit-elle en plein vol. Bernard était assis près d'un hublot mais il n'apercevait qu'un vaste abîme noir. Dans le magazine offert par la compagnie, il trouva une carte qui montrait que leur itinéraire ne survolait aucune terre entre la côte Ouest de l'Amérique et les îles Hawaii distantes de quatre mille kilomètres. Et si l'avion avait un problème technique ? Et si les réacteurs s'arrêtaient soudain ? Cette pensée ne semblait affecter personne à bord en dehors de lui. Les hôtesses, avec leurs jolies fleurs dans leurs cheveux et leurs sarongs fleuris très colorés, avaient été très généreuses en distribuant les boissons gratuites avant, pendant et après le dîner, et il y avait une ambiance de fête dans la cabine. Les gros Américains déambulaient dans les allées, serrant dans leurs mains leurs gobelets en plastique comme s'ils se trouvaient dans un pub ou un club : ils se penchaient par-dessus les sièges pour bavarder, se tapaient sur l'épaule et riaient à gorge déployée en échangeant des blagues. Bernard enviait leur assurance. Lui, il avait toujours l'impression que pour quitter son siège il lui fallait lever le doigt et demander la permission au personnel de cabine. Voyant Roger Sheldrake se déplacer dans l'allée de l'autre côté de l'avion, il se camoufla le visage derrière son magazine. Il ne se sentait pas prêt à supporter un autre séminaire sur le tourisme pour le moment, et il ne voulait surtout pas déranger son père qui dormait du sommeil du juste. Bernard lui avait interdit de prendre un apéritif mais l'avait autorisé à prendre un quart de Bourgogne californien avec son teriyaki au poulet, ce qui avait suffi à l'assommer.

On baissa les lumières de la cabine et un autre film commença. Bernard avait vu moins de films en trois ans que pendant cette seule journée, il en était sûr. Cette fois, c'était une comédie romantique où deux jeunes personnes riches et jolies, fatalement destinées à tomber amoureuses l'une de l'autre, s'arrangeaient, grâce à toute une série de malentendus peu plausibles pour différer cette conclusion heureuse pendant une heure et quarante minutes. Même pour Bernard, le scénario parut éculé. Ce qui était nouveau pour lui, et aussi un peu choquant, c'était que héros et héroïne se retrouvaient au lit avec d'autres amants pendant que se déroulait l'histoire, ce qui n'arrivait jamais dans les films qu'il avait vus dans son petit cinéma miteux de Brickley. Il regarda le film avec une douce curiosité lascive, doublement heureux que son père soit endormi.

Une fois le film terminé, il se mit un peu à somnoler lui aussi mais fut bientôt réveillé par le changement de tonalité des réacteurs et par la sensation de tomber dans le vide. Ils venaient de commencer leur descente. A l'extérieur et en dessous, l'obscurité était encore totale ; mais, au bout d'un moment, après que l'avion eut changé de cap et viré, il regarda de nouveau par le hublot et là, miraculeusement, il vit apparaître une forme, une sorte de collier de lumière à plusieurs rangs jeté sur le velours noir de l'océan. Il secoua l'épaule de son père.

« Papa, réveille-toi ! On est presque arrivés. »

Le vieil homme grogna et se réveilla, passant la langue sur ses lèvres et frottant ses yeux cernés.

« Il faut que tu voies ça. C'est stupéfiant. Viens à ma place.

— Non, merci. Je te crois sur parole. »

Tandis que l'avion descendait vers ce qui devait être Honolulu, Bernard admirait le spectacle à travers le hublot, fasciné, le nez collé contre la vitre et la main appuyée contre sa joue pour faire écran aux lumières de la cabine. Au fur et à mesure qu'ils tombaient du ciel, les rangs de lumières chatoyantes se décomposaient en tours, rues, maisons et véhicules mobiles. C'était stupéfiant de découvrir cette ville moderne, tout illuminée, qui scintillait comme une étoile dans l'immensité noire de l'océan. Et c'était miraculeux aussi, totalement miraculeux, que leur avion ait réussi à trouver son chemin, sans s'égarer à travers ces milliers de kilomètres d'eau noire, jusqu'à ce havre de lumière. Il y avait quelque chose de mythique dans tout cela — dans cette traversée nocturne de l'océan — même si les autres passagers qui s'étiraient et bâillaient autour de lui semblaient prendre tout cela comme une chose normale. L'avion piqua du nez et vira de nouveau, et le signal rouge « ATTACHEZ VOS CEINTURES » s'alluma.

L'air de la nuit à l'aéroport d'Honolulu avait une douceur que Bernard n'avait jamais rencontrée nulle part : il était chaud et velouté, presque palpable. Il vous effleurait le visage comme la langue d'un gros chien affectueux dont l'haleine aurait eu un goût de frangipane, avec de vagues relents d'essence ; cette sensation, on l'éprouvait presque dès l'arrivée, parce que les passerelles, ici — à l'inverse de ces couloirs vitrés étouffants des autres aéroports, simples prolongements, souvent, de ces pièges à claustrophobes que sont les cabines d'avions —, étaient ouvertes des deux côtés. Ils se retrouvèrent bientôt, son père et lui, tout dégoulinants de sueur dans leurs épais vêtements anglais, mais une brise légère leur caressait les joues et faisait bruisser les palmiers qui luisaient sous les projecteurs. Une sorte de jardin tropical avait été aménagé à côté du terminal, avec des étangs et des ruisseaux artificiels, et les flammes des torches brillaient à travers le feuillage. Ce spectacle parut convaincre M. Walsh qu'ils étaient enfin arrivés à destination. Il s'arrêta et resta bouche bée. « Regarde un peu ça, dit-il. La jungle. »

Pendant qu'ils attendaient leurs bagages près du tapis roulant dans le hall des arrivées, une jolie jeune femme à la peau brune, portant l'uniforme de Travelwise, s'approcha d'eux avec un grand sourire radieux et dit : « *Aloha !* Bienvenue à Hawaii ! Je m'appelle Linda et je suis votre hôtesse d'accueil à l'aéroport.

— Salut, dit Bernard. Mon nom est Walsh, et voici mon père.

— Très bien, dit Linda en cochant leurs noms sur sa liste. M. Bernard Walsh et M. John Walsh. (Elle les examina rapidement avec ce petit air surpris auquel Bernard commençait à s'habituer.) Il n'y a pas de Mme Walsh ?

— Non, dit Bernard.

— O.K., dit Linda. Lorsque vous aurez récupéré vos bagages, messieurs, vous voudrez bien rejoindre le reste du groupe près du bureau de renseignements pour la cérémonie des lais. »

C'était du moins ce que Bernard avait cru comprendre. Une folle angoisse le saisit à l'idée qu'une version déformée de son histoire personnelle l'avait devancé à Hawaii et qu'un comité de dignitaires de la paroisse ou de frères lais avait été organisé pour l'accueillir ou pour le mettre dans l'embarras.

« La cérémonie des lais ?

— C'est exact et c'est compris dans le forfait. Vous logez au Waikiki Surfrider, c'est bien ça ?

— Oui, répondit Bernard qui avait décidé qu'il était trop tard et qu'ils étaient tous les deux trop fatigués pour tenter de localiser l'appartement d'Ursula ce soir.

— Il y a un bus qui attend à l'extérieur de l'aéroport pour acheminer les membres du groupe vers leurs hôtels respectifs juste après la cérémonie des lais », dit Linda.

Tandis qu'ils attendaient que le tapis roulant apporte leurs valises, Bernard fouilla dans son Travelpak et y découvrit deux coupons pour deux « *Leis* d'une valeur de 15 dollars U.S. » Il ne lui fallut pas longtemps pour comprendre que *lei* se prononçait « lai » et qu'il s'agissait d'une guirlande de fleurs enfilées sur une ficelle. Dans le hall bondé de l'aéroport, plusieurs des nouveaux arrivants qui débarquaient se voyaient accueillis avec ces objets que des amis et des professionnels du service d'accueil leur jetaient par-dessus les épaules en criant « *Aloha !* » Il passa devant Sidney, le cardiaque, et sa femme Lilian, tous deux pris d'assaut par deux jeunes gens au sourire épanoui, aux cheveux coupés en brosse et à la moustache duveteuse et bien taillée. « Tu n'aurais pas dû, Terry, on les a gratuits, ça fait partie du forfait », dit Lilian à l'un des garçons qui répondit : « Tant pis, maman, tu en auras deux. Je te présente mon ami, Tony. » « Heureux de faire votre connaissance », dit Lilian. Elle riait de toutes ses fausses dents mais ses yeux semblaient quelque peu inquiets.

Les autres voyageurs Travelwise se rassemblèrent sagement à côté du bureau de renseignements comme on le leur avait demandé. Non loin de là, il y avait un présentoir métallique où étaient exposés des journaux et des brochures de tourisme gratuits. Le titre d'une de ces publications, *Nouvelles du paradis,* attira le regard de Bernard qui en prit un exemplaire. Le contenu était quelque peu décevant ; il n'y avait que des publicités, avec des spécimens de menus, pour des restaurants locaux aux noms insolites : la Cantine El Cid, le Grand Wok de Chine, La Marraine, le Gril des Mordus de la Mer, Dites-le en Grec. Une petite publicité dans le coin en bas à droite de la première page apportait une note différente et bien moins gaie : « *Comment surmonter l'épreuve d'une rupture. Lisez ce livre. Il vous aidera à ne plus vous sentir coupable. Il vous redonnera confiance en vous. Il vous aidera à reprendre goût à la vie.* » Bernard déchira discrètement la publicité du journal et la glissa dans sa fausse poche.

« Vous avez trouvé quelque chose d'intéressant ? »

Bernard leva les yeux et vit Roger Sheldrake qui le regardait.

« Ça pourrait vous intéresser, dit Bernard, indiquant l'encadré du journal.

« *Nouvelles du paradis !* Merveilleux ! Où l'avez-vous trouvé ? » Sheldrake se précipita vers le porte-revues et se servit gloutonnement en littérature gratuite.

L'hôtesse d'accueil, Linda, réapparut alors avec une grande boîte en carton pleine de *leis* qu'elle se mit à distribuer aux voyageurs en échange du coupon qu'ils avaient dans leur Travelpak. Lorsqu'elle arriva à Cecily et à son mari, elle demanda :

« C'est vous les jeunes mariés, n'est-ce pas ? Avez-vous commandé la chanson des mariés d'Hawaii ?

— Non, on ne l'a pas fait », répliqua sèchement Cecily.

Les autres membres du groupe regardèrent le jeune couple avec un regain d'intérêt. Beryl Everthorpe dit : « C'est amusant tout de même, et nous qui en sommes à notre second voyage de noces », et Lilian Brooks renchérit : « Je pensais bien qu'ils avaient quelque chose de spécial ces deux-là » ; et Miss Rose et Bleu d'ajouter : « Comme c'est romantique pour un voyage de noces, il faut que je suggère cela à Des » ; et Dee de répliquer : « Si tu vas un jour en voyage de noces, ce sera plutôt sous une tente sur les pentes du Ben Nevis. »

A l'instant même où Linda arrivait à Bernard, celui-ci fut pris au lasso par une guirlande de fleurs blanches, humides, au parfum sucré. Surpris, il se retourna et se trouva face à face avec une vieille petite dame ridée au teint mat dont les cheveux gris avaient des reflets roses et qui portait une vaste tunique flottante, une sorte de toge, imprimée de grosses fleurs roses. Les ongles de ses mains et de ses pieds étaient peints d'un vernis éclatant également rose.

« *Aloha !* dit-elle. Vous êtes le neveu d'Ursula, n'est-ce pas ? » Bernard répondit par l'affirmative.

« Je l'ai su dès que je vous ai vu, vous avez le même nez qu'elle. Je m'appelle Sophie Knoepflmacher, j'habite dans le même immeuble qu'Ursula. Et voilà son frère Jack, je suppose. *Aloha !* » Elle jeta un second *lei* par-dessus la tête et les épaules de M. Walsh qui, effrayé, eut un léger mouvement de recul.

« J'imagine que vous savez ce que signifie *aloha ?*

— Salut, je suppose, se risqua à dire Bernard.

— Exact. Ou au revoir, selon que vous arrivez ou partez. La petite dame poussa un petit gloussement. Et aussi, je vous aime.

— Salut, au revoir, je vous aime ?

— C'est un mot passe-partout. Ursula m'a demandé de vous donner les clés de son appartement, alors j'ai pensé que je ferais mieux de venir vous chercher.

— C'est très gentil, dit Bernard. En fait, nous avons une chambre de retenue à l'hôtel...

— Où ?

— Au Waikiki Surfrider.

— Vous serez plus à votre aise chez Ursula. Davantage de place. Avec un salon et une cuisine en plus à votre disposition.

— Eh bien, d'accord », dit Bernard. Puisque Mme Knoepflmacher s'était donné la peine de venir les chercher, il était plus sage et plus courtois d'accepter.

« Allons-y alors. J'ai ma voiture au parking. Vous devez être complètement éreintés tous les deux, hein ? » La question s'adressait surtout à M. Walsh.

« J'étais déjà éreinté à Los Angeles, répondit M. Walsh. Il n'y a pas de mot pour décrire l'état dans lequel je suis maintenant.

— C'était la première fois qu'il prenait l'avion, dit Bernard.

— Non ! Sans blague ! Eh bien, je trouve que vous êtes vraiment extraordinaire, monsieur Walsh, de venir jusqu'ici pour voir votre pauvre sœur. »

M. Walsh accueillit ces compliments comme s'ils allaient de soi, mais il parut plutôt flatté. Bernard expliqua à Linda qu'ils n'auraient pas besoin du bus, ni de *leis* d'ailleurs, et ils partirent les uns derrière les autres, Mme Knoepflmacher en tête précédant M. Walsh et Bernard fermant la marche avec le chariot à bagages. Mme Knoepflmacher les laissa sur le trottoir devant l'aéroport tandis qu'elle allait chercher sa voiture, sa robe rose flottant dans la brise.

« C'est gentil de sa part d'être venue nous chercher, dit Bernard.

— Je n'ai pas retenu son nom, comment elle s'appelle ?

— Knoepflmacher. Je crois que ça veut dire fabricant de boutons en allemand.

— Est-ce qu'elle est allemande, alors ? On ne le dirait pas à l'entendre.

— Sa famille ou celle de son mari était sans doute allemande à l'origine. Des juifs allemands, je suppose.

— Oh ! » Il n'aurait jamais dû dire ça. Le ton de voix de M. Walsh s'était un peu durci.

« Puis-je enlever ce truc-là ? dit-il en tirant sur son *lei*.

— Je ne crois pas, pas encore. Ça risquerait de paraître impoli.

— J'ai l'impression d'être une espèce d'arbre de Noël en fleurs, planté sur ce trottoir.

— C'est la coutume du pays.

— Une coutume stupide, à mon avis. »

Roger Sheldrake, qui, avec sa guirlande de fleurs jaunes autour du cou, ressemblait au Lord Maire de Londres, passa à côté d'eux, précédé d'un homme coiffé d'une casquette à visière qui portait ses bagages. Il s'arrêta et se retourna pour parler à Bernard.

« Le Wyatt a envoyé une limousine pour me prendre », dit-il, montrant du doigt un étrange véhicule difforme garé le long du trottoir, extraordinairement long et bas, comme ces choses que l'on voit dans les miroirs déformants dans les foires.

« Drôlement sympa de leur part. Puis-je vous emmener quelque part ?

— Non, merci. Quelqu'un est venu nous chercher, dit Bernard.

— Eh bien, à un de ces jours. N'oubliez pas de me passer un coup de fil. » Le chauffeur tenait la porte de la limousine. Bernard eut le temps d'apercevoir un intérieur capitonné de cuir, une moquette gris tourterelle et quelque chose qui ressemblait à un petit bar.

Le somptueux véhicule venait à peine de partir que Mme Knoepflmacher apparut, accrochée au volant d'une superbe Toyota blanche aux phares rétractables. Elle était si petite qu'elle était obligée de s'asseoir sur le rebord du siège pour atteindre les pédales.

« Il fait délicieusement frais ici, commenta Bernard lorsqu'ils furent installés à l'intérieur.

— Ouais, elle est climatisée. M. Knoepflmacher est mort le jour où il a pris livraison de cette voiture, dit Mme Knoepflmacher. Il a eu le temps d'aller à Diamond Head et de revenir, il était si heureux de son achat, vous ne pouvez pas vous imaginer. Il est mort dans son sommeil la nuit même. Hémorragie cérébrale.

— Oh, je suis désolé, dit Bernard.

— Enfin, il est mort heureux, soupira Mme Knoepflmacher. Je garde la voiture en souvenir de lui. Je ne roule pas beaucoup, j'avoue. Je peux aller à pied presque partout où je veux à Waikiki.

Quel genre de voiture avez-vous, Bernard ? (Elle prononça son nom à la française, avec l'accent sur la seconde syllabe.)

— Je n'en ai pas.

— Exactement comme Ursula, dit Mme Knoepflmacher. Elle n'a jamais appris à conduire, elle non plus. Ça doit être de famille.

— J'ai mon permis de conduire, rectifia Bernard. Mais je n'ai pas de voiture pour le moment. Comment va Ursula ? L'avez-vous vue récemment ?

— Pas depuis qu'elle a quitté l'hôpital.

— Ursula a quitté l'hôpital ?

— Oui, vous ne saviez pas ? Elle est dans une sorte de maison de soins privée, un peu à l'extérieur de la ville. C'est quelque chose de provisoire, a-t-elle dit. Elle ne semblait pas vouloir que je lui rende visite. C'est une dame très secrète, votre tante, vous savez, Bernard. Elle ne se livre pas beaucoup. Pas comme moi. Lou disait toujours que je parlais trop.

— Avez-vous l'adresse ?

— J'ai le numéro de téléphone.

— Et comment va-t-elle ?

— Elle ne va pas très bien, Bernard. Pas très bien du tout. Mais ça va drôlement lui faire plaisir de vous voir tous les deux. Comment ça va à l'arrière, monsieur Walsh ?

— Très bien, merci », répondit M. Walsh d'une voix sombre.

Ils roulaient tranquillement au milieu d'un flot de voitures sur une large autoroute d'où on apercevait la mer, à droite au loin, et à gauche les formes bombées de collines abruptes ou de petites montagnes, des masses sombres parsemées de maisons éclairées. Sur les panneaux verts, les noms de sorties défilaient, des noms étonnamment rassurants aux yeux de Bernard qui croyait feuilleter un livre d'histoires pour enfants : Likelike Highway, Vineyard Boulevard, Punchbowl Street. Mme Knoepflmacher leur montra les gratte-ciel du centre d'Honolulu avant de prendre la sortie de la rue Punahou. « Comme vous êtes des *malihinis*, je vais vous faire voir l'avenue Kalakaua.

— Qu'est-ce qu'un *malihini* ?

— Une personne qui visite les îles pour la première fois. Kalakaua est la rue principale de Waikiki. Certains trouvent qu'elle est devenue minable, moi je la trouve toujours drôle. »

Bernard lui demanda depuis combien de temps elle habitait à Hawaii.

« Depuis neuf ans. Nous sommes venus en vacances ici il y a vingt ans, Lou et moi, et Lou m'a dit : "Le voilà, Sophie, le paradis, c'est là qu'on viendra prendre notre retraite." C'est ce qu'on a fait. On a d'abord acheté un appartement à Waikiki pour y passer nos vacances et on l'a loué le restant de l'année. Puis, quand Lou a pris sa retraite — il était dans le commerce de viande casher à Chicago —, on est venus s'installer ici.

— Et vous vous y plaisez ?

— J'adore. Enfin, j'adorais quand Lou était encore en vie. Maintenant, je me sens un peu seule par moments. Ma fille me dit que je devrais retourner à Chicago. Mais je me vois mal affronter de nouveau l'hiver du Midwest après avoir connu ça. Tout ce que je porte ici à longueur d'année, c'est un *muumuu*. » Elle montra son ample tunique rose et jeta un coup d'œil en coin sur la veste sport en tweed et le pantalon en laine peignée de Bernard. « Il va falloir que tous les deux vous vous achetiez des chemises *aloha*. C'est le nom qu'on donne à ces chemises hawaïennes bariolées aux couleurs criardes que l'on porte par-dessus le pantalon. Voici Kalakaua. »

Ils roulaient lentement le long d'une artère très animée, bordée de magasins, de restaurants et de grands hôtels très éclairés qui se dressaient à perte de vue. Bien qu'il fût près de dix heures du soir, les deux trottoirs, ou plutôt les allées piétonnières comme disait Mme Knoepflmacher, étaient encombrés d'une foule de gens en tenues décontractées très légères pour la plupart — shorts, sandales et T-shirts. Des gens de tous les gabarits, de toutes les tailles, de tous les âges, de toutes les couleurs flânaient, mangeaient et buvaient tout en marchant, certains se donnant la main ou se tenant enlacés. Un mélange incroyable de musique assourdissante, de bruits de voitures et de voix humaines pénétrait à travers les vitres de la voiture. Bernard eut l'impression de se retrouver dans la cohue autour de la gare Victoria, sauf que tout ici paraissait beaucoup plus propre. Il y avait même des noms familiers sur les façades de magasins — MacDonald's, Kentucky Fried Chicken, Woolworth — mélangés à des noms plus exotiques : La Hutte à Hula, Chemises en Folie, Sushi à Emporter, l'Express du Paradis, et des enseignes écrites en japonais qu'il ne pouvait déchiffrer.

« Eh bien ? Qu'en pensez-vous ? demanda Mme Knoepflmacher.

— Ce n'est pas tout à fait ce que j'imaginais, dit Bernard.

C'est bigrement construit, je trouve ! J'avais dans la tête des images de sable, de mer et de palmiers.

— Et de danseuses de *hula*, hein ? » Mme Knoepflmacher gloussa et donna un petit coup de coude à Bernard. « La plage est juste derrière ces hôtels, dit-elle en faisant un geste vers la droite. Et les filles sont à l'intérieur en train de s'exhiber dans des spectacles de variétés. Quand on est venus ici pour la première fois, on voyait encore l'océan entre les hôtels, mais plus maintenant. Vous ne pouvez pas vous imaginer tout ce qu'on a pu bâtir depuis. » Elle tourna la tête et dit d'une voix plus puissante : Alors, comment trouvez-vous ça, monsieur Walsh ? »

Mais elle ne reçut aucune réponse. M. Walsh s'était endormi.

« Le pauvre, il est épuisé. Qu'importe, on est presque arrivés. » Elle tourna à gauche, quittant l'avenue étincelante, traversa une autre artère importante et pénétra dans une rue résidentielle tranquille au bout de laquelle scintillait un canal sombre.

« Nous y voilà, 144, rue Kaolo. » Elle s'engagea sur une rampe, descendit dans un parking situé en dessous de l'immeuble et s'arrêta assez brusquement.

M. Walsh se réveilla affolé. « Où sommes-nous ? s'écria-t-il. Je veux pas monter dans un autre avion.

— Tout va bien, papa, dit Bernard pour le rassurer. C'est là qu'habite Ursula. Nous sommes enfin arrivés.

— Ouais, mais je ne sais pas si un jour je réussirai à retourner sain et sauf à la maison », dit lamentablement M. Walsh tandis qu'ils l'extirpaient de la banquette arrière de la voiture.

L'appartement d'Ursula au troisième étage était petit, joli et d'une propreté impeccable, décoré et meublé en un style « bonbonnière » plutôt conventionnel, plein de bibelots et d'objets décoratifs exposés sur des étagères et des petites tables. L'air était chaud et étouffant à l'intérieur du salon, et Mme Knoepflmacher alla vite ouvrir deux portes vitrées qui donnaient sur un balcon étroit. « La plupart des gens ont fait installer la climatisation, dit-elle. Mais je suppose qu'Ursula trouvait la dépense inutile, étant donné qu'elle n'est pas propriétaire de son appartement. »

Cette information surprit Bernard.

« Non, elle le loue. C'est une pitié. Un des gros promoteurs est intéressé par cet emplacement ; ils vont devoir nous faire une offre drôlement alléchante s'ils veulent tous nous faire partir d'ici. »

Bernard sortit sur le balcon

« Vous voulez dire qu'ils vont démolir ce bâtiment en parfait état et en construire un autre à la place ? Mais pourquoi ?

— Pour construire plus haut, pour tirer davantage d'argent de cet emplacement. Cet immeuble n'a que quatre étages. Il a près de vingt-cinq ans. Presque un monument historique pour Waikiki. »

Bernard, penchant la tête, vit une étendue d'eau oblongue, d'un bleu lumineux, incrustée dans un patio pavé.

« A qui appartient la piscine ?

— A l'immeuble. Elle est réservée aux résidents.

— Puis-je m'y baigner ?

— Bien sûr. Quand vous voulez. Puis-je vous montrer la cuisine ? »

Bernard abandonna le balcon à contrecœur.

« Cette brise est bien agréable.

— Ce sont les alizés. C'est ce qui permet aux îles de rester fraîches. Un ventilateur naturel, pour ainsi dire, dit Mme Knoepfl-macher avec un petit rire rauque. On a vraiment besoin des alizés en été. Vous arrivez à la période la plus chaude de l'année. »

Mme Knoepflmacher montra comment fonctionnait la cuisinière et le broyeur d'ordures dans l'évier.

« Je vous ai mis quelques petites choses dans le réfrigérateur : du lait, du pain, du beurre, du jus de fruits, de quoi prendre un petit déjeuner demain. Ça faisait trois dollars et cinquante-cinq cents en tout, mais vous pourrez me rembourser quand vous voudrez. Il y a un magasin ABC au coin de la rue, mais vous feriez mieux d'acheter les produits de base au centre commercial Ala Moana, c'est beaucoup moins cher. Voici les clés de l'appartement, et voilà le numéro de téléphone de la maison de soins d'Ursula. Et ça, c'est le médecin à l'hôpital, si vous voulez l'appeler. Au cas où vous auriez besoin de quelque chose d'autre, je suis juste à l'autre bout du couloir, au numéro 37.

— Merci infiniment, dit Bernard. Vous avez été très gentille.

— C'était la moindre des choses », dit Mme Knoepflmacher. Ses yeux firent le tour du salon comme si elle cherchait quelque chose ; elle le trouva. « Ces figurines en porcelaine de Dresde sont bien jolies, n'est-ce pas ? fit-elle en s'approchant d'une des vitrines. S'il arrivait quelque chose à Ursula et que vous deviez vendre ses affaires, je serais heureuse de prendre une option dessus. »

Bernard fut surpris, presque choqué par cette remarque, et il lui fallut quelques secondes avant de pouvoir bredouiller une vague réponse. Mais, après tout, pensa-t-il en la reconduisant à la porte, pourquoi serait-il choqué ? Elle était tout simplement réaliste. Il revint dans le salon où son père, qui s'était déchaussé, était assis les yeux fixés sur ses pieds nus qui ressemblaient à des crustacés échoués sur une plage — cornés, calleux et enflammés ; un des orteils se tordait de temps en temps comme un membre totalement autonome.

« Mes pieds me faisaient terriblement souffrir », dit-il.

Il refusa de prendre un bain ou une douche ; Bernard rapporta donc de la cuisine une cuvette d'eau tiède pour qu'il y trempe ses pieds. Le vieil homme ferma les yeux et soupira en les plongeant dans l'eau.

« Est-ce qu'il ne serait pas possible d'avoir une tasse de thé ? dit-il. J'ai pas bu une goutte de thé correct depuis qu'on a quitté l'Angleterre.

— Ça ne va pas t'obliger à te lever pendant la nuit ?

— Je serai bien obligé de me lever de toute façon, dit M. Walsh. Un peu plus tôt ou un peu plus souvent, ça ne changera pas grand-chose. »

Bernard trouva quelques sachets de thé dans la cuisine — du Lipton's English Breakfast — et prépara un thé. M. Walsh absorba le breuvage avec avidité, soupira et agita ses orteils dans l'eau. Bernard s'agenouilla pour sécher les pieds de son père avec une serviette. Ce geste lui rappela la Cène pendant la cérémonie du Jeudi saint, notamment à l'église paroissiale de Saddle où les fidèles qui acceptaient de se faire laver les pieds par l'officiant lui présentaient des pieds aussi maltraités et durcis par le travail que ceux de son père. Au séminaire, les pieds des jeunes gens étaient blancs et doux, soigneusement lavés à l'avance, les ongles impeccables pour la circonstance. Il eut l'intuition en voyant l'air grave et penseur de son père que la même idée lui était aussi venue à l'esprit, mais ni l'un ni l'autre ne fit de remarque.

Il n'y avait qu'une chambre avec un seul lit, assez grand pour tous les deux, certes, mais Bernard préféra dormir sur le divan du salon qui se dépliait pour faire un lit supplémentaire confortable. Une fois son père couché, il prit une douche, laissa ses vêtements sales et pleins de sueur en un tas par terre, et, comme il avait oublié d'apporter avec lui une robe de chambre, il enfila un peignoir en soie appartenant à Ursula qu'il avait trouvé suspendu à un crochet derrière la porte de la salle de bains. Il voulait bien dormir nu — le pyjama en flanelle de coton qu'il avait mis dans sa valise étant manifestement trop chaud — mais il était gêné de se promener tout nu dans l'appartement, même s'il entendait les ronflements sonores de son père qui dormait. Bizarrement, il n'éprouvait aucune fatigue mais une sorte d'excitation due peut-être au thé ou à la nouveauté de l'environnement.

Il sortit sur le balcon et s'appuya à la balustrade. On ne sentait plus maintenant la différence entre l'atmosphère à l'intérieur et à l'extérieur de l'appartement. Malgré le souffle assez puissant des alizés qui agitait les palmiers, l'air qui lui fouettait le visage était chaud. Des traînées de nuages fuyaient dans le ciel, voilant momentanément les étoiles ; on aurait pu croire qu'il n'y avait pas de nuages et que c'étaient les étoiles qui se déplaçaient, tournoyant dans le ciel en une version accélérée des sphères de Ptolémée. Il était plein d'émerveillement à la seule pensée de se retrouver ici, sur cette île tropicale, alors qu'hier encore il était à Rummidge, cette ville pleine d'usines et d'ateliers, aux rues sinistres avec ces alignements de maisons serrées les unes contre les autres, où tout est vieux et crasseux sous la chape oppressante des nuages gris. Il regarda la piscine, fastueuse et attirante dans la nuit chaude. Demain il s'y baignerait.

Comme il relevait la tête, il remarqua deux silhouettes, un homme et une femme, sur le balcon éclairé d'un immeuble voisin. L'homme ne portait qu'un caleçon et tenait un long verre à la main ; la femme était vêtue d'une sorte de kimono japonais. Ils semblaient trouver Bernard très drôle, il riaient et le montraient du doigt. Il se dit que ce peignoir à fleurs, large d'épaules et très long, devait paraître un accoutrement bien incongru pour un homme à barbe. Mais leur réaction semblait excessive. Peut-être étaient-ils ivres. Il ne savait comment réagir — fallait-il faire un signe amical de la main ou les fixer d'un regard glacial ? Comme il hésitait encore, la femme dénoua la ceinture de sa tunique et, d'un geste théâtral, l'ouvrit toute grande. Elle était totalement nue dessous. Bernard distingua les croissants d'ombre sous ses seins et le triangle sombre de ses poils pubiens. Ponctuant la scène d'un grand éclat de rire, tous deux se retournèrent et rentrèrent dans leur chambre, tirant le rideau devant la fenêtre. La lampe du balcon s'éteignit.

Bernard demeura à son poste quelques instants encore, appuyé à la balustrade, comme s'il tenait à prouver au couple qu'il était indifférent à leur petit cinéma. Mais, intérieurement, il était dérouté et troublé. Que signifiait le geste de la femme ? Moquerie ? Insulte ? Invitation ? C'était comme si, par télépathie, elle avait eu connaissance de la triste scène dans le meublé de Henfield Cross — Daphné, sans corsage ni soutien-gorge, se retournant vers lui pleine de désir —, comme si elle voulait lui rappeler tout le fatras de culpabilité et d'échecs qu'il avait apporté avec lui à Hawaii.

Il retourna dans le salon, se débarrassa du peignoir d'Ursula et s'allongea sur le divan, tout nu sous le drap. Au loin, il entendit le sifflement d'une sirène de police. Il chassa de son esprit l'image du couple sur le balcon en se répétant les choses qu'il allait devoir faire le lendemain matin : premièrement, juste après le petit déjeuner, il téléphonerait à Ursula pour fixer avec elle un rendez-vous. Mais il ne put aller plus loin et sombra dans le sommeil.

5

Après l'accident, Bernard passa de longues heures à tenter de reconstituer dans sa tête comment les choses avaient pu se passer. Ils s'apprêtaient tous les deux à traverser une rue, juste après avoir quitté l'appartement — mais au mauvais endroit, comme le lui firent remarquer ensuite la femme, les policiers et les ambulanciers. Apparemment, on n'était censé traverser la rue qu'aux carrefours. Mais c'était une rue tranquille, il n'y avait pas beaucoup de circulation et ils n'avaient pas remarqué que les gens ne traversaient pas la rue au gré de leurs caprices, comme ça se faisait en Angleterre. C'était leur premier matin à Honolulu — ils souffraient encore du décalage horaire et, après avoir dormi si longtemps, se sentaient patraques. Autant de raisons qui auraient dû le rendre vigilant, bien sûr. Quatre-vingt-dix pour cent des accidents qui arrivent aux visiteurs, lui dit Sonia Mee dans la salle des urgences, se passent dans les premières quarante-huit heures qui suivent leur arrivée.

Il n'avait pas lâché son père des yeux, sauf peut-être pendant cette petite seconde où ils se tenaient tous les deux au bord du trottoir. Il avait regardé à gauche et remarqué une petite voiture blanche qui s'approchait, pas bien vite. Son père avait dû regarder à droite, comme il avait l'habitude de le faire en Angleterre ; il avait dû voir que la voie était libre et s'était engagé sur la chaussée juste devant la voiture. A l'instant même où la voiture passait devant lui, Bernard entendit un choc et un crissement de pneus. Il se retourna et, n'en croyant pas ses yeux, vit son père allongé de tout son long sur le trottoir, inerte et sans vie comme un épouvantail foudroyé. Il s'agenouilla aussitôt à côté de lui. « Papa, tu vas bien ? » se surprit-il à dire. La question paraissait stupide mais ce qu'il voulait dire, bien sûr, c'était : « *Papa, tu n'es pas mort ?* » Son père gémit et murmura : « Je l'ai pas vue venir. »

« Est-il gravement blessé ? » Une femme vêtue d'une ample tunique rouge était penchée au-dessus d'eux. Bernard fit tout de suite le lien entre elle et la voiture blanche garée quelques mètres plus loin dans la rue.

« Vous êtes avec lui ? demanda-t-elle.

— C'est mon père.

— Quelle idée de traverser ici ! lança-t-elle. Je n'ai pas pu m'arrêter, il m'a littéralement coupé la route.

— Je sais, dit Bernard. Ce n'était pas de votre faute.

— Vous avez entendu ce qu'il vient de dire ? » dit la femme à un homme en short et tricot de corps qui s'était arrêté pour regarder. Il a dit que ce n'était pas de ma faute. Vous êtes témoin.

— Je n'ai rien vu, répondit l'homme.

— Pourrais-je quand même avoir votre nom et votre adresse, monsieur ? demanda la femme.

— Je ne veux pas être impliqué dans cette histoire, riposta l'homme en reculant.

— Eh bien, au moins, allez appeler une ambulance ! dit la femme.

— Comment ? fit l'homme.

— Trouvez un téléphone et faites le 911, Seigneur Jésus ! »

« Tu peux te retourner, papa ? » dit Bernard. M. Walsh était allongé sur le ventre, la joue contre le pavé, les yeux fermés. Il avait bizarrement l'air de quelqu'un qui essaie de s'endormir et qui ne veut pas être dérangé, mais Bernard éprouva le besoin d'arracher ce visage à cet oreiller de pierre. Cependant, lorsque Bernard essaya de l'aider à se remettre sur le dos, M. Walsh tressaillit et gémit.

« Ne le bougez pas », dit une femme avec un caddie écossais dans le petit cercle des badauds qui s'était formé autour de l'accident. « Surtout ne le bougez pas. » Bernard obéit et laissa son père allongé comme il l'était.

« Tu souffres, papa ?

— Un peu, murmura le vieil homme.

— Où ?

— En bas.

— Où ça ? »

Il n'y eut pas de réponse. Bernard leva les yeux vers la femme à la robe rouge. « N'auriez-vous pas quelque chose à lui glisser sous la tête ? » demanda-t-il. S'il avait eu une veste sur lui, il l'aurait pliée pour en faire un coussin, mais il était sorti en chemisette.

« Bien sûr. » Elle disparut et revint presque aussitôt avec un cardigan et une vieille couverture où scintillaient des petits grains de sable pris dans les mailles du tissu. Bernard plaça le cardigan déjà plié sous la tête de son père et étendit la couverture sur lui ; bien qu'il fît très chaud, c'était le geste à faire, croyait-il savoir, quand quelqu'un venait d'être renversé. Il s'efforça de ne pas penser aux conséquences affreuses qui allaient fatalement découler de cet accident, aux reproches qu'il allait recevoir et à la culpabilité qu'il allait éprouver pour n'avoir pu empêcher ce qui venait d'arriver. Il aurait tout le temps plus tard de se faire de la bile.

« Ne t'en fais pas, papa, dit-il du ton le plus serein et le plus enjoué possible. L'ambulance va arriver.

— Je ne veux pas aller à l'hôpital », murmura M. Walsh. (Il avait toujours eu horreur des hôpitaux.)

— Il faut que tu voies un médecin, dit Bernard. Par précaution. »

Une voiture de police qui patrouillait de l'autre côté de la rue fit un brusque demi-tour et s'arrêta, girophare allumé. Les spectateurs s'écartèrent respectueusement pour laisser passer deux policiers en uniforme. Bernard remarqua leurs gros revolvers enfoncés dans leurs fourreaux, juste à la hauteur de ses yeux. Il leva la tête et vit deux gros visages basanés impassibles.

« Qu'est-ce qui s'est passé ?

— Mon père a été renversé. »

L'un des policiers s'accroupit et prit le pouls de M. Walsh.

« Hé, comment ça va, m'sieur ?

— Je veux rentrer à la maison, dit M. Walsh sans ouvrir les yeux.

— Eh bien, au moins, il est conscient, dit le policier. C'est déjà ça. Où c'est chez lui ?

— En Angleterre, dit Bernard.

— C'est pas la porte à côté, m'sieur, dit le policier en s'adressant à M. Walsh. Vaut mieux qu'on vous emmène d'abord à l'hôpital. Il se tourna vers Bernard : Quelqu'un a appelé une ambulance ?

— Je crois que oui, répondit Bernard.

— Je n'en suis pas si sûre, ajouta la femme à la robe rouge. Ce dégonflé en short n'est pas revenu.

— J'ai téléphoné moi aussi, dit une voix de derrière la foule. L'ambulance arrive.

— A qui appartient la voiture ? demanda le second policier.

— A moi, dit la femme à la robe rouge. Le vieux m'a littéralement coupé la route. Je n'ai pas eu le temps de dire amen. » L'expression parut déclencher une réaction chez M. Walsh qui se mit à marmonner l'acte de contrition à voix basse.

« *Mon Dieu, j'ai un très grand regret de vous avoir offensé...* » Accroupi à côté de lui, Bernard sentit sa main se lever instinctivement comme pour donner l'absolution ; gêné, il transforma son geste et caressa de la main avec douceur le front du vieil homme. « Ce n'est pas la peine, papa. Tout va bien se passer. » Il se retourna vers le policier : « Il a eu le malheur de regarder dans le mauvais sens. On conduit à gauche en Angleterre, vous savez. »

Un homme bien habillé, en costume léger, s'avança et dit à Bernard : « Suivez mon conseil : n'avouez rien, surtout. » Il sortit une carte de son portefeuille et la tendit à Bernard. « Je suis avocat. Je serai ravi de vous représenter en cas de besoin. Aucun frais si le procès n'aboutit pas.

— De quoi je me mêle, mon petit monsieur, dit la femme à la robe rouge en attrapant la carte et en la déchirant en deux. Vous et vos semblables, vous m'écœurez avec vos manières de rapaces.

— Ce que vous dites là est passible de poursuites, dit l'avocat calmement.

— Ne vous excitez pas, madame, ajouta le policier.

— Écoutez, je passais dans cette rue bien tranquillement quand soudain ce vieil homme est sorti de je ne sais où et s'est jeté sous mes roues. Et maintenant, voilà qu'on me menace d'un procès. Et vous me dites de me calmer. Seigneur Jésus !

— Seigneur Jésus, aidez-nous ! Sainte Marie, protégez-nous ! murmura M. Walsh.

— Dites-leur, demanda la femme en s'adressant à Bernard. Vous avez dit que ce n'était pas de ma faute, exact ?

— Oui, dit Bernard.

— Mon client est dans un état de choc, lança l'avocat. Il ne sait pas ce qu'il dit.

— D'abord, il n'est pas votre client, espèce de con, dit la femme à la robe rouge.

— Où elle est, cette ambulance ? » demanda Bernard. Il fut surpris du ton plaintif de sa propre voix. Il enviait la colère de cette femme qui proférait des insultes.

Son sentiment d'impuissance ne s'évanouit pas avec l'arrivée de l'ambulance. Les paramédicaux (on nommait ainsi les ambulanciers, remarqua-t-il) firent preuve d'un professionnalisme admirable. Ils interrogèrent succinctement Bernard sur les circonstances de l'accident et parvinrent à faire dire à M. Walsh que la douleur était localisée dans la région des hanches. Lorsque le plus âgé des deux hommes demanda à Bernard à quel hôpital il voulait qu'on emmène son père, Bernard suggéra le Geyser où avait été soignée Ursula, parce que c'était le seul qu'il connaissait à Honolulu. L'ambulancier lui demanda si son père était couvert par l'assurance Geyser.

« Qu'est-ce que c'est que ça ?

— C'est un contrat de santé.

— Non, nous sommes visiteurs ici. Nous venons d'Angleterre.

— Vous avez une assurance médicale ?

— Je crois que oui. »

Suivant les sages conseils du jeune homme à l'agence de voyages de Rummidge, il avait en effet souscrit une espèce d'assurance de vacances lorsqu'il était allé chercher les billets, mais il avait été trop pressé par le temps pour lire ce qu'il y avait d'écrit en petits caractères. Les papiers étaient dans l'appartement d'Ursula et il ne pouvait quand même pas laisser son père étendu dans le caniveau pour aller vérifier. Une nouvelle vague d'anxiété et de frayeur se propagea le long de ses veines et de ses artères. Il circulait tant d'histoires effrayantes sur la médecine américaine et son caractère mercenaire, sur ces malades contraints de signer des chèques en blanc tandis qu'on les emmenait au bloc opératoire, ou encore sur ces gens non assurés, ruinés par le coût d'un traitement, que l'on refusait même purement et simplement de soigner faute de ressources financières suffisantes. Peut-être allait-il devoir payer l'ambulance sur-le-champ, et il avait très peu d'argent liquide sur lui.

En fait, Bernard et son père se rendaient à la banque lorsque l'accident était arrivé. Il avait téléphoné à Ursula immédiatement après leur petit déjeuner, et elle lui avait dit qu'il y avait deux mille cinq cents dollars qui l'attendaient à sa banque pour couvrir leurs frais de voyage (avancés par M. Walsh en prenant sur ses économies) et leur permettre de faire face à leurs besoins les plus urgents. Elle avait suggéré qu'il prenne sur cet argent pour louer une voiture : « L'endroit où je suis est en plein bled, Bernard, vous n'arriverez jamais jusqu'ici avec le bus. » Il s'était décidé à

96

faire cette transaction, se réjouissant à l'avance de pouvoir se remettre au volant d'une voiture, avait emmené son père avec lui parce que le vieil homme ne tenait visiblement pas à rester seul. Ils avaient parcouru une centaine de mètres, pas plus, surpris par la chaleur mais infiniment plus à l'aise que la veille au soir dans ces vêtements, les plus légers qu'ils aient emportés, lorsque la catastrophe était arrivée.

« Le Geyser est très loin à l'extérieur de la ville, dit le plus âgé des ambulanciers, à moins que vous ayez une raison particulière d'y aller. On pourrait vous emmener au centre hospitalier, en ville. Il y a aussi Saint-Joseph, l'hôpital catholique.

— Oui, dit M. Walsh en un murmure parfaitement audible.

— Emmenez-le à Saint-Joseph, dit Bernard. Nous sommes catholiques. » Il utilisa le pronom pluriel instinctivement : ce n'était pas le moment de rentrer dans les subtilités de leurs croyances et de leurs allégeances religieuses. Si ça pouvait faire du bien à son père d'être soigné dans un hôpital catholique, il voulait bien réciter le Credo en public, si nécessaire.

Il entendit crépiter le radio-téléphone — l'un des ambulanciers appelait l'hôpital. « Ouais, on a une urgence ici, un vieux qui s'est fait renverser par une voiture, il est traumatisé mais conscient. Vous pouvez le prendre ?... Difficile à dire, ça pourrait être le bassin, un éclatement de la rate... Non, ce sont des visiteurs... Le vieux a son fils avec lui, il pense qu'ils sont assurés... Il a demandé un hôpital catholique... D'accord... Non, pas d'hémorragie externe... O.K. ... Dans quinze minutes environ. » L'homme se retourna vers son collègue : « O.K., c'est parti. Le toubib a dit de le mettre sous perfusion pour le cas où il y aurait une hémorragie interne. Mettons-le sur le brancard. »

Avec des gestes pleins de douceur et de précision, il transférèrent M. Walsh sur le brancard pliant à roulettes qu'ils glissèrent ensuite à l'arrière de l'ambulance. On fixa à son bras un goutte-à-goutte relié à une bouteille de solution saline fixée à la paroi intérieure du véhicule. L'un des hommes sortit et, regardant Bernard, demanda : « Vous voulez venir avec lui ? » Bernard sauta dans l'ambulance et s'accroupit à côté de l'autre ambulancier. La femme à la robe rouge qui se faisait interroger par un des policiers lui faussa brusquement compagnie et se précipita vers l'arrière de l'ambulance juste au moment où le chauffeur allait refermer les portières. Le teint un peu olive, les cheveux noirs, elle devait avoir la quarantaine, pensa-t-il.

« J'espère que votre père sera O.K.

— Merci. Je l'espère moi aussi. »

Le chauffeur ferma les portes et prit place au volant. La femme resta plantée au bord du trottoir, presque au garde-à-vous, les bras le long du corps, fixant d'un air songeur l'arrière de l'ambulance qui repartait lentement. Ils avaient, sur les conseils de la police, échangé leurs noms et leurs adresses. Il sortit le bout de papier de sa fausse poche et lut Yolande Miller. L'adresse ne signifiait rien pour lui — quelque chose finissant par Heights. L'ambulance tourna au coin de la rue, la sirène se mit en marche et la femme disparut.

« Est-ce que votre père a des allergies ? » demanda l'ambulancier à Bernard. Pendant qu'ils roulaient, il remplissait un formulaire.

« Non, je ne crois pas. Combien coûte cette ambulance, rien que pour savoir ?

— C'est un forfait de cent cinquante dollars.

— Je n'ai pas cette somme sur moi.

— Ne vous inquiétez pas, vous recevrez une facture. »

Les vitres teintées de l'ambulance faisaient tout paraître bleu à l'extérieur, comme si le véhicule était un sous-marin et que Waikiki était construit au fond de la mer. Les palmiers se balançaient de-ci, de-là comme des algues dans l'eau, et des bancs de touristes passaient, les yeux écarquillés, la bouche ouverte. La circulation était dense, et l'ambulance était souvent obligée de s'arrêter, malgré le hurlement de la sirène et la lumière du girophare. Au cours d'un arrêt, Bernard eut la surprise de se retrouver face à face avec la petite adolescente rousse du groupe Travelwise. Elle se tenait sur le trottoir à quelques mètres de lui et le regardait droit dans les yeux. Il se força à sourire d'un air amical et, d'un haussement d'épaules, tenta de lui dire quelque chose comme : « Regarde dans quel pétrin je suis », mais elle le fixait, le regard vide. Il comprit alors que, pour elle, les vitres de l'ambulance devaient être opaques et il se trouva un peu idiot. C'est alors qu'à son grand étonnement le visage de la fillette se tordit en une grimace de gargouille, elle loucha affreusement, tira la langue d'un air moqueur et méprisant. Puis cette expression démoniaque s'effaça aussi vite qu'elle était apparue — si vite qu'il se demanda s'il ne l'avait pas imaginée —

et le visage de l'enfant retrouva son masque impassible. L'ambulance repartit et la fillette disparut.

« Amanda ! Ne traîne pas ! » Cette voix masculine anglaise, sèche et aiguë, détonne dans la foule qui déambule sur le trottoir ; quelques têtes se retournent, pas celle d'Amanda, cependant. Pour soulager son agressivité, elle fait une affreuse grimace en direction de l'ambulance hurlante, puis, reprenant son air habituel, se retourne et rejoint son père en trottinant.

« Tu vas te perdre, si tu ne fais pas attention, dit sa mère sur le ton du reproche, tandis qu'Amanda les rattrape. Et on serait obligés de passer le reste de la journée à te chercher.

— Je serais capable de rentrer toute seule à l'hôtel.

— Oh, alors, comme ça mademoiselle serait capable de rentrer toute seule à l'hôtel. Ravie de l'entendre, dit la mère d'un ton sarcastique. Moi, en tout cas, je ne suis pas sûre que j'en serais capable, j'ai l'impression qu'on marche depuis des heures.

— Onze minutes, exactement, dit Robert, le frère d'Amanda, en consultant sa montre à quartz.

— Peut-être, mais avec cette chaleur, j'ai l'impression que ça fait des heures. Je ne pensais pas qu'on allait être si loin de la plage. C'est se moquer du monde d'appeler cet hôtel le Hawaiian Beachcomber [1].

— Je vais me plaindre, lance M. Best par-dessus son épaule. Je vais leur écrire. »

La sirène de l'ambulance s'éloigne. « Je croise les doigts, je croise les orteils, Dieu me garde de monter dans un engin pareil », récite à voix basse Amanda qui se tortille les orteils dans ses sandales pendant qu'elle avance à cloche-pied en évitant de marcher sur les fentes entre les pavés — toutes les stratégies sont bonnes pour ne pas entendre les simpiternelles jérémiades des adultes. Tous les adultes sont-ils comme ça ? Elle ne le croit pas. Elle n'a pas l'impression que les autres filles passent leur vie, comme elle, torturées par la crainte de voir leurs parents se ridiculiser en public.

Russell Harvey, « Russ » comme l'appellent ses amis et tous ses collègues dans la salle des transactions boursières de la banque d'investissement où il travaille dans la Cité de Londres, entend la

---

1. L'écumeur des plages. (N.d.T.)

sirène de l'ambulance tandis qu'il prend seul son petit déjeuner sur le balcon de sa chambre, au 27e étage du Waikiki Sheriden. Il a le sentiment qu'il va devoir presque tout faire seul pendant ce voyage de noces, y compris le sexe. Cecily dort encore, ou fait semblant de dormir, dans l'un des deux grands lits. Russ vient de quitter l'autre lit. Apparemment, toutes les chambres de l'hôtel ont deux grands lits, un de trop selon Russ. Cecily s'est couchée la première hier soir, après s'être enfermée à clé dans la salle de bains pour se préparer pour la nuit, et lorsqu'il l'a rejointe sous les draps, elle a tout simplement déménagé sans dire un mot et s'est couchée dans le lit d'à côté. Russ ne l'a pas suivie, convaincu qu'elle était décidée à jouer le jeu des lits musicaux aussi longtemps qu'il le faudrait. Il se sent floué. Ça n'a rien à voir pour lui avec une quelconque consommation de leur mariage ou avec la satisfaction d'un désir longtemps refoulé — après tout, Cess et lui vivent ensemble depuis près de deux ans —, mais un homme en voyage de noces a tout de même le droit de sauter sa femme lorsqu'il le souhaite.

Russ se lève, se penche par-dessus la balustrade et parcourt tristement du regard la ligne incurvée du rivage bordé de palmiers jusqu'à une montagne aplatie au sommet qui s'avance dans la mer et dont le nom est, d'après le garçon qui lui a apporté son petit déjeuner, Diamond Head. Il doit reconnaître que la vue est pittoresque, mais ça ne suffit pas à lui remonter le moral. Le bruit de la sirène se fait plus distinct. Il regarde en bas, en direction du carrefour où une énorme fleur jaune à cinq pétales a été peinte sur la chaussée. Ils ont l'air d'avoir la folie des fleurs dans ce pays. Il y avait une fleur sur chaque oreiller hier soir, et une autre qui flottait dans la cuvette des W.-C. Il y en avait même une ce matin sur les cornflakes, qu'il aurait très bien pu avaler par inadvertance.

L'ambulance apparaît, traverse la fleur à cinq pétales et se trouve aussitôt bloquée par la circulation. La sirène, qui geignait doucement, se met à pousser une sorte d'aboiement frénétique. Aussitôt, les voitures bloquées s'écartent, l'ambulance se faufile dans la trouée et la voilà qui repart. Russ se demande machinalement qui peut bien se trouver à l'intérieur. Un touriste âgé qui a clamsé d'une crise cardiaque, peut-être (il fait déjà une chaleur d'enfer sur ce balcon) ; un vieux jeune marié trop excité qui a flanché en baisant ; un amoureux désespéré éconduit qui...

Russ a soudain une idée. Il monte sur une chaise devant la fenêtre ouverte de style espagnol, se tient debout les bras en croix, le soleil du matin projetant son ombre de crucifié dans la pièce, pousse un cri étranglé et saute doucement de côté dans le trou du balcon, s'aplatissant contre le mur, hors de vue de la chambre. Il reste là accroupi pendant une minute ou deux, tout recroquevillé, se sentant de plus en plus ridicule. Puis il glisse un coup d'œil dans la chambre. Cecily n'a pas bougé. Ou bien elle dort vraiment, ou bien elle a compris sa ruse. Ou alors c'est une garce encore plus vacharde qu'il ne s'imaginait.

Sidney Brooks, debout en pyjama sur son balcon au Hawaii Palace, entend la sirène de l'ambulance, mais le bruit est étouffé car l'hôtel donne sur le front de mer et leur chambre domine la plage (rien n'est trop beau pour Terry). Terry et Tony ont une chambre à l'étage en dessous, à trois fenêtres de la leur à angle droit, si bien qu'hier soir ils se sont tous dit bonsoir d'un geste de la main ; mais, ce matin, il n'y a encore aucun signe de vie sur l'autre balcon. La sirène de l'ambulance s'interrompt puis recommence. Sidney sent une onde glacée le parcourir, malgré le soleil torride qui tombe en plein sur le balcon, et il frissonne de peur en se rappelant ses récents trajets en ambulance. Il aspire de grandes bouffées d'air, expire profondément, retenant sa bedaine devant lui comme un medicine-ball.

« Quelle vue superbe, Lilian, dit-il par-dessus son épaule. Tu devrais venir voir. C'est un vrai paysage de carte postale. Les palmiers, le sable, la mer. Enfin tout.

— Tu sais bien que j'ai le vertige, dit-elle. Tu ferais bien de faire attention toi aussi. Tu risques d'avoir encore un étourdissement.

— Non, non », dit-il, mais il revient dans la chambre. Lilian est assise sur le lit en train de boire la tasse de thé qu'il lui a préparée. Il y a un ingénieux petit gadget pour chauffer l'eau contre le mur de la salle de bains, avec des sachets de thé et de nescafé généreusement offerts par l'hôtel. Sidney a passé quelques minutes ce matin à inspecter en professionnel les équipements de la salle de bains, et il a été impressionné.

« Tu n'es tout de même pas sorti dehors comme ça ? dit Lilian. Avec toutes tes petites affaires à l'air ? »

Sidney passe sa main sous sa bedaine protubérante et referme la braguette ouverte de sa culotte de pyjama. « Ça ne fait rien, il n'y avait personne à regarder. Terry et Tony ne semblent pas

101

encore être levés. » Lilian fronce les sourcils, le nez dans sa tasse de thé.

« Qu'est-ce que tu penses de tout ça ?

— De tout ça ?

— De ce type, Tony.

— Il a l'air d'un chic type. Je n'ai pas eu l'occasion de lui parler beaucoup.

— Tu ne penses pas que ça fait bizarre, deux hommes qui prennent leurs vacances ensemble. A leur âge ? Et qui partagent la même chambre ? »

Sidney la regarde avec de grands yeux. Il est parcouru de nouveau par un frisson glacé, et il tremble. « Je ne sais pas de quoi tu veux parler », dit-il. Et il retourne sur le balcon.

« Où vas-tu ?

— J'aime mieux ne pas en parler. »

Lorsque l'ambulance passe devant l'hôtel de Brian et Beryl Everthorpe, ils sont tous deux en plein tournage de la séquence « *Réveil à Waikiki — Premier Jour* ». En fait, Beryl est réveillée depuis plus d'une heure, elle a fait sa toilette, s'est habillée et a pris son petit déjeuner au buffet du rez-de-chaussée, laissant Brian qui dormait encore. Mais quand elle est revenue dans la chambre, il lui a demandé de se déshabiller de nouveau, de remettre sa chemise de nuit et de se recoucher. Maintenant, Brian est sur le balcon, le caméscope braqué sur l'oreiller. A son signal, Beryl devra s'asseoir sur le lit, ouvrir les yeux, bâiller et s'étirer, puis se lever, passer son négligé et se diriger lentement vers le balcon où elle est censée se pâmer d'admiration devant le paysage. Même si en fait leur horizon se limite à un autre hôtel de l'autre côté de la rue, Brian est persuadé qu'en se penchant par-dessus la balustrade le plus loin possible (Beryl le retenant à la ceinture de son pantalon pour plus de sécurité), il peut prendre un long plan d'un petit bout de plage avec un palmier que l'on pourra découper et recoller dans cette séquence à l'endroit approprié.

« Action ! » crie-t-il. Beryl se réveille, sort du lit, se dirige vers la baie vitrée déjà ouverte, bâille avec conviction mais, comme elle arrive au balcon, le bêlement strident de l'ambulance retentit dans la rue en dessous.

« Coupez ! Coupez ! s'écrie Brian Everthorpe.

— Quoi ? dit Beryl en s'arrêtant sur place.

« — Ce caméscope a un micro incorporé, dit Brian Everthorpe. On n'a pas vraiment besoin d'un bruit d'ambulance sur la bande sonore, ça gâcherait l'atmosphère.

— Oh ! dit Beryl. Tu veux dire qu'il faut que je recommence ?

— Oui, dit Brian. Un peu plus de décolleté, cette fois. Et n'exagère pas les bâillements. »

Roger Sheldrake entend le bruit de l'ambulance mais ne se laisse pas distraire. Ça fait déjà des heures qu'il est levé, qu'il est installé là sur le balcon de sa chambre tout en haut du Wyatt Regency, avec son calepin, ses jumelles et son appareil photo muni d'un téléobjectif, en plein travail, observant, enregistrant et notant les habitudes et les rituels autour de la piscine dans le grand hôtel d'en face. Dans la fraîcheur du petit matin, le personnel de l'hôtel a tout d'abord préparé la piscine : on a lavé au jet tout l'espace autour, nettoyé l'eau avec une épuisette à long manche pour enlever à la surface toutes les saletés ; on a installé des chaises longues et des tables en plastique moulé en rangées bien droites ; on a disposé les matelas imperméables et empilé enfin des serviettes propres sous le kiosque de la piscine. A 8 heures 30, les premiers clients sont arrivés et ont réclamé leur place favorite. Et maintenant — il est onze heures —, presque toutes les chaises longues sont occupées et les garçons circulent entre elles en jonglant avec leurs plateaux de boissons et de snacks.

La piscine, comme le sait Roger Sheldrake avec toutes les recherches qu'il a faites, n'est pas vraiment prévue pour le bain. Elle est petite et sa forme irrégulière interdit de nager longtemps droit devant soi ; en fait, il est impossible de faire plus de quelques brasses sans se cogner aux bords ou rencontrer un autre baigneur. La piscine a été conçue en réalité pour que les gens viennent s'asseoir ou s'allonger tout autour et commander des boissons. Les clients, ainsi condamnés à de courtes baignades, finissent par avoir très chaud et très soif, et ils commandent beaucoup de boissons, des boissons qu'on leur apporte avec des cacahuètes salées gracieusement offertes par la direction pour qu'ils aient encore plus soif et commandent encore d'autres boissons. Cependant, si petite qu'elle soit, la piscine est une condition *sine qua non*, le cœur même du rituel. La plupart des gens qui se grillent au soleil prennent au moins un petit bain symbolique. Ce n'est pas tant une baignade qu'une immersion. Une sorte de baptême.

Roger Sheldrake en prend note. Le bruit de l'ambulance s'évanouit au loin.

Sue Butterworth et Dee Ripley n'entendent pas la sirène ni ne voient passer l'ambulance. Elles dorment encore toutes les deux ; elles se sont réveillées au beau milieu de la nuit à cause du décalage horaire et se sont bourrées de somnifères ; d'ailleurs, leur chambre à lits jumeaux au Waikiki Coconut Grove n'a pas de balcon d'où elles auraient pu voir l'ambulance, cet hôtel étant un établissement de bas de gamme sur la liste proposée par Travelwise. Quelques minutes après le passage de l'ambulance, pourtant, le téléphone sonne à côté du lit de Dee. Dans un demi-sommeil, elle cherche le combiné à tâtons, le soulève et dit d'une voix rauque : « Allo ?

— *Aloha,* répond une voix féminine mélodieuse. Vous nous avez demandé de vous réveiller. Passez une bonne journée.

— Quoi ? dit Dee.

— *Aloha.* Vous nous avez demandé de vous réveiller. Passez une bonne journée.

— Je n'ai jamais demandé qu'on me réveille, dit Dee froidement.

— *Aloha.* Vous nous avez demandé de vous réveiller. Passez une bonne journée.

— Vous ne comprenez donc rien, sale bourrique ! (Dee se met à crier dans le téléphone.) Je n'ai jamais demandé qu'on me réveille, merde !

— Qu'est-ce que c'est, Dee ? » chuchote Sue du lit voisin.

Dee tient l'écouteur à distance, le regarde avec rage, impuissante, tandis qu'elle commence à comprendre. La petite voix mélodieuse arrive encore à ses oreilles : « *Aloha.* Vous nous avez demandé de vous réveiller. Passez une bonne journée. »

6

L'hôpital Saint-Joseph était un bâtiment aux proportions modestes, en béton beige et verre teinté, situé à la sortie d'une route boisée de banlieue dans les collines au-dessus du port de Honolulu. Des cuves de pétrole argentées scintillaient au soleil parmi les entrepôts et les grues dans le paysage industriel très plat qui s'étalait loin en dessous. Au service des urgences, il régnait une atmosphère d'efficacité, de calme et de discrétion qui rassura Bernard. M. Walsh fut transporté directement vers ce que le personnel appelait la salle des traumatismes pour un examen et une radio, et lui-même fut pris en main par une personne de l'administration, une Orientale dont le nom, Sonia Mee, était épinglé sur son corsage blanc amidonné. Elle le fit asseoir dans son bureau, lui offrit du café dans un gobelet en plastique et commença à remplir, ou plutôt à compléter comme on disait ici, un nouveau formulaire. Lorsqu'on en vint à parler de l'assurance, Bernard avoua qu'il n'était pas sûr d'être couvert, mais Sonia Mee lui dit de ne pas s'inquiéter : ils allaient attendre pour voir si son père avait besoin d'être hospitalisé.

Quelques minutes plus tard, un jeune docteur portant la blouse bleu pâle de l'hôpital entra dans le bureau et annonça que M. Walsh devait en effet être hospitalisé. Il avait une fracture du bassin. Apparemment, ç'aurait pu être pire, et plus mal placé. Le traitement allait sans doute se limiter à deux ou trois semaines de repos au lit, mais il allait d'abord falloir qu'un médecin le prenne en charge. L'hôpital pouvait contacter l'un des orthopédistes qu'ils avaient sur leur liste, à moins que Bernard ait une autre personne à proposer. Il n'en avait pas mais s'informa avec inquiétude du coût des soins. « Ça nous rendrait bien service, dit Sonia Mee, si vous pouviez nous communiquer le nom de votre compagnie d'assurances dès que vous le pourrez. » Bernard répondit qu'il allait leur ramener tout de suite la police d'assurances. « Ce n'est pas nécessaire, dit-elle. Il vous suffit de nous communiquer tous les détails par téléphone. Et entre-temps, ne vous inquiétez pas pour votre père.

Dans cet hôpital, on pense avant tout au bien-être de nos malades. »
Bernard l'aurait embrassée s'il avait osé.

Il se rendit à la salle des traumatismes où son père était encore
étendu sur le brancard et lui fit un rapport aussi bref et rassurant
que possible sur la situation. Le vieil homme garda les yeux fermés
et la bouche contractée en une moue sinistre, mais il hocha la tête
une fois ou deux et sembla comprendre ce qu'on lui disait. Une
infirmière informa Bernard qu'on préparait un lit pour son père
dans le bâtiment principal. Bernard annonça qu'il reviendrait plus
tard dans la journée, puis il partit.

Pendant qu'il se demandait en haut des marches de l'hôpital
comment il allait retourner à Waikiki, un taxi s'arrêta pour laisser
descendre un malade venu en consultation externe, et Bernard le
prit. La circulation était intense sur l'autoroute, et le chauffeur,
désespéré, leva les yeux au ciel lorsque le flot des véhicules ralentit
et se trouva bloqué. « Ça devient de pire en pire », dit-il. La
formule semblait s'appliquer également à la situation de Bernard.
Il était venu à Hawaii pour aider sa tante malade, et il n'avait
réussi pour le moment qu'à faire renverser son père par une voiture.
Il n'avait même pas encore vu Ursula — et elle devait se demander
en ce moment ce qui lui était arrivé. A Kaolo Street, alors qu'il
payait le taxi avec les derniers dollars qui lui restaient pratiquement,
il se rappela qu'il devait aller à la banque avant de pouvoir rendre
visite à Ursula.

Comme il descendait de l'ascenseur au troisième étage de
l'immeuble, il se trouva nez à nez avec Mme Knoepflmacher qui
attendait l'ascenseur. Elle le dévisagea d'un air curieux en voyant
qu'il était seul et très agité, et elle s'attarda à dessein, mais il ne
s'arrêta pas pour lui donner des explications, se contentant de
lui lancer un petit salut par-dessus son épaule en la quittant
précipitamment. Une fois dans l'appartement, il alla tout droit à
sa serviette et sortit la police d'assurances. Il sentit son pouls
s'accélérer au fur et à mesure qu'il découvrait le texte écrit en
petites lettres — mais tout allait bien : son père était apparemment
couvert pour tous les frais médicaux, à concurrence d'un million
de livres. De toute évidence, aucun hôpital, fût-il américain, ne
pouvait demander plus que cela pour une fracture du bassin.
Bernard s'affala dans un fauteuil et bénit le jeune homme de
l'agence de Rummidge. Il téléphona à Sonia Mee tous les détails
de la police et promit d'apporter le document un peu plus tard.

Puis il téléphona à la maison de soins d'Ursula et fit aire qu'il avait été retardé. Enfin, il se rendit à la banque.

Ce ne fut que dans l'après-midi qu'il se retrouva face à Ursula. La « maison de soins » n'était en fait qu'une petite maison particulière, ou plutôt un bungalow, dans un quartier assez miteux à la périphérie d'Honolulu, pas très loin de Saint-Joseph, mais plus près encore de l'autoroute. La rue semblait déserte. Le seul bruit perceptible en cet après-midi étouffant, lorsqu'il gara sa voiture de location, était le grondement lointain de la circulation. Il resta quelques instants debout à côté de sa voiture, tirant sur le tissu de sa chemise et de son pantalon qui lui collait aux épaules et aux cuisses à cause de la transpiration. La voiture était une Honda pain brûlé qui affichait cent cinquante mille kilomètres au compteur. Elle avait des sièges plastifiés et pas de climatisation — la moins chère qu'il avait pu trouver. Il n'y avait aucune plaque sur la maison, rien qu'un numéro de rue peint à la main sur une boîte à lettres clouée toute de travers à un poteau pourri. La maison était perdue dans un fouillis d'arbres et d'arbustes mal entretenus ; elle était construite sur des piles en brique, et trois marches en bois usées menaient au porche d'entrée. Derrière le grillage anti-insectes, la porte était ouverte. Quelque part à l'intérieur, un jeune enfant pleurnichait. Le bruit s'arrêta tout net lorsque Bernard appuya sur le bouton de la sonnette et que le carillon retentit à l'arrière de la maison. Une petite femme à la peau basanée, en peignoir de couleurs vives, vint à la porte et sourit d'un air obséquieux en le faisant entrer.

« Monsieur Walsh ? Votre tatate vous a attendu toute la journée.

— Vous lui avez bien transmis mon message ? demanda Bernard inquiet.

— Sûr que oui.

— Comment va-t-elle ?

— Pas très bien. Elle mange pas, votre tatate. Je cuisine pourtant de bonnes choses pour elle, mais elle veut rien manger. »

La femme avait un ton mielleux, un peu pleurnichard. Il faisait sombre dans le vestibule après la lumière aveuglante du dehors, aussi Bernard s'attarda-t-il un peu pour que ses yeux s'habituent à l'obscurité. La silhouette d'un enfant de deux ou trois ans qui n'avait sur lui qu'un maillot de corps se profila dans l'obscurité comme une photo qu'on développe. Il suçait son pouce et dévisageait Bernard de ses grands yeux blancs. Un filet de morve coulait d'une de ses narines jusqu'au coin de sa bouche.

« J'imagine qu'elle n'a pas beaucoup d'appétit, madame, euh... ?

— Jones, dit la femme à sa grande surprise. Mon nom est Mme Jones. Vous direz à l'hôpital que je cuisine de bonnes choses pour votre tatate, d'accord ?

— Je suis sûr que vous faites de votre mieux, madame Jones », répondit Bernard. Il fut surpris de s'entendre prononcer cette formule d'une raideur quelque peu machinale mais qui lui parut cependant familière. S'il avait fermé les yeux un instant, il se serait cru à l'époque où il faisait ses visites paroissiales, debout dans le vestibule d'une maison mitoyenne appartenant à la ville ou d'une villa jumelée, attendant qu'on le fasse entrer dans la chambre du malade — sauf, bien sûr, que les odeurs de cuisine étaient différentes ici, plus sucrées, plus épicées.

« Puis-je voir ma tante, s'il vous plaît ?

— Sûr que oui. »

Il suivit Mme Jones et son enfant dont les pieds nus claquaient sur le parquet ciré du vestibule, et il se demanda s'il n'aurait pas dû enlever lui aussi ses chaussures à l'intérieur de la maison. La femme frappa à une porte et elle l'ouvrit sans attendre de réponse.

« Ma'ame Riddell, voici votre neveu qui arrive d'Angleterre pour vous voir. »

Ursula était allongée sur un lit gigogne très bas, couverte d'un simple drap de coton. Un de ses bras, enveloppé dans un plâtre et tenu en écharpe, reposait sur le drap. Elle souleva la tête de l'oreiller lorsqu'il entra dans la pièce et tendit son bras valide pour l'accueillir. « Bernard, murmura-t-elle d'une voix rauque. C'est merveilleux de te voir. » Il lui prit la main et l'embrassa sur la joue, puis elle laissa aussitôt retomber sa tête sur l'oreiller, gardant la main de Bernard serrée dans la sienne. « Merci, dit-elle. Merci d'être venu.

— Bon, j'vais vous laisser tous les deux », dit Mme Jones, en se retirant et en refermant la porte derrière elle.

Bernard ramena une chaise contre le lit et s'assit. Il avait assisté plusieurs malades atteints de cancer autrefois, mais ce fut quand même un choc pour lui de voir la maigreur de ces membres, cette peau terne et jaunâtre, l'arête saillante de la clavicule sous la fine chemise de coton. Seuls les yeux, bleu clair comme ceux de son père, n'avaient pas perdu de leur vivacité et brillaient au fond de leurs orbites meurtries. Il avait de la peine à retrouver dans cette vieille dame aux cheveux blancs, ravagée par la maladie, la jolie blonde opulente et pleine de vie dans sa robe à pois qui était venue à la maison à Brickley il y avait tant d'années, distribuant les bonbons américains à la ronde et les voyelles yankees à toute une maisonnée surprise et un peu scandalisée. Mais c'était pourtant bien sa tante. La tête des Walsh, étroite, allongée, au profil de rapace, n'était que trop reconnaissable — un crâne, presque. C'était comme une vision prémonitoire de ce à quoi allait ressembler son père sur son lit de mort — et lui aussi, en fait.

« Où est Jack ? demanda Ursula.

— Je suis désolé, mais papa a eu un accident. » En faisant cet aveu, Bernard fut surpris de constater à quel point il était déçu, et il se rendit compte que depuis une semaine il nourrissait une sorte de fantasme sentimental où il se voyait en train de présider avec fierté aux retrouvailles émouvantes du frère et de la sœur, avec moult larmes et sourires, sur une musique de violon. C'était sa vanité à lui, autant que la hanche de son père, qui avait été blessée dans cet accident.

« Oh, mon Dieu ! dit Ursula lorsqu'il lui eut fait le récit des événements de la journée. C'est affreux. Il va m'en vouloir pour ça.

— Il va surtout m'en vouloir à moi, dit Bernard. Je me sens affreusement coupable.

— Ce n'était pas de ta faute.

— J'aurais dû le surveiller de plus près.

— Jack a toujours été un danger public quand il traversait la rue. Il rendait maman folle quand on était gosses. Tu es sûr que l'assurance couvrira tout ?

— Oui, apparemment. Y compris nos billets de retour — car notre séjour va vraisemblablement se prolonger au-delà des quinze jours initialement prévus.

— Ça me fait penser : as-tu été chercher l'argent à la banque ?

— Oui. (Il tapota le portefeuille bien gonflé dans la poche de sa chemisette.)

« Mon Dieu, Bernard, tu ne vas pas me dire que tu te balades avec deux mille cinq cents dollars en liquide sur toi ?

— Je suis venu ici directement après être passé à la banque.

— Tu aurais pu te faire agresser. Waikiki est plein de voleurs, ces temps-ci. Pour l'amour du ciel, échange cet argent contre des travellers, ou cache-le dans l'appartement. Il y a une boîte à biscuits marron dans le placard de la cuisine qui me sert de cachette.

— D'accord. Mais parle-moi de toi, Ursula ? Comment tu vas ?

— Je suis O.K. Enfin, je ne vais pas très bien, à vrai dire.

— Tu souffres ?

— Pas trop. Je prends ces cachets.

— Mme Jones dit que tu ne manges pas beaucoup.

— Je n'aime pas ce qu'elle prépare. Elle vient de Fidji ou des Philippines, ou d'un de ces pays-là, ils n'ont pas du tout le même type d'alimentation que nous.

— Il faut que tu manges.

— Je n'ai pas d'appétit. Je suis constipée depuis que je suis arrivée ici. Je crois que c'est à cause des analgésiques. Et il fait tellement chaud. (Elle agita le drap pour s'aérer.) Les alizés ont apparemment du mal à arriver jusqu'à ce coin d'Honolulu. »

Bernard inspecta du regard la petite chambre nue. Le store était cassé et pendait en travers de la fenêtre qui donnait sur une cour où traînait apparemment un tas d'appareils ménagers abandonnés, des réfrigérateurs et des machines à laver qui rouillaient, recouverts par les herbes. Il y avait une tache sur un mur à l'endroit où la pluie s'était infiltrée et avait séché. Le parquet était poussiéreux.

« L'hôpital n'a pas pu trouver quelque chose de mieux pour toi ?

— C'était ce qu'il y avait de moins cher. Mon assurance médicale ne couvre que les frais d'hospitalisation, pas les soins après. Je ne suis pas bien riche, Bernard.

— Mais est-ce que ton mari, ton ex-mari...

— Une pension alimentaire, ça ne dure pas éternellement, tu sais. D'ailleurs, Rick est mort. Ça fait quelques années.

— Je ne savais pas.

— Personne ne le sait dans la famille, parce que je ne l'ai pas dit. Je vis avec ma petite pension de la sécurité sociale et ce n'est pas facile. C'est à Honolulu que le coût de la vie est le plus élevé aux États-Unis, tu sais. Il faut importer presque tout. Et on appelle ça un paradis fiscal.

— Mais tu as bien quelques économies ?

— Quelques-unes. Pas autant que je voudrais. J'ai fait quelques mauvais investissements dans les années soixante-dix, j'ai beaucoup perdu. Maintenant je n'ai plus que des placements sûrs, mais eux aussi ils ont drôlement bu la tasse en 87. » Elle tressaillit comme sous l'effet d'une violente douleur et déplaça son corps sous le drap.

« Est-ce que ton spécialiste vient te voir ici ? demanda Bernard.

— C'est madame Jones qui, en principe, est chargée de l'appeler à l'hôpital quand elle le juge nécessaire. Mais ils n'aiment pas trop ça.

— Est-ce qu'il est déjà venu ?

— Non.

— Je vais prendre contact avec lui. Mme Knoepflmacher m'a donné son numéro de téléphone. »

Ursula fit la grimace.

« Alors, comme ça, tu as rencontré Sophie ?

— Elle a l'air très gentille.

— C'est une commère finie. Ne lui dis rien, tout l'immeuble le saura en un rien de temps.

— Elle a été très gentille avec nous quand on est arrivés, papa et moi. Elle est venue nous chercher à l'aéroport.

— Pauvre Jack ! gémit Ursula. Ce n'est pas juste. Vous vous donnez toute cette peine, tous les deux, vous parcourez la moitié du globe pour venir voir une pauvre vieille femme malade, et, à peine arrivés, l'un de vous se fait renverser par une voiture. Pourquoi faut-il que Dieu permette des choses pareilles ? »

Bernard ne répondit pas.

Ursula l'interrogea de son petit œil bleu clair.

« Tu crois encore en Dieu, j'espère, Bernard ?

— Pas vraiment, dit-il.

— Oh, je suis navrée de l'apprendre. (Ursula ferma les yeux et parut abattue.)

— Tu savais quand même bien que j'avais quitté l'Église, non ?

— Je savais que tu avais quitté la prêtrise. Je ne savais pas que tu avais complètement perdu la foi. Elle rouvrit les yeux. Il y avait une femme que tu voulais épouser, c'est bien ça ? »

Bernard fit oui de la tête.

« Mais ça n'a pas marché ?

— Non.

111

— Et je suppose qu'ils n'ont pas voulu te reprendre ensuite, c'est bien ça ? En tant que prêtre, je veux dire.

— Je ne voulais pas retourner, Ursula. Il y avait déjà des années que je n'avais plus vraiment la foi. Je me contentais de sauver les apparences, j'étais trop timoré pour faire quoi que ce soit. Daphné n'a été qu'un... catalyseur.

— Qu'est-ce que c'est que ça ? Ça fait penser à un de ces trucs désagréables qu'on te met à l'hôpital quand tu ne peux plus aller aux toilettes.

— Tu veux dire un cathéter, je crois, dit Bernard en souriant. Un catalyseur, c'est un terme chimique. C'est...

— Ne me dis pas, Bernard. Je n'ai pas besoin de savoir ce qu'est un catalyseur avant de mourir. Nous avons des choses plus importantes à discuter. J'espérais que tu pourrais répondre à quelques-unes de mes questions sur la foi. Il y a encore des choses que j'ai de la peine à croire.

— Je ne suis pas la personne qu'il te faut, malheureusement, Ursula. Je ne t'apporte que des déceptions, j'en ai bien peur.

— Non, non, c'est un très grand réconfort de t'avoir ici.

— Y a-t-il autre chose dont tu souhaites parler ? »
Ursula soupira.

« Eh bien, il y a pas mal de décisions à prendre. Est-ce que je dois par exemple abandonner l'appartement ?

— Ce serait peut-être sage, dit Bernard. Si...

— Si je ne dois jamais y retourner ? (Ursula termina la phrase pour lui.) Mais qu'est-ce que je vais faire de toutes mes affaires ? Les mettre en garde-meuble ? Trop cher. Les vendre ? J'ai du mal à supporter l'idée que des gens comme Sophie Knoepflmacher puissent venir fouiller dans mes affaires. Et où est-ce que je vais aller ? Je ne peux pas rester ici indéfiniment.

— Dans une vraie maison de repos, peut-être.

— Sais-tu ce que coûtent ces endroits-là ?

— Non, mais je pourrais m'informer.

— Ça coûte des prix astronomiques.

— Écoute, Ursula, dit Bernard, soyons pratiques. Tu possèdes un certain nombre d'actifs que tu peux réaliser, en plus de ta pension. Essayons de voir combien ça représente.

— Tu veux dire si je vendais mes titres ? Et si je vivais sur mon capital ? Oh, non, je ne veux pas faire ça, dit Ursula en secouant la tête avec véhémence. Et si l'argent venait à manquer avant que je meure ?

— On essaierait de prendre des précautions pour éviter ça, dit Bernard.

— Moi, je vais te dire ce qui se passerait. Je finirais ma vie dans un hospice. Je suis allée un jour voir quelqu'un dans un de ces établissements. Très loin, en pleine campagne. De pauvres gens. Certains d'entre eux étaient fous. Et, à en juger par l'odeur, certains devaient être incontinents. Ils étaient tous assis dans une grande salle, le long des murs. (Elle frissonna.) C'est dans un endroit pareil que j'irais mourir. »

Le mot « mourir » resta ironiquement en suspens dans l'air humide.

« Essaie de voir le problème autrement, Ursula, dit Bernard. Ça te sert à quoi de ne pas toucher à tes économies ? Pourquoi tu n'essaierais pas de rendre le restant de tes jours un peu plus agréable ?

— Je ne veux pas mourir pauvre. Je veux laisser quelque chose à quelqu'un. A toi, par exemple.

— Ne sois pas ridicule. Je n'ai pas besoin de ton argent.

— Ce n'est pas l'impression que tu m'as donnée au téléphone la semaine dernière.

— Je n'en ai pas besoin, et je n'en veux pas. » Puis il ajouta ce petit mensonge : « Personne d'autre n'en veut.

— Si je ne laisse pas un testament, on m'oubliera, je ne laisserai aucune trace. Je n'ai pas d'enfant. Je n'ai rien fait de ma vie. Qu'est-ce qu'on mettra sur ma tombe ? "C'était une sacrée joueuse de bridge." "A soixante-neuf ans, elle était encore capable de faire huit cents mètres à la nage." "Son gâteau au chocolat était très célèbre." C'est à peu près tout. » Ursula fouilla dans une boîte de kleenex sur sa table de chevet et s'essuya les yeux.

« Moi, je ne t'oublierai pas, dit Bernard gentiment. Je n'oublierai jamais ta visite à Londres, quand j'étais gamin, avec ta robe rouge et blanche.

— Hé, je me souviens de cette robe ! Elle était blanche, avec des pois rouges, c'est ça ? C'est marrant que tu t'en souviennes. » Ursula sourit, ravie, en se rappelant ces souvenirs.

Bernard jeta un coup d'œil à sa montre. « Je ferais mieux de partir maintenant. Il faut que je retourne à l'hôpital pour voir comment va papa. Je reviendrai demain. » Il embrassa la joue osseuse de sa tante et partit.

Mme Jones l'attendait en embuscade dans le vestibule sombre.

« Votre tatate est O.K. ?

— Oui, mais elle est affreusement constipée.

— C'est parce qu'elle mange pas.

— Je vais parler à son médecin.

— Vous lui direz que je cuisine de bonnes choses pour votre tatate, O.K. ?

— Oui, madame Jones », répondit Bernard patiemment, et il sortit.

Il avait laissé la voiture en plein soleil, et la chaleur à l'intérieur lui coupa le souffle. Le plastique du siège lui brûla littéralement l'arrière des cuisses à travers son pantalon et le volant était si chaud qu'il avait de la peine à le tenir. Mais il était heureux d'avoir quitté l'atmosphère lourde de cette maison sombre et étouffante et la chambre de malade sinistre d'Ursula. Il connaissait bien ce sentiment pour l'avoir éprouvé lors de ses visites paroissiales — cette impression, égoïste peut-être, mais tellement irrésistible de revivre quand se refermait derrière vous la porte de la maison frappée par le malheur, cette satisfaction purement animale de se sentir en bonne santé et alerte quand d'autres étaient malades et cloués au lit.

Il mit le levier de changement de vitesse en position de marche et tourna la clé de contact. Il ne se passa rien ; trempé de sueur, il vécut quelques minutes d'angoisse avant de découvrir que le moteur ne démarrait qu'en position parking. Le moteur tournait déjà lorsque, ce matin, il avait pris livraison du véhicule devant la compagnie de location. Il n'avait jamais conduit une voiture automatique avant, et le trajet jusque chez Mme Jones avait été pour lui une expérience assez éprouvante. A chaque fois qu'il accélérait, il avait tendance à vouloir changer de vitesse et à appuyer sur la pédale du frein avec son pied gauche pour débrayer ; les pneus crissaient et la voiture s'arrêtait brutalement, ce qui déclenchait un concert de klaxons parmi les conducteurs indignés qui le suivaient de près. A l'usage, il trouva que la meilleure façon d'éviter ce genre de mésaventure, c'était de glisser le pied gauche sous la banquette du chauffeur, même si ça l'obligeait à se tenir comme un infirme sur son siège. Il adopta donc cette position tandis que son pied droit lâchait le frein et appuyait sur l'accélérateur : la voiture s'écarta lentement du trottoir. Instinctivement, ses lèvres se détendirent en un sourire de jubilation enfantine. Il avait toujours adoré conduire, et l'aisance quasi magique que procurait la boîte automatique accroissait ce plaisir. Il baissa la vitre pour laisser entrer la brise fraîche à l'intérieur de la voiture.

A Saint-Joseph, Sonia Mee prit la police d'assurances de Bernard, la parcourut et parut satisfaite. Elle lui annonça que son père avait été transféré dans le bâtiment principal, et c'est là qu'il le trouva dans une chambre à deux lits, derrière un paravent, profondément endormi sous l'effet des sédatifs. On avait enlevé le goutte-à-goutte de son bras, et il respirait paisiblement. Il portait une chemise de nuit de l'hôpital. La religieuse de service dit à Bernard ce qu'il devrait apporter demain comme vêtements et objets de toilette. Se rappelant le vieux pyjama que son père avait mis pour aller au lit la nuit précédente, un pyjama tout délavé, mal reprisé et auquel il manquait deux boutons, Bernard se dit intérieurement qu'il allait devoir aller lui en acheter des neufs en rentrant à l'appartement.

La réceptionniste dans le hall d'accueil lui recommanda un grand magasin nommé Penney's et lui indiqua comment se rendre au centre commercial Ala Moana, un vaste complexe construit au-dessus d'un parking encore plus vaste où il erra, totalement perdu, pendant près d'une demi-heure parmi les fontaines, la végétation et les boutiques pleines de lumière qui diffusaient de la musique et vendaient de tout sauf des pyjamas pour hommes. Finalement, il découvrit Penney's en haut d'un escalator et fit ses emplettes. Il en profita pour s'acheter des vêtements légers : deux chemises à manches courtes, un short kaki et un pantalon de coton. La vendeuse ouvrit de grands yeux étonnés en le voyant tirer deux billets de cent dollars de la liasse à l'intérieur de son portefeuille. Dès qu'il fut rentré à l'appartement, il cacha presque tout l'argent dans la boîte à biscuits décrite par Ursula. Il téléphona à l'hôpital Geyser et prit rendez-vous pour le lendemain matin avec le spécialiste qui s'occupait d'Ursula. Il s'assit dans un fauteuil et se mit à dresser la liste des autres choses qu'il avait à faire : calculer la valeur des actifs d'Ursula, s'informer d'une maison de repos. Bientôt, cependant, il se sentit accablé de fatigue. Il ferma les yeux un instant et s'endormit tout de suite. Il fut réveillé par la sonnerie du téléphone. Il était huit heures et il faisait presque noir dehors : il avait dormi pendant plus d'une heure.

« Salut, c'est Yolande Miller, dit une voix féminine.

— Qui ?

— L'accident de ce matin. C'est moi qui conduisais la voiture.

— Ah, oui, excusez-moi, je n'y étais plus. Il étouffa un bâillement.

— Je voulais simplement savoir comment allait votre père. »

Bernard lui fit un bref résumé de la situation.

« Bon, je suis heureuse d'apprendre que ce n'est pas plus grave que ça, dit Yolande Miller, mais je suppose que vos vacances sont gâchées maintenant.

— Nous ne sommes pas en vacances ici, dit Bernard qui expliqua aussitôt pourquoi ils étaient venus à Hawaii.

— C'est vraiment trop dommage. Ainsi donc, votre père n'a pas encore vu sa sœur ?

— Non, ils sont tous les deux cloués au lit. A quelques kilomètres l'un de l'autre, encore que ça ne changerait rien s'ils étaient à des milliers de kilomètres. Je suppose qu'ils finiront bien par se rencontrer, mais la situation n'est pas très réjouissante.

— Vous n'avez rien à vous reprocher, dit Yolande Miller.

— Quoi ? (Bernard n'était pas sûr d'avoir bien entendu.)

— J'ai l'impression que vous vous faites des reproches pour ce qui est arrivé.

— Bien sûr que je me fais des reproches, dit-il spontanément. C'était mon idée, toute cette expédition. Enfin, pas vraiment mon idée, mais c'est moi qui ai tout organisé, qui ai encouragé mon père à venir. Jamais il n'aurait eu cet accident si je ne l'avais pas emmené ici. Il est en train de souffrir sur un lit d'hôpital dans un pays étranger, alors qu'il devrait être chez lui en bonne santé. Bien sûr que je me fais des reproches.

— Moi aussi je pourrais me faire des reproches. Je pourrais me dire : "Yolande, tu aurais dû deviner que le vieux monsieur allait descendre du trottoir, tu n'aurais pas dû aller faire des courses à Waikiki, de toute façon" — en fait, je n'y vais pratiquement jamais, mais j'ai vu une publicité dans un journal qui annonçait des soldes de vêtements de sport... Je pourrais me dire tout ça. Mais ça ne changerait rien. Ce sont des choses qui arrivent. Il faut les laisser derrière soi et continuer à vivre. Mais vous devez penser que je m'occupe de ce qui ne me regarde pas.

— Oh, non, dit Bernard, bien que l'idée ait effleuré son esprit.

— Vous comprenez, je suis psychologue-conseil. C'est un réflexe professionnel.

— Eh bien, merci de vos conseils. Ils sont sûrement très judicieux.

— Je vous en prie. J'espère que votre père se remettra bien vite. »

Bernard reposa le combiné, et, prenant les murs à témoin, poussa un « hum ! hum ! » de surprise. Il se dit cependant que Yolande Miller, malgré sa prétention, l'avait plus amusé qu'offensé. Il éprouva aussi une faim de loup soudaine et se rendit compte qu'il n'avait pas mangé de la journée. Il n'y avait rien dans le réfrigérateur, mis à part ce que Mme Knoepflmacher avait acheté pour leur petit déjeuner, les paquets de légumes congelés et les quelques glaces qui traînaient dans le freezer. Il décida de sortir et de chercher un restaurant. Juste à ce moment-là, on sonna à la porte. Mme Knoepflmacher était debout devant l'entrée, un bol en plastique à la main.

« J'ai pensé que votre père aimerait peut-être un peu de ce bouillon de poulet que j'ai fait moi-même, dit-elle.

— C'est très gentil, dit Bernard, mais malheureusement, mon père est à l'hôpital. »

Il l'invita à entrer et lui raconta brièvement l'accident. Mme Knoepflmacher écouta, captivée et consternée. « Si vous avez besoin d'un bon avocat, dit-elle lorsqu'il eut fini, je peux vous en recommander un. Vous allez poursuivre le chauffeur de la voiture, bien sûr ?

— Oh, non, c'était entièrement de notre faute.

— Ne dites jamais ça, dit Mme Knoepflmacher. C'est une histoire d'assurances, de toute façon.

— A vrai dire, j'ai des tas de soucis plus importants pour le moment, dit Bernard. Ma tante, par exemple.

— Comment va-t-elle ?

— Comme ci, comme ça. Je ne suis pas ravi de la voir où elle est. »

Sophie Knoepflmacher hocha la tête d'un air entendu pendant qu'il lui décrivait la maison de Mme Jones. « Je les connais bien, ces maisons. On les appelle des maisons de soins. Elles ne sont pas vraiment qualifiées, vous savez, les femmes qui tiennent ces établissements. Ce ne sont pas de vraies infirmières.

— C'est l'impression que j'ai eue.

— Que Dieu me garde de finir ma vie dans une de ces maisons, dit Mme Knoepflmacher en levant les yeux pieusement vers le plafond. Heureusement, M. Knoepflmacher m'a largement laissé de quoi vivre. Peut-être que vous aimeriez manger la soupe vous-même ? »

Bernard prit le bol qu'elle lui tendait, la remercia et alla mettre la soupe dans le réfrigérateur. Sa faim réclamait autre chose qu'un simple bouillon.

Il trouva un restaurant sur l'avenue Kalakaua, le Paradis des Pâtes, qui lui parut peu coûteux et plutôt sympathique. La serveuse, qui portait un badge avec son nom — Darlette — épinglé sur le devant de son tablier, mit un pichet d'eau glacée sur la table et lança d'un ton enjoué :

« Comment allez-vous ce soir, monsieur ?

— Oh, ça pourrait aller mieux », dit Bernard en se demandant si les événements de la journée l'avaient marqué à tel point que des personnes qui lui étaient totalement étrangères s'inquiètent de sa santé. Mais il comprit en voyant l'air interloqué de Darlette que sa question avait été de pure forme. « Bien, merci », ajouta-t-il, et elle se détendit aussitôt.

« On a un plat du jour ce soir ? demanda-t-elle.

— J'en sais trop rien », répondit Bernard en consultant le menu. Mais, apparemment, l'intonation montante de la fille n'impliquait pas une question car elle enchaîna aussitôt en lui annonçant le plat du jour : des lasagnes aux épinards. Il commanda des spaghettis à la bolognaise et une salade, plus un verre de vin rouge de la maison.

Peu de temps après, Darlette posa devant lui un énorme bol de salade et dit : « Vous pouvez y aller !

— Où ? » demanda Bernard, pensant qu'il devait peut-être aller chercher lui-même les spaghettis, mais c'était apparemment une autre de ces formules phatiques, une façon de l'inviter à manger sa salade avant qu'on lui apporte les spaghettis. Il s'attaqua donc docilement à sa platée de légumes craquants et colorés mais assez insipides, mastiquant si consciencieusement qu'il finit par en avoir mal à la mâchoire. Mais les pâtes, lorsqu'elles arrivèrent enfin, étaient appétissantes et copieusement servies. Bernard mangea gloutonnement et commanda un second verre de Zinfandel de Californie.

Était-ce à cause du vin qu'il se sentait moins accablé par le remords et la peur qui l'avaient taraudé toute la journée depuis l'accident ? Peut-être bien, mais le simple fait d'avoir parlé au téléphone avec Yolande Miller lui avait aussi apporté un soulagement étrange et totalement imprévu. Il avait l'impression de s'être confessé et d'avoir reçu l'absolution. Peut-être que les conseillers allaient être à l'avenir les nouveaux prêtres du monde séculier. Peut-être l'étaient-ils déjà. Bernard se demanda distraitement dans quel domaine elle exerçait sa vocation. Yolande Miller. Ce nom était une sorte d'oxymore, alliant l'exotique et le banal. Il se rendit compte que la dernière image qu'il avait eue d'elle était restée bien inscrite dans sa mémoire : il la revoyait debout, presque au garde-à-vous dans sa vaste tunique rouge, ses bras bronzés plaqués le long du corps, ses cheveux noirs lustrés retombant sur ses épaules, l'air soucieux et pensif tandis que l'ambulance démarrait. Un teint olive, des pommettes saillantes et une bouche volontaire. Ce n'était peut-être pas un beau visage, mais un visage racé.

Il régla sa note, quitta le restaurant et flâna le long de l'avenue Kalakaua. La nuit était chaude et moite, le trottoir animé. C'était cette même foule qu'il avait observée la veille au soir de la voiture de Sophie Knoepflmacher. (Était-ce possible qu'il ne soit à Waikiki que depuis vingt-quatre heures ? Cela semblait une éternité.) Une foule détendue, qui batifolait, léchait les vitrines, suçait des glaces, buvait des boissons avec des pailles ; tout le monde ou presque portait des vêtements légers, décontractés, des chemises bariolées à grands ramages ou des T-shirts imprimés de slogans. Beaucoup de gens avaient des ceintures en nylon avec une poche à fermeture Éclair bien rembourrée sur le devant qui leur donnaient des airs de marsupiaux. Des mélodies populaires s'échappaient des centres commerciaux et surtout d'un bazar bien éclairé, le Marché international, véritable étalage de bijoux de pacotille et d'objets artisanaux d'un goût douteux. L'île était pleine de bruits. Ce n'étaient pas des airs très suaves, à vrai dire ; cependant, ces deux vers vinrent à l'esprit de Bernard :

Parfois, une multitude d'instruments nasillards
Bourdonneront à mes oreilles...

119

vers qui traduisaient bien pour lui la plainte omniprésente des guitares hawaiiennes.

Il s'arrêta devant l'entrée d'un hôtel gigantesque d'où une musique tonitruante rythmée par des basses puissantes se déversait dans la rue. Derrière les grilles d'entrée, à côté d'une piscine ovale, il y avait un vaste espace où des tables et des chaises, baignées par des lumières multicolores comme à la terrasse d'un café dans un tableau impressionniste, étaient disposées devant une estrade sur laquelle deux danseuses se déhanchaient au son d'un petit orchestre de trois musiciens. A une table, quelqu'un semblait faire de grands signes à Bernard. C'était la fille au jogging rose et bleu ; elle portait ce soir, tout comme sa compagne, une élégante robe de coton.

« Salut ! venez vous asseoir et prendre quelque chose avec nous », dit-elle tandis qu'il s'approchait timidement de leur table. « Vous vous souvenez de nous, j'espère ? Je suis Sue, et elle, c'est Dee. » Dee l'accueillit avec un sourire discret et un petit mouvement de tête.

« Bon, alors, un café, si vous insistez, dit-il. Je vous remercie.

— On ne connaît pas votre nom, je crois, dit Sue.

— Bernard. Bernard Walsh. Vous logez dans cet hôtel ?

— Seigneur, non ! C'est bien trop cher pour nous. Mais tout le monde peut venir s'asseoir ici, à condition de consommer quelque chose. On a déjà avalé chacune deux verres de ce truc-là », dit-elle en gloussant, montrant un grand verre posé sur la table devant elle. Des morceaux de fruits tropicaux nageaient dans un liquide rose pétillant d'où dépassaient deux pailles et une ombrelle miniature en plastique. « On appelle ça un Hawaiian Sunrise. C'est délicieux, n'est-ce pas, Dee ?

— Ça se laisse boire », répondit Dee qui avait toujours les yeux fixés sur l'estrade. Deux blondes opulentes, vêtues d'un soutien-gorge et d'une jupe en lanières bleues et brillantes apparemment en plastique, se trémoussaient sur un pseudo-rock hawaïen. Leurs sourires figés de poupées en porcelaine se promenaient sur l'auditoire comme des projecteurs.

« Hula hula, fit observer Sue.

— Ça ne m'a pas l'air bien authentique, dit Bernard.

— C'est vraiment nul, approuva Dee. J'ai vu des danses hula plus authentiques au Paladium de Londres.

— Attends un peu, dit Sue, attends qu'on aille au Centre

120

culturel polynésien. Vous n'en avez pas entendu parler ? » demanda-t-elle à Bernard qui avait l'air de tomber des nues.

« Vous avez un coupon d'entrée dans votre Travelpak. Artisanat et arts polynésiens, promenades en canoë, danses folkloriques. C'est une sorte de Disneyland, je crois. Enfin, pas tout à fait comme Disneyland », rectifia-t-elle, se rendant soudain compte, vaguement, que cette description ne garantissait pas nécessairement l'authenticité ethnique du lieu.

« Mais c'est une espèce de grand parc, de l'autre côté de l'île. On y va en bus. Vous devriez y emmener votre papa, il s'y amuserait follement. Nous avons l'intention d'y aller lundi, n'est-ce pas, Dee ?

— Mon père ne risque pas d'aller où que ce soit pendant quelque temps, j'en ai bien peur », dit Bernard, et il raconta de nouveau sa triste histoire. Il avait de plus en plus l'impression d'être comme le Vieux Marin de Coleridge. Sue l'écouta avec compassion en poussant de petits cris de douleur et de consternation pendant le récit qu'il leur fit de l'accident et de tout ce qui s'ensuivit : elle retint son souffle au moment de l'impact, grimaça de douleur tandis que Bernard essayait de retourner son père sur la chaussée et poussa un grand soupir de soulagement lorsque l'ambulance arriva. Même Dee ne put s'empêcher de manifester son intérêt pour toute cette histoire.

« Il arrive toujours des choses comme ça en vacances, dit-elle d'un air lugubre. Il m'arrive toujours quelque chose à moi — je me tords la cheville ou j'attrape une angine, ou je m'abîme une dent.

— Non, ce n'est pas vrai, rectifia Sue. Pas toujours.

— Quand ce n'est pas moi, c'est toi, ajouta Dee. Regarde l'an dernier. (Sue eut un petit sourire dépité, reconnaissant le bien-fondé de cette remarque.)

— L'an dernier, j'ai eu une sorte d'infection oculaire après un bain à Rimini. Je n'arrêtais pas de pleurer, n'est-ce pas, Dee ? Dee prétendait que le soir, quand j'étais assise au bar de l'hôtel, les joues ruisselantes de larmes, je faisais fuir les hommes. »

Elle pouffa de rire en se remémorant l'épisode.

« Je retourne à l'hôtel, dit Dee en se levant soudain.

— Oh, Dee, pas déjà ! gémit Sue. Tu n'as pas fini ton Hawaiian Sunrise. Moi non plus, d'ailleurs.

— Tu n'es pas obligée de me suivre. »

Bernard se leva.

« Vous êtes bien sûre que vous pouvez vous promener toute seule par ici le soir ?

— Je me sens parfaitement en sécurité, merci », rétorqua Dee.

Juste à ce moment-là, le garçon arriva avec le café de Bernard et demanda à être payé sur-le-champ. Ils n'avaient pas fini de régler que déjà Dee se faufilait entre les tables et se dirigeait vers la sortie, la tête légèrement penchée d'un air digne, vacillant un tantinet sur ses sandales à talons hauts.

« Oh, mon Dieu ! soupira Sue. Dee est tellement susceptible. Vous savez pourquoi elle est partie comme ça ? Parce que je viens de dire que je faisais fuir les hommes à Rimini l'an dernier. Vous savez ce qu'elle va me dire quand je rentrerai : "Ce type, Bernard, il va croire qu'on s'était postées là pour l'attendre." »

Bernard sourit. « Eh bien, vous pourrez la rassurer et lui dire que la chose ne me serait jamais venue à l'esprit. »

Tandis que Sue parlait, la langue manifestement déliée par les Hawaiian Sunrise qu'elle avait ingurgités, Bernard comprenait peu à peu l'étrange symbiose qui existait entre ces deux femmes. Elles s'étaient rencontrées à l'École normale et avaient été nommées dans le même collège d'une ville nouvelle aux environs de Londres. Elles étaient toujours parties en vacances ensemble, d'abord dans des stations balnéaires de la côte Sud de l'Angleterre, puis, s'enhardissant, sur le continent et vers la Méditerranée — Belgique, France, Espagne, Grèce. Avec toujours derrière la tête l'idée qu'elles allaient rencontrer le Mec Bien. Leur rituel de vacances était simple et répétitif. Le matin, elles enfilaient leur maillot de bain et descendaient à la plage ou à la piscine pour acquérir le bronzage de rigueur. Le soir, elles se changeaient, passaient une robe de coton et s'enivraient gentiment avec des cocktails et l'inévitable bouteille de vin qu'elles partageaient au dîner. Très souvent, elles étaient accostées par des hommes, des autochtones ou des touristes comme elles. Mais, bizarrement, elles ne rencontraient jamais le Mec Bien. Bernard avait beau être novice en la matière, il avait l'impression que, tout en cherchant à attirer les hommes, elles se méfiaient des coureurs de jupons qui fréquentent les stations balnéaires. Il n'avait aucune peine à les imaginer tournant le dos d'un air hautain quand quelqu'un les accostait, ou partant en se dandinant sur leurs talons hauts, gloussant en se donnant des coups de coude.

Tous les ans, le même scénario se reproduisait : la Yougoslavie, le Maroc, la Turquie, Tenerife. Puis, un beau jour, Sue avait rencontré le Mec Bien chez elle, à Harlow. Desmond était directeur-adjoint de l'agence locale de la société immobilière où Sue avait un compte. Ils s'étaient mis en ménage. « Je suppose qu'on finira bien un jour ou l'autre par se marier, mais Des dit qu'il n'est pas pressé. Quand il a été question entre nous des prochaines vacances, j'ai demandé à Des si Dee pouvait nous accompagner, elle était seule, bien sûr ; il m'a dit que c'était lui ou elle, à moi de décider. Des ne s'est hélas jamais très bien entendu avec Dee. Alors, je n'ai pas eu d'autre solution. »

C'était depuis cette époque, apparemment, que Sue Butterworth prenait deux fois des vacances pendant l'été — un voyage organisé avec Dee et des vacances en camping avec Des. Encore heureux que les goûts de Desmond en la matière fussent simples et peu coûteux, mais, malgré tout, ces doubles vacances faisaient un trou considérable dans le budget de Sue, d'autant que Dee choisissait des destinations de plus en plus extravagantes. « La Floride l'an dernier, Hawaii cette année. Je ne sais pas où ça va se terminer. Quand elle rencontrera le Mec Bien, je suppose. » Sue tira sur sa paille et lança à Bernard un regard plein d'espoir par-dessous sa tignasse de boucles folles. Bernard jeta un coup d'œil à sa montre.

« Je crois que je ferais mieux de partir.

— Moi aussi, dit Sue en attrapant son sac à main sous son siège. C'est dommage, Dee est une fille si adorable, mais elle fait fuir les gens. »

Tandis qu'ils quittaient leur table, les deux blondes opulentes étaient toujours en train de se déhancher avec leur sourire figé, bien qu'ayant troqué leurs jupes bleues pour des vertes, également en plastique — à moins que ce fût l'éclairage qui eût changé. Un chanteur tout pommadé, qui maniait son micro comme un fouet, faisait chanter à son auditoire une chanson intitulée *J'aime Hawaii*.

« C'est chouette, ici, n'est-ce pas ? dit Sue. C'est très gai. »

Bernard hésita un instant sur le trottoir devant les grilles, se demandant s'il devait proposer à Sue de la raccompagner à son hôtel. La politesse semblait l'exiger, mais il avait peur que son geste fût mal interprété. Par bonheur, l'hôtel de Sue se trouvait justement sur son chemin. Trois jeunes gens hilares déboulèrent d'un bar juste devant eux en chahutant et en s'interpellant à grands cris. L'un d'eux avait un T-shirt portant l'inscription : *Get Lei'd*

123

in Waikiki[1]. Sue se rapprocha de Bernard lorsque les jeunes gens passèrent à côté d'eux en courant.

« J'espère que Dee n'a pas eu de problèmes pour rentrer, dit-elle.

— Je suis sûr qu'elle peut se débrouiller toute seule », dit Bernard, émerveillé par l'abnégation de cette jeune femme. Elle s'était condamnée, pour le restant de ses jours apparemment, à prendre deux fois des vacances tous les ans pour la bonne et unique raison que Dee ne trouvait personne d'autre pour l'accompagner.

« N'avez-vous jamais songé à raser votre barbe ? dit-elle à brûle-pourpoint.

— Non, répondit-il avec un sourire d'étonnement. Pourquoi demandez-vous ça ?

— Oh, pour rien, c'était par pure curiosité. Voici notre hôtel, le Waikiki Coconut Grove. »

Bernard contempla la tour blanche en béton, avec sa façade criblée de milliers d'alvéoles toutes semblables en guise de fenêtres.

« Où sont les cocotiers ? s'étonna-t-il à haute voix, plaisantant sur le nom de l'hôtel.

— Je ne sais pas. Dee prétend qu'ils ont dû les arracher pour construire l'hôtel. »

Bernard serra la main de Sue et lui souhaita bonne nuit.

« J'espère qu'on se reverra, dit-elle. Waikiki est tout petit, en fait, vous ne trouvez pas ?

— Il semblerait que oui. A l'horizontale du moins, mais pas à la verticale. »

« Ce n'est pas le type de l'avion, le type avec ce vieux monsieur qui a fait tout ce foin pour embarquer à Heathrow ? » demande Beryl Everthorpe à son mari. Ils sont assis dans un car qui les ramène du *luau* de Sunset Cove et sont bloqués dans les embouteillages sur l'avenue Kuhio. Elle tient sur ses genoux le descriptif de cette fête locale, qui a lieu tous les jours, même les jours fériés.

« Tous les soirs à Sunset Cove, les invités sont reçus avec un Mai Tai exotique (un punch au rhum et aux fruits hawaïens), avec des chansons, des danses et des complaintes traditionnelles d'Hawaii, et ils assistent à une cérémonie Imu au cours de laquelle la Cour

---

1. Slogan équivoque : « Faites-vous offrir un lei à Waikiki », ou « Envoyez-vous en l'air à Waikiki. » (N.d.T.)

royale veille à la préparation du cochon que l'on va faire griller sur un lit de braises. Ajoutons à cela un superbe *hukilau* (cérémonie traditionnelle de pêche sur la plage pendant laquelle les invités prêtent main-forte aux pêcheurs pour tirer leur immense filet). Vient ensuite un somptueux *luau* où figurent de splendides danseuses de *hula*, d'intrépides cracheurs de feu, des guitaristes hawaïens et une quantité d'autres choses ! »

Ç'avait été un choc pour eux, au début, de constater que près d'un millier de personnes avaient été véhiculées en car jusqu'à Sunset Cove pour cette soirée, qu'il fallait s'asseoir à des tables de réfectoire recouvertes de plastique, disposées en rangs d'oignons comme dans une sorte de camp de réfugiés ; mais, heureusement, ils s'étaient retrouvés à moins de cinquante mètres de la scène où se déroulait le spectacle, si bien que Brian avait eu toute latitude pour utiliser son caméscope. Une bonne partie des victuailles semblaient avoir été cuites au micro-onde plutôt que sur un lit de braises, et elles n'avaient pas grand-chose d'exotique ; en revanche, on pouvait se servir à volonté.

Brian Everthorpe rote et demande : « Qui ?

— Cet homme là-bas, avec la barbe. » Beryl a le doigt pointé vers l'entrée d'un grand hôtel, de l'autre côté de la large avenue congestionnée.

Brian Everthorpe place son caméscope sur son épaule et le braque sur l'endroit désigné. Il découvre dans son objectif deux silhouettes, un homme et une femme, et zoome dessus.

« Ouais, dit-il. Il me dit quelque chose. Et la nana qui est avec lui, aussi. Elle portait un jogging dans l'avion.

— Ah, oui, je me souviens. Je ne pensais pas qu'ils étaient ensemble.

— Eh bien, ils le sont maintenant », dit Brian Everthorpe. Il appuie sur le bouton d'enregistrement de sa caméra et le moteur tourne.

« Pourquoi tu les filmes ? Qu'est-ce qu'ils font ?

— Ils se serrent la main.

— C'est tout ?

— On ne sait jamais, dit Brian Everthorpe. Ils se refilent peut-être de la drogue. » Il plaisante à peine. Il rêve toujours de se trouver là avec son caméscope au moment où un crime ou un drame public se produira — un hold-up dans une banque, disons, ou un incendie, ou quelqu'un qui se suicide en sautant d'un pont.

Il a vu des quantités de séquences de ce genre aux nouvelles à la télévision, des images floues, tremblantes mais intensément poignantes, avec cette légende en travers de l'écran : *Vidéo amateur.* « Après tout, qu'est-ce qu'il peut bien faire à Hawaii avec son vieux, ce type-là ? Ne me dis pas qu'ils sont en vacances ensemble. Ils appartiennent peut-être à la Mafia. »

Beryl pousse un grognement incrédule. Le car repart, et le barbu et la jeune fille disparaissent de leur champ de vision.

« J'y repense, en les voyant : tu te souviens du couple en voyage de noces dans l'avion ? dit-elle.

— Le yuppie et sa nana frigide ?

— Je les ai vus sur la plage aujourd'hui pendant que tu filmais ces filles.

— Quelles filles ?

— Ne fais pas l'innocent. Elle a dit bonjour. Lui, il n'avait pas l'air très heureux, je dois le reconnaître.

— Il a dû se geler la bitte.

— Chut !

— A propos, dit Brian Everthorpe en passant la main le long de la cuisse de Beryl, si on attaquait pour de bon notre seconde lune de miel ce soir, qu'en penses-tu ?

— D'accord, dit Beryl. Du moment que tu ne filmes pas la scène. »

De retour à l'appartement d'Ursula, Bernard ouvrit la porte-fenêtre pour laisser entrer la brise dans le salon et passa sur le balcon. L'air caressant du soir lui fouetta doucement le visage ; les palmiers ondulaient au vent en faisant froufrouter leur jupe comme des danseuses de *hula* ; un croissant de lune naviguait dans l'océan du ciel en traînant une étoile brillante dans son sillage. Bernard scruta la façade du bâtiment voisin, guettant avec un mélange d'espoir et de crainte l'apparition du couple mystérieux de la nuit précédente. Il voyait tout ce qui se passait à l'intérieur de plusieurs chambres où les lumières étaient allumées et les rideaux non tirés. Dans l'une d'elles, une femme corpulente en sous-vêtements passait l'aspirateur sur la moquette. Dans une autre, un homme prenait son repas, son plateau posé sur ses genoux, les yeux fixés sur quelque chose situé hors du champ de vision de Bernard, un poste de télévision sans aucun doute. Dans une troisième chambre, une femme en peignoir se séchait les cheveux avec un séchoir à main, les balançant de-ci, de-là comme une crinière. Ses cheveux noirs lustrés lui rappelaient ceux de Yolande Miller. Pas le moindre signe, cependant, du couple de la veille au soir, et il se demandait même quel balcon il occupait.

Le téléphone sonna dans la pièce et il sursauta. En revenant à l'intérieur, une idée saugrenue lui traversa l'esprit : et si l'appel venait du couple d'en face qui l'espionnait peut-être de derrière leur rideau ! Il allait prendre le téléphone et une voix traînante allait lui répondre d'un ton railleur... Quoi, en fait ? D'ailleurs, comment pouvaient-ils connaître le numéro ? Il secoua la tête comme pour balayer cette idée stupide et décrocha le téléphone. C'était Tess.

« Tu avais promis de téléphoner pour dire que vous étiez bien arrivés, dit-elle d'un ton de reproche.

— C'est difficile à cause du décalage horaire. Je ne voulais pas te réveiller en plein milieu de la nuit.

— Comment va papa ? Est-ce qu'il a bien récupéré ?

— Récupéré ?

— Du voyage.

— Oh ! Je pense que oui.

— Puis-je lui parler ?

— Je crains que non.

— Pourquoi ? »

Bernard réfléchit avant de répondre. « Il est au lit, finit-il par dire.

— Pourquoi ? Quelle heure est-il ?

— Dix heures et demie, du soir bien sûr.

— Oh, bien, alors ne le dérange pas. Comment va Ursula ? Elle a été contente de voir papa ?

— Elle ne l'a pas encore vu. Je suis allé lui rendre visite tout seul aujourd'hui. Ursula a quitté l'hôpital et a été placée dans une maison de soins, comme on dit ici, une maison assez lamentable, d'ailleurs. » Il épilogua longuement sur l'état déplorable de la maison de soins et sur les contraintes financières qui avaient limité Ursula dans son choix.

Tess était manifestement déconcertée. « Serais-tu en train de me dire qu'Ursula est *pauvre* ? finit-elle par dire.

— Enfin, pas vraiment pauvre. Pas riche en tout cas. Elle ne pourrait évidemment pas se permettre de vivre très longtemps dans une maison de repos privée pour milliardaires. La question est de savoir combien de temps elle va en avoir besoin ? C'est un problème assez délicat à aborder avec elle.

— Il faut reconnaître, dit Tess contrariée, qu'Ursula nous a toujours donné une fausse idée de la vie qu'elle menait.

— Tu ne crois pas que c'est plutôt nous qui avons tout inventé parce que ça nous arrangeait ?

— Oh, je ne vais pas me mettre à ergoter avec toi maintenant, Bernard, dit Tess. Cette communication coûte une fortune. » Elle raccrocha après lui avoir intimé l'ordre de la rappeler « quand je pourrai parler à papa. »

Bernard garda les yeux fixés sur le combiné qu'il tenait à la main tel un pistolet encore tout fumant, horrifié par sa propre duplicité. Il avait totalement oublié qu'il avait promis de téléphoner à Tess, et, bien que la pensée d'avoir à lui annoncer l'accident de leur père l'ait hanté toute la journée, il avait été trop préoccupé par des problèmes plus urgents pour y songer réellement. Lorsque l'occasion s'était présentée, il s'était esquivé. Il avait menti à Tess — il ne lui avait pas vraiment menti, si l'on s'en tenait à une certaine forme de casuistique, mais il l'avait bel et bien trompée.

Il éprouva une folle envie de rappeler immédiatement Tess, de tout avouer. Il décrocha même le téléphone et commença à composer la longue série de chiffres mais s'arrêta à mi-chemin avant de raccrocher brusquement. Il se leva et se mit à tourner en rond dans l'appartement. Bien sûr, elle allait finir fatalement par savoir à propos de l'accident. D'un autre côté, elle ne pouvait rien y faire, alors pourquoi ne pas attendre que son père soit définitivement remis sur pied ? Le raisonnement semblait d'une logique irréprochable mais il lui laissait un arrière-goût de remords qui venait s'ajouter au sentiment de culpabilité immense qu'il éprouvait déjà.

Pour se distraire, il s'assit au bureau d'Ursula, sur la chaise droite à barreaux, et chercha, comme elle le lui avait dit, ses relevés bancaires et ses titres boursiers. Il trouva tous ces documents sans difficulté ; mais, tandis qu'il cherchait dans les tiroirs, il tomba par hasard sur un cahier d'exercices, une sorte de cahier d'écolier inutilisé, intact, dont la couverture en carton rigide était recouverte d'une toile bleu foncé. Les pages vierges, rayées, s'ouvrirent d'elles-mêmes, invitantes, et s'étalèrent devant lui. Elles étaient douces et soyeuses au toucher. C'était, pensa Bernard, le genre de cahier où l'on écrivait son journal intime. Ou une confession.

Il bâilla soudain et sentit de nouveau la fatigue se propager le long de ses membres. Il ferma les tiroirs et alla au lit en emportant le cahier avec lui.

Dans d'autres chambres de Waikiki, d'autres visiteurs se préparent à se coucher, ou dorment déjà. Dee Ripley semble dormir, son visage anguleux enduit de crème de nuit posé sur l'oreiller blanc, tandis que Sue Butterworth passe près d'elle sur la pointe des pieds en se rendant à la salle de bains. Amanda Best écoute Madonna sur son transistor personnel dissimulé sous les couvertures pour ne pas déranger sa mère qui dort dans le lit d'à côté. Comme Amanda et Robert sont trop âgés pour dormir dans la même chambre et que M. Best trouve que le supplément à payer pour des chambres individuelles est excessif, il partage une chambre à lits jumeaux avec son fils, et Mme Best une autre avec Amanda. Robert a dit en secret à Amanda que leurs parents risquaient d'être plutôt de mauvaise humeur parce que cette distribution des lits les empêchait d'avoir des rapports sexuels. Amanda a de toute façon du mal à imaginer ses parents en train de faire l'amour, et d'ailleurs on n'en est qu'à la deuxième nuit de vacances, mais elle doit reconnaître que leur mauvaise humeur a dépassé cette fois les normes habituelles, alors, peut-être y a-t-il quelque chose de vrai dans cette théorie. Lilian et Sidney Brooks viennent de regagner leur chambre après avoir dîné avec Terry et Tony et ont eu la surprise de trouver les lampes allumées à la tête de leurs lits et la radio diffusant une musique douce. Les lits ont été ouverts et laissent voir un triangle de drap blanc bien amidonné ; leurs modestes vêtements de nuit de chez Marks and Spencer qu'ils ont roulés et glissés sous leurs oreillers plus tôt dans la journée ont été dépliés et étalés en travers de leurs lits ; sur chaque oreiller, on a déposé une orchidée et un chocolat enveloppé dans du papier doré. Lilian fouille nerveusement du regard tous les recoins de la chambre, s'attendant peut-être à voir le responsable de ces attentions surgir d'un placard comme un diablotin en leur criant « *Aloha !* » ou toute autre formule hawaïenne servant à dire « Bonne nuit ». Roger Sheldrake est assis sur son immense lit et souligne les occurrences du mot « paradis » dans *Cette semaine à Oahu,* tout en dégustant un verre de cette délicieuse bouteille de champagne que la direction a gracieusement fait porter dans sa chambre. Brian et Beryl Everthorpe se livrent à une orgie sexuelle, allongés sur le lit de façon à ce que Brian puisse observer ses performances dans la glace de l'armoire, à défaut de pouvoir revisionner la scène. Et Russell Harvey regarde tout tristement un film porno sur le canal vidéo de l'hôtel, tandis que Cecily dort et respire profondément dans l'un des grands lits de la chambre.

La journée a été éprouvante pour Russ. Cecily a déployé toute son ingéniosité pour éviter de communiquer directement avec lui. Ce matin, elle a téléphoné au concierge de la chambre pour dire : « Nous partons à la plage, quel coin nous recommandez-vous ? » si bien qu'une fois prête pour sortir, Russ savait déjà exactement où ils allaient. Lorsqu'ils se sont installés sur la plage surpeuplée, elle a fait la connaissance d'une femme assise sur une natte en raphia à côté d'elle et a engagé la conversation en lui disant : « Quelle bonne idée, ces nattes, où est-ce que ça s'achète ? » Russ s'est exécuté pour en acheter deux. Puis elle a dit : « Je crois que je vais aller faire trempette », et il a compris que c'était l'heure du bain. Enfin, au bout d'une heure ou deux : « Je crois que nous avons assez pris le soleil comme ça pour notre première journée » ; il n'avait plus qu'à rassembler leurs affaires et à traîner toute cette panoplie jusqu'à l'hôtel. Et, à l'hôtel, quand elle a demandé au chasseur comment se rendre au zoo, il a su tout de suite ce qu'ils allaient faire de leur après-midi. Le zoo ! A-t-on jamais vu des jeunes mariés passer le premier jour de leur lune de miel au zoo, et, qui plus est, à Honolulu ? Sans compter que ça devait affreusement puer avec cette chaleur. Lorsque Russ a fait part de son opinion, Cecily a souri d'un air doucereux et dit au chasseur : « Il n'est pas obligé de venir, après tout, n'est-ce pas ? » Mais, bien sûr, Russ y est allé et ça puait en effet.

Et ainsi de suite toute la journée. Et aussi toute la soirée. A la fin du dîner, Cecily s'est mise à bâiller en présence du garçon et a dit : « Oh, je vous prie de m'excuser ! Le décalage horaire, je suppose. Nous ferions bien de nous coucher tôt », et Russ a compris alors qu'ils allaient au lit. Pas dans le même lit, cependant. Lorsque la femme de chambre a frappé à la porte et demandé s'ils voulaient qu'elle prépare leur lit, Cecily a souri d'un air doucereux et dit : « Oui, les deux lits, s'il vous plaît. » Puis, elle s'est enfermée dans la salle de bains pendant près d'une heure. Ensuite elle a pris un somnifère et a sombré dans un profond sommeil.

Oui, la journée a été éprouvante, et voilà maintenant que la chaîne porno elle-même semble se joindre à la conspiration générale pour le rendre fou et accroître sa frustration. Non seulement c'est la même intrigue imbécile que d'habitude et le même jeu machinal, mais ça fait plus de trois quarts d'heure qu'il regarde le film et il n'y a toujours pas eu de vraie scène de baise. Un peu de strip-tease, une séquence discrète où on devinait que l'héroïne se caressait dans son bain, mais pas la moindre simulation de rapport sexuel, ce qui est pourtant la seule chose qui vous pousse à regarder ces films et qui justifie les huit dollars qu'on vous compte à chaque coup. Dès que l'héroïne semble sur le point de passer aux actes avec l'un de ses admirateurs, l'image devient floue et, aussitôt, on la retrouve tout habillée et dans une autre scène. Il a vu des trucs plus sexy chez lui sur BBC 2. Soudain, Russ comprend que le film a dû être coupé. Censuré. Comme pour confirmer cette intuition, le film se termine brusquement au bout de cinquante-cinq minutes seulement. Russ est révolté. Il pense un moment téléphoner à la réception pour se plaindre, mais il ne sait pas comment formuler sa plainte. Il tourne en rond dans la chambre. Il s'arrête, regarde Cecily d'un œil mauvais. Elle est couchée sur le dos, ses cheveux blonds étalés en éventail sur l'oreiller. Sa poitrine se soulève et retombe à un rythme régulier sous le drap. Russ tire lentement sur le drap. Cecily porte une longue chemise de nuit blanche très chaste. Il soulève la chemise et regarde en dessous. Tout est bien comme avant, sauf que les cuisses sont un peu rouges à cause du soleil. Il se demande s'il ne devrait pas commettre un viol marital mais, réflexion faite, il y renonce. Il laisse retomber la longue chemise de nuit, ramène le drap jusqu'à sous le menton de Cecily et retourne devant la télévision. Il s'affale dans un fauteuil et appuie au hasard sur un bouton de la télécommande. Une énorme vague vert et bleu remplit l'écran telle une falaise d'eau mobile, une vague lisse et transparente comme du verre à la base, écumante et bouillonnante au sommet, pareille à une chute d'eau inversée, qui propulse en avant une minuscule silhouette humaine triomphante, accrochée par les orteils à une planche de surf, arquée, défiant tout équilibre, bras tendus et genoux fléchis. Russ se redresse sur son siège.

« Putain de merde ! » murmure-t-il plein d'admiration.

Deuxième Partie

Et les senteurs obscures murmurent ; et les vagues confuses
[roulent vers moi,
Luisent comme des cheveux de femme, s'étirent et se dressent ;
Et de nouvelles étoiles s'embrasent dans la voûte éternelle,
Au-dessus des murmures suaves de la mer d'Hawaii.

Et je me souviens, oublie, retrouve, oublie encore,
Me rappelle toujours un conte que j'ai entendu, ou vécu,
Un conte vide de sens, d'oisiveté et de souffrance,
Touchant deux êtres qui s'aimaient — ou ne s'aimaient pas —
[l'un,
Le cœur troublé, avait eu la folie de faire le mal
Il y avait bien longtemps, sur le rivage d'une autre mer.

Rupert BROOKE, *Waikiki*

1

Samedi 12

Me suis rendu en voiture à l'hôpital Geyser ce matin pour voir l'oncologiste d'Ursula avec qui j'avais pris rendez-vous. L'hôpital Geyser est une véritable citadelle médicale, un immense bâtiment tout récent, beaucoup plus grand et plus impressionnant que Saint-Joseph, de forme incurvée, construit en béton et en verre poli, et situé à une quinzaine de kilomètres d'Honolulu. Il se trouvait autrefois, paraît-il, juste à la sortie de Waikiki, près de la marina, mais, il y a quelques années, le site a été vendu à des promoteurs, on a démoli l'hôpital et construit à la place un hôtel de luxe en gratte-ciel. En fait, le hall d'accueil du nouvel hôpital ressemble un peu au hall d'entrée d'un hôtel de luxe, moquetté et capitonné dans des tons gris et mauve très harmonieux, avec des spécimens d'artisanat hawaïen sur les murs — le changement de site avait été de toute évidence très profitable. Le Dr Gerson m'assure que l'hôpital possède aussi la technologie médicale la plus sophistiquée, mais le trajet en ambulance doit paraître interminable quand on a le malheur de se faire renverser par une voiture à Waikiki.

Gerson pouvait autrefois, de son ancien bureau, observer le mouvement des bateaux dans la marina, et il reconnaît que ce spectacle lui manque beaucoup. C'est un véliplanchiste passionné, excellent j'en suis persuadé, vu sa silhouette mince et musclée, et son air encore jeune. Pendant qu'il feuilletait le dossier d'Ursula, il s'est penché en arrière sur son fauteuil pivotant aussi loin qu'il a pu comme s'il luttait contre le vent sur sa planche à voile. Sa tunique blanche amidonnée à manches courtes laissait voir des avant-bras bronzés et musclés, couverts de poils dorés très fins.

Il m'a remercié d'être venu à Honolulu — « Honnêtement, ma tâche se trouve bien facilitée dans un cas pareil si quelqu'un de la famille veut bien s'occuper de l'aspect pratique des choses. » Il a été rapide et direct et, je dois dire, un peu froid. Peut-être faut-il l'être dans ce type de médecine. Le taux de mortalité de ses patients doit être assez élevé. Il m'a confirmé ce qu'Ursula m'avait dit de son état : mélanome malin, avec cancer secondaire du foie et de la rate. « Dû à une trop longue exposition aux rayons solaires, j'en ai bien peur, mais à l'époque on n'était pas conscient du danger. Les gens venaient ici à cause du climat et restaient allongés toute la journée au soleil. C'était courir après les ennuis. Je me mets toujours une crème avec un indice de protection de 15 quand je fais de la planche à voile. Je vous conseille d'en faire autant sur la plage. » Je lui ai dit que je ne pensais pas avoir le temps de me faire bronzer.

Il est difficile de faire des pronostics, a-t-il ajouté, surtout avec les patients âgés. Il estime cependant qu'Ursula devrait pouvoir vivre six mois environ, mais ça pourrait être plus, ou beaucoup moins. Sa maladie est incurable. « Ce type de cancer ne réagit pas très bien à la radiothérapie ou à la chimiothérapie. J'ai proposé ces traitements à Mme Riddell parce qu'ils peuvent apporter une petite rémission dans certains cas, mais elle a refusé, et je respecte sa décision. C'est une vieille dame coriace, votre tante. Elle sait ce qu'elle veut. »

Lorsque j'ai critiqué la maison de soins dans laquelle elle se trouve, il m'a répondu, comme je m'y attendais, que c'était elle qui avait tenu à avoir ce qu'il y avait de moins cher. « Mais je suis d'accord avec vous, ce n'est pas ce qu'il faut à une malade dans son état, et ça le sera encore moins dans les mois qui viennent. » Il y a, a-t-il dit, plusieurs maisons de repos privées à Honolulu qui demandent trois mille dollars par mois et plus, selon le type de soins et le standing qu'elles offrent, et il m'a donné une liste établie par le responsable des soins annexes de l'hôpital. Il a expliqué que l'assurance médicale d'Ursula la couvrait pour ce qu'on appelait les soins spécialisés, c'est-à-dire la surveillance jour et nuit par une infirmière diplômée comme à l'hôpital, mais pas pour les soins intermédiaires que nécessite son état actuel — c'est ce qu'il dit, en tout cas. J'en ai déduit qu'on exerçait sur lui une sorte de pression pour qu'il ne laisse pas entrer inconsidérément les malades à l'hôpital, car ils risquent ensuite d'être une charge pour la fondation Geyser. Je lui ai dit qu'à mon avis Ursula devrait être admise à l'hôpital le temps que je lui trouve une maison de repos convenable et j'ai insisté pour qu'il lui rende visite. Il a dit qu'il était très occupé, mais quand j'ai ajouté qu'elle était très constipée, il a dit qu'il essaierait de passer la voir aujourd'hui.

Suis revenu par l'autoroute pour passer voir papa à Saint-

Joseph. Il souffre un peu, et il a été grognon et très désagréable. Il n'a pas apprécié du tout les pyjamas que je lui ai achetés parce qu'ils ne boutonnent pas au cou. Je lui ai fait remarquer qu'avec ce climat on n'a pas besoin de pyjamas qui boutonnent au cou et il a dit : « Mais je vais pas passer toute ma vie ici — à moins que tu penses que je ne rentrerai jamais à la maison ? » Je lui ai répondu que c'était une remarque stupide. J'ai raconté ma visite à Ursula hier, mais il n'a pas paru très intéressé. La maladie rend les gens encore plus égoïstes et plus irascibles qu'ils ne sont d'habitude, j'en ai bien peur. Parmi tous les malades que j'ai visités à l'hôpital ou chez eux, du temps où j'étais curé de paroissse, il y en a eu très peu, je pourrais les compter sur les doigts d'une seule main, qui ont su dominer leur souffrance. Je ne suis pas très sûr que je ferais mieux que la moyenne des gens.

Papa m'a demandé si j'avais téléphoné à Tess pour lui annoncer l'accident. Je lui ai dit qu'à mon avis c'était inutile de l'inquiéter sauf en cas de nécessité absolue. Il a été vexé et a ajouté qu'elle avait le droit de savoir, que toute la famille avait le droit de savoir. Ce qu'il voulait dire, c'était qu'il voulait être sûr au moins qu'ils se faisaient tous du mauvais sang pour lui et qu'ils me blâmaient. Il m'a dit insidieusement : « Tu as peur de Tess, n'est-ce pas ? » Touché.

En sortant, j'ai rencontré le médecin qui s'occupe de papa, le Dr Figuera, un homme jovial et corpulent d'une soixantaine d'années, et il m'a assuré que papa se remettait bien et qu'il ne craignait aucune complication. « Il a de bons os, de très bons os, a-t-il dit. Ne vous inquiétez pas. Il va se remettre. »

Ai repris la voiture pour me rendre chez Mme Jones. Une BMW blanche, avec une planche à voile sur la galerie, était garée devant la maison ; c'était en fait la voiture du Dr Gerson qui s'apprêtait à partir juste comme j'arrivais. On a discuté ensemble dans la rue à travers la vitre baissée de sa voiture. Son bras bronzé, couvert de poils dorés, était replié et agrippé au toit de la voiture. « Vous avez eu raison de me faire venir, elle n'est pas bien du tout, a-t-il dit. Je vais la faire revenir à l'hôpital pour soigner sa constipation. Ça devrait vous laisser quelques jours pour lui trouver une maison de repos. Ça vous va comme ça ? » Je lui ai demandé quand Ursula allait être transportée à l'hôpital et il m'a répondu : « Quand pouvez-vous l'amener ? » J'ai montré du doigt ma vieille

Honda et j'ai dit : « Vous voulez dire, avec ça ? Elle ne pourrait pas avoir une ambulance ? » Il a répliqué, avec une pointe d'agacement : « Vous ne semblez pas vous rendre compte que je suis soumis à certaines contraintes financières. Il faut que je fournisse une justification médicale chaque fois que j'autorise l'usage de l'ambulance. Si votre tante peut se rendre à la salle de bains, alors elle peut marcher jusqu'à votre voiture. »

J'ai fait remarquer que le plâtre à son bras risquait de compliquer les choses.

« Elle n'a qu'à s'asseoir à l'arrière.

— La voiture n'a que deux portes. Elle serait bien incapable de se mettre sur le siège arrière. »

Il a soupiré et dit : « D'accord. Vous l'aurez, votre ambulance. »

Je suis resté avec Ursula jusqu'à l'arrivée de l'ambulance et je l'ai aidée à rassembler ses quelques effets personnels. Mme Jones, qui m'avait reçu plutôt froidement à l'entrée, n'a pas fait un geste pour nous aider. « Elle pense que c'est de ta faute si on me déménage », a dit Ursula. « Eh bien, ai-je répondu, elle n'a pas tort », et on a ri tous les deux comme de vieux complices.

Ursula était ravie d'échapper à cette maison sinistre. Pour la première fois depuis mon arrivée à Hawaii — pour la première fois depuis longtemps —, j'étais content de moi et plutôt fier d'avoir réussi quelque chose, d'avoir forcé les événements à se plier à ma volonté, d'avoir été utile. Ursula, de son côté, n'est pas restée inactive, elle non plus. Elle a demandé à Mme Jones de lui apporter un téléphone sans fil, elle a téléphoné à sa banque, à son agent de change et à son avocat. Il faut apparemment que j'obtienne une procuration officielle avant de pouvoir liquider tous ces comptes en banque et vendre ses obligations et ses actions.

En relisant cette phrase, je m'aperçois que je m'exprime comme un homme d'affaires. En fait, je n'ai qu'une idée très vague de tout ce que cela implique. Je n'ai jamais rien eu à gérer de plus complexe en matière de finances personnelles qu'un compte courant et un livret d'épargne. Quand j'étais curé de paroisse à Saint-Pierre-et-Saint-Paul, c'était mon vicaire, Thomas, qui tenait tous les comptes. Il aimait jongler avec les chiffres, heureusement. Je suis sans doute la personne la moins qualifiée au monde pour aider Ursula à régler ses affaires. Mais je peux apprendre, j'imagine, ne serait-ce qu'en écoutant Ursula. Peut-être a-t-elle elle-même tout appris de Rick. Ce qui m'étonne le plus, c'est qu'elle ait pu faire des investissements, bons ou mauvais. Les Walsh n'ont jamais eu le sens de l'argent. Nous ne comprenons pas les règles abstraites de son fonctionnement — intérêts, inflation, dépréciation. L'argent pour nous, c'est uniquement l'argent liquide : des pièces et des billets qu'on garde dans des bocaux à confiture ou sous des matelas, quelque chose de nécessaire, de convoité, mais de vaguement honteux. Les réunions de famille — mariages, enterrements, visites à la famille en Irlande, accueil de cousins irlandais — étaient toujours marquées par des petites scènes étranges : on s'échangeait, en guise de cadeaux, de petits billets froissés qu'on se glissait furtivement dans les mains et dans les poches. Nous n'avions jamais assez d'argent à la maison et ce que nous avions était mal géré. Maman envoyait l'une des filles faire les courses tous les jours pour un peu de ceci ou de cela, au lieu d'acheter en gros. Papa n'a jamais eu pour ainsi dire d'économies. Je crois qu'il jouait aux courses en cachette. Un jour, quand j'allais encore à l'école, j'ai emprunté un de ses imperméables et trouvé un ticket de PMU dans la poche. Je ne l'ai jamais dit à personne.

L'ambulance est arrivée à trois heures. Les hommes ont fait sortir Ursula sur un fauteuil roulant qu'ils ont porté ensuite pour descendre les marches ; moi, je les suivais avec le petit sac d'Ursula. Mme Jones, toute mielleuse devant les ambulanciers, était pleine d'attention et de prévenance envers Ursula, tapotant sa main tandis que le fauteuil roulant franchissait le seuil de sa porte. L'ambulance est partie lentement sans utiliser sa sirène et a pris l'autoroute en direction du Geyser ; j'ai suivi avec ma voiture. A l'hôpital, j'ai porté les affaires d'Ursula jusqu'à sa chambre mais ne me suis pas attardé. Elle est dans une chambre avec trois autres femmes, mais les lits sont placés en étoile au milieu de la pièce, de façon à ce que les occupants ne soient pas obligés de se regarder à longueur de journée, comme dans les hôpitaux britanniques où ils sont placés face à face.

Avant de partir, j'ai dit à Ursula que j'avais trouvé un cahier dans son bureau et je lui ai demandé si je pouvais le prendre. Elle m'a dit : « Bien sûr, Bernard, prends tout ce que tu veux. Tout ce que j'ai est à toi, tu n'as qu'à demander. » Elle avait acheté ce cahier il y a longtemps pour y noter des recettes de cuisine, mais elle ne l'avait jamais utilisé et l'avait complètement oublié.

En rentrant à la maison, je suis repassé par Saint-Joseph où j'ai eu l'agréable surprise de trouver, assise près du lit de papa, Mme Knoepflmacher dans un *muumuu* jaune vif et des sandales dorées. (Elle s'était teint les cheveux en blond cendré pour les harmoniser avec ses habits, apparemment — ça peut se faire ? Peut-être qu'elle porte une perruque.) Il y avait une petite corbeille sur la table de chevet avec des fruits très colorés qui paraissaient si artificiels qu'on les aurait bien vus sur un chapeau de femme. J'imagine que j'ai dû mentionner le nom de l'hôpital devant elle hier soir et qu'elle a décidé de rendre visite à papa. Un geste extrêmement gentil, même si Ursula eût sûrement attribué ce geste à la curiosité. Je l'ai remerciée chaleureusement et, après quelques minutes de bavardage oiseux, elle nous a laissés tous les deux.

« Bon diou, je croyais qu'elle s'en irait jamais, a dit papa. J'ai la vessie pleine à craquer. Tu veux bien dire à l'infirmière que j'ai besoin du vase de nuit, pour l'amour du ciel ! Ils ne répondent jamais quand j'appuie sur ce truc-là. » Il désigna du doigt la sonnette sur la table de chevet. Dans le couloir, j'ai trouvé une jolie infirmière hawaïenne qui lui a apporté le vase et a tiré le rideau autour du lit, et j'ai attendu tout gêné de l'autre côté du rideau pendant qu'il se soulageait. L'infirmière est revenue et a emporté le vase.

« Quand je pense à ce que je suis obligé de faire à mon âge, a-t-il dit amèrement. Je pisse dans un vase et je le donne à une Noire bizarre, après l'avoir enveloppé dans une serviette comme si c'était un champagne de grand cru. Et je préfère ne pas parler de mes autres besoins. »

Je lui ai dit où les choses en étaient avec Ursula et j'ai signalé que la dame qui conduisait la voiture avait téléphoné pour demander de ses nouvelles.

Il a dit alors : « L'autre bonne femme, Mme Buttonhole, enfin, la femme aux boutons, pense qu'on devrait lui faire un procès.

— Papa, tu sais bien que c'était de ta faute — de notre faute. On traversait au mauvais endroit. Tu as regardé dans le mauvais sens.

— Mme Machin-Chouette prétend que les avocats ne font payer que s'ils gagnent le procès. » Il me regardait avec une lueur de cupidité dans les yeux. Je lui ai dit que je n'avais aucune intention de me lancer dans un procès qui allait fatalement apporter beaucoup d'angoisse et de stress à une personne que je considérais totalement innocente, et on s'est séparés en mauvais termes. En rentrant en voiture, je me suis fait des reproches. Pourquoi avais-je adopté ce ton moralisateur ? J'aurais pu abonder un peu dans son sens au lieu de le rabrouer. La perspective d'un procès, si farfelue qu'elle soit, aurait pu lui faire oublier un moment les vases de nuit et les bassins de l'hôpital. Nouvel échec.

Suis resté à la maison ce soir et ai mis à réchauffer une barquette de cannellonis que j'ai trouvée dans le congélateur d'Ursula — pas assez longtemps, cependant, ou peut-être que la température du four n'était pas suffisante. Toujours est-il que les cannellonis étaient inégalement cuits : ça fumait et ça faisait des bulles à la surface, mais le centre était encore glacé. Un symbole de quelque chose, peut-être. J'espère que je ne vais pas attraper une intoxication alimentaire. Les trois Walsh à l'hôpital en même temps, ça ferait un peu beaucoup. Je nous vois déjà tous les trois cloués au lit sans rien pouvoir faire, dans trois hôpitaux différents d'Honolulu, et j'imagine Mme Knoepflmacher courant d'un lit à l'autre avec différentes perruques et nous apportant du bouillon de poulet et des corbeilles de fruits.

J'étais en train de faire la vaisselle après le dîner et je me demandais si Tess, qui n'avait toujours reçu aucune nouvelle de moi, n'allait pas commencer à avoir des doutes, quand le téléphone s'est mis à sonner. J'ai sursauté comme si j'avais été pris en flagrant délit et j'ai failli laisser tomber l'assiette que j'étais en train de laver. Ce n'était pas Tess, cependant ; c'était Yolande Miller qui demandait encore des nouvelles de papa. Elle a dû percevoir une inquiétude dans ma voix parce qu'elle m'a demandé si j'allais bien. Je lui ai expliqué mon dilemme et, brusquement, je lui ai demandé :

« Croyez-vous que je devrais mettre ma sœur au courant de l'accident maintenant ? Vous qui êtes une professionnelle, qu'est-ce que vous conseilleriez ?

— Est-ce qu'il y a quelque chose qu'elle puisse faire pour vous aider ?

— Non.

— Et vous dites qu'il se remet bien, c'est cela ?

— Oui.

— Alors je ne vois pas pourquoi vous vous précipiteriez pour lui dire... à moins que ça vous soulage, vous.

— Ah, voilà bien le problème. »

Elle poussa une sorte de petit hennissement qui indiquait qu'elle avait compris, puis il y eut un silence gêné entre nous. Je ne voulais pas mettre fin à la conversation mais je ne voyais pas ce que je pouvais ajouter, et elle non plus, apparemment. Alors, elle a dit :

« Je me demandais si ça vous ferait plaisir de venir dîner un de ces soirs.

— Dîner ? » ai-je répété, comme si je n'avais jamais entendu le mot auparavant.

« Vous devez vous sentir un peu seul le soir, après la tournée des hôpitaux...

— Oui, enfin, c'est très gentil à vous, mais, je... je ne sais pas... » Mes bredouillements masquaient mal mon extrême panique. Plus tard, en analysant cette réaction, je me suis rendu compte que cette invitation avait ranimé des souvenirs pénibles liés à Daphné. Nos relations — nos relations intimes — avaient débuté de cette façon. Il y avait déjà quelques semaines qu'elle venait au presbytère pour des cours de catéchèse, lorsqu'un soir, dans le salon, comme elle se levait de l'autre côté de la table pour prendre congé, elle dit : « Est-ce que ce serait convenable si je vous invitais à déjeuner un jour ? » Je ris et répondis : « Bien sûr, pourquoi pas, merci beaucoup. » Évidemment, ce n'était pas très convenable, et je n'ai pas dit à ma bonne ni à mon vicaire où je me rendais ce samedi fatidique.

« Que diriez-vous de demain ? a dit Yolande Miller. Nous dînons généralement vers sept heures. » J'ai souri, soulagé de l'entendre utiliser le pronom pluriel et comprenant qu'on m'invitait à un repas familial et non à un tête-à-tête intime. Je l'ai remerciée et ai accepté l'invitation.

Dimanche 13

Ce matin, j'ai visité deux des maisons de repos parmi les moins chères sur la liste que m'a donnée le Dr Gerson. On s'est montré réticent à me recevoir un dimanche, mais j'ai expliqué que c'était une affaire urgente. (Gerson ne gardera Ursula au Geyser que le temps nécessaire, pas un jour de plus, et si je n'ai pas réussi à trouver une maison de repos d'ici là, elle sera obligée de retourner chez Mme Jones ou dans un établissement de ce genre.) L'expérience a été atroce — ces maisons de repos sont pires, bizarrement, que les hôpitaux gériatriques de l'Assistance publique en Angleterre, et Dieu sait pourtant s'ils sont lamentables — peut-être à cause du contraste entre l'extérieur et l'intérieur.

On franchit une grille imposante, les pneus ronronnent sur l'asphalte lisse et on se gare dans un parking paysagé ; on pénètre ensuite dans un hall d'accueil aux boiseries vernissées, meublé de confortables divans. La réceptionniste vous adresse un sourire, prend votre nom et vous demande de vous asseoir. Puis arrive une dame pour vous faire visiter l'établissement. Son sourire est moins spontané que celui de la réceptionniste, et son accueil moins empressé : elle sait ce qui se passe derrière les deux portes fermées à clé à l'autre bout du hall d'accueil.

La première chose qui vous surprend, c'est cette odeur ammoniaquée d'urine. Vous en faites la remarque. La dame explique que plusieurs des résidents sont incontinents. Il y en a aussi beaucoup, visiblement, qui sont séniles. Ils viennent en pyjama et en robe de chambre, traînant les pieds jusqu'à la porte de leur chambre, nous dévisagent comme s'ils n'arrivaient pas à nous situer, rient de leurs bouches édentées ou marmonnent d'incompréhensibles questions. De longs filets de bave pendent de leur menton. Certains se grattent les côtes ou l'aine distraitement. Beaucoup sont calés avec des oreillers dans leur lit, leurs membres parcourus de petits tressaillements comme des insectes à l'agonie, et ils observent avec apathie la scène qui se déroule devant eux, ou ils dorment, les yeux fermés, la bouche ouverte. Les lits sont très proches les uns des autres, deux à quatre par chambre. Les murs sont peints en vert et crème, avec une peinture laquée comme souvent dans ce genre d'institution. Il y a une sorte de salon, avec des chaises à dossier très haut recouvertes (pour d'évidentes raisons) de plastique luisant, où les résidents les moins impotents sont assis et lisent des revues, regardent la télévision, à moins qu'ils n'aient tout simplement les yeux perdus dans le vague. Les membres du personnel, des femmes de couleur pour la plupart, vêtues de blouses en coton et chaussées de mules qui claquent sur le sol, essaient d'apaiser et de câliner les patients, tout en déambulant dans les chambres et les couloirs et en poussant des chariots de médicaments comme des marchandes de jus de fruits.

143

Ursula ne pourrait sûrement pas supporter de telles conditions, et jamais je n'accepterais de la soumettre à un tel traitement. Mais c'est ici, manifestement, que les vieux et les malades viennent finir leurs jours dans ce paradis s'ils n'ont pas de famille pour s'occuper d'eux et ne sont pas assez riches pour s'offrir des soins décents, ni assez pauvres pour avoir droit à l'Assistance publique. C'est le bas de gamme dans ce genre d'institutions privées pour personnes âgées. Mon accompagnatrice le sait et ne cherche pas à me le cacher. Son expression et son ton de voix me disent clairement : « Si tous les deux nous avions mieux réussi dans la vie, moi, je ne travaillerais pas dans ce bouge et vous, vous ne songeriez pas à y mettre votre tante. » A la fin de la visite, je la remercie et prends congé, acceptant une brochure et le tarif par politesse.

La seconde maison de repos ne vaut guère mieux que la première, et il n'y a pas de place de toute façon. Difficile de croire qu'il y ait une liste d'attente pour entrer dans un endroit aussi triste et déprimant.

Comme je me sentais moi-même triste et déprimé, je suis retourné en voiture à Waikiki et suis allé m'asseoir sur la plage. Quelle erreur ! Le soleil était implacable et les quelques rares espaces d'ombre sous les palmiers à l'arrière de la plage étaient déjà occupés. La mer avait des reflets aveuglants et le sable était si chaud qu'il était pénible de marcher pieds nus. La plupart des gens autour de moi portaient des savates en caoutchouc avec des lanières entre les orteils et étaient allongés sur des nattes en paille ; je me demande bien comment on peut rester allongé de tout son long sous ce soleil implacable. La sueur ruisselait sous mes bras mais je n'osais pas enlever ma chemisette de peur d'attraper un coup de soleil. J'ai retroussé le bas de mon pantalon comme tout bon Britannique au bord de la mer, et j'ai barboté quelque temps au bord de l'océan. L'eau était chaude et trouble. Des bouts de papier et des déchets en plastique clapotaient contre le sable rugueux. Il y avait un défilé continuel de gens qui, pour se rafraîchir eux aussi, allaient et venaient au bord de l'eau, des gens de tous âges, de toutes formes et de tous gabarits, avec à la main, pour la plupart, des boissons, des glaces ou des hot dogs. Les Américains ont l'air d'adorer manger en marchant, comme les troupeaux qui pâturent. Tout le monde ou presque était bien sûr en maillot de bain, ce qui n'avantageait guère les vieux ou les obèses. Les jeunes gens semblent avoir une préférence perverse pour les maillots flottants qui descendent jusqu'aux genoux et collent inconfortablement aux cuisses lorsqu'ils sont mouillés, alors que les jeunes femmes portent des maillots lisses, échancrés très haut au-dessus des hanches. A deux reprises en une demi-heure, des écumeurs de plage sont venus, équipés comme des professionnels, avec tout un harnachement de sacs et de poches, munis d'écouteurs sur les oreilles et tenant à la main un détecteur de métal qu'ils promenaient sur le sable à la recherche d'objets de valeur.

La brise était légère et capricieuse. Vers le large, les baigneurs batifolaient dans les vagues, essayant sans grand succès de se laisser porter par les rouleaux paresseux, et, un peu plus loin, des surfers étaient assis sur leur planche en attendant qu'une grosse vague se forme. Un immense catamaran à voile jaune, avec son équipage de Polynésiens à la peau brillante comme du teck huilé, était amarré un peu plus loin le long de la plage et annonçait son imminent départ à grand bruit en faisant résonner une sorte de conque marine. Au large, en direction de Diamond Head, des gens pagayaient ou se faisaient balader dans des pirogues à balanciers, et une petite silhouette suspendue à un parachute avançait dans le ciel, traînée par un hors-bord. Il était bien difficile de faire le lien entre cette scène de plaisirs innocents et insouciants et les maisons de repos dont je gardais encore l'image à l'esprit, entre tous ces fanas de bains de mer et de soleil qui exhibaient fièrement leur corps et ces personnages émaciés et bavants qui hantaient les chambres et les couloirs sinistres à quelques kilomètres de là seulement. J'avais l'impression d'être un prophète condamné au secret après un séjour au royaume des morts et d'avoir à délivrer un message ou à lancer un avertissement, mais sans savoir quoi dire — sauf peut-être : « Utilisez une crème solaire avec un indice de protection de 15 », message que semblaient déjà connaître d'ailleurs la plupart des gens sur la plage, car ils passaient tous beaucoup de temps à enduire les cellules mortes ou mourantes de leur peau avec de multiples crèmes ou lotions.

Tandis que je pataugeais dans l'eau tiède, sur le bord, scrutant la mer au loin, un baigneur a soudain fait surface à quelques mètres de moi comme un sous-marin, il s'est relevé puis est sorti de l'eau. Il portait un masque de plongée et un tuba ressortait de sa bouche. Il chancelait et agitait les bras frénétiquement, si bien que j'ai pensé d'abord qu'il était en difficulté ; mais il a enlevé son masque et j'ai reconnu Roger Sheldrake. Il s'est avancé vers moi en trébuchant, gêné par d'énormes palmes en caoutchouc qui lui donnaient des airs de poisson terrestre. Il semblait extrêmement heureux de me voir.

« Je m'entraîne à la plongée, a-t-il dit en guise d'explication tandis qu'il se débarrassait de son équipement. Ça fait partie de ma recherche. »

Je lui ai demandé s'il avait vu des poissons intéressants et il m'a répondu que non, seulement des sacs en plastique, mais les conditions n'étaient pas bonnes sur cette plage — l'eau était trop sale. Il y avait un endroit de l'autre côté de Diamond Head qu'on lui avait recommandé, la baie d'Hanauma. « Peut-être que vous aimeriez venir avec moi un jour ? » Je lui ai dit que j'avais déjà bien assez de choses à faire comme ça, et je lui ai raconté brièvement toutes mes aventures depuis mon arrivée à Hawaii. Il a fait un petit claquement de langue d'un air compatissant. « Alors, vous devez avoir besoin de vous détendre un peu après votre tournée des hôpitaux gériatriques. Venez à mon hôtel boire un coup. La direction ne cesse de m'envoyer gracieusement des bouteilles de champagne dans ma chambre. J'en ai toute une réserve. » Je me suis excusé, car j'avais encore à téléphoner aux deux hôpitaux avant mon dîner avec les Miller. Alors, il est allé à un kiosque au fond de la plage et m'a offert un grand gobelet en carton plein de glace pilée parfumée aux fruits, une spécialité du pays, apparemment, que l'on appelle copeaux de glace. Ma glace à moi avait déjà fini de fondre sous le soleil brûlant bien avant que j'atteigne le fond du gobelet. Tout est trop grand dans ce pays : les steaks, les salades, les glaces. On s'en fatigue avant d'arriver au bout.

Nous étions assis l'un à côté de l'autre sur la natte en paille où Sheldrake avait laissé ses vêtements, dégustant nos copeaux de glace, et je lui ai demandé comment allait sa recherche. Il m'a dit que ça marchait très bien, qu'il avait déjà collecté tout un tas d'expressions contenant le mot « paradis ». Il a sorti un calepin de la poche de sa chemise et a débité sa liste : « Fleuriste du Paradis, l'Or du Paradis, les Emballages du Paradis, la Cave du Paradis, le Couvreur du Paradis, Meubles d'occasion du Paradis, Service de Dératisation et de Destruction des Termites du Paradis... » Il avait vu ces noms écrits sur des bâtiments, sur des camions ou dans des publicités de journaux. Je lui ai demandé s'il ne serait pas plus facile de consulter l'annuaire téléphonique d'Honolulu au mot « paradis » et il a paru plutôt blessé. « Ce n'est pas comme ça qu'on procède à une recherche sur le terrain, dit-il. Le but est de s'identifier totalement à son sujet, de découvrir le milieu comme les gens le découvrent, et, en l'occurrence, de laisser le mot "paradis" envahir graduellement votre conscience, par un lent processus d'accumulation. » Je pouvais, lui ai-je répondu, lui signaler les occurrences du mot « paradis » que j'avais moi-même rencontrées, mais sans doute n'était-ce pas convenable ; cependant, il a paru disposé à faire une exception à la règle et je lui ai donc parlé des Pâtes du Paradis. Il a consigné ce nom dans son calepin avec un crayon à bille qui bavait à cause de la chaleur.

A en croire sa théorie, la simple répétition du mot « paradis » parvient à opérer une sorte de lavage de cerveau chez les touristes qui finissent par croire qu'ils sont bel et bien au paradis, en dépit du contraste entre la réalité et l'archétype. Certes, la plage n'avait que peu de ressemblance avec celle présentée sur la couverture de la brochure Travelwise. « En fait, m'a-t-il dit lorsque j'ai fait cette remarque, Waikiki est aujourd'hui l'un des endroits les plus peuplés de la terre. Il n'occupe pas plus d'un tiers de kilomètre carré, ce qui est encore moins que la piste principale de l'aéroport d'Honolulu, mais, quel que soit le moment de la journée, il y a cent mille personnes à y vivre.

« Mais c'est aussi l'un des endroits les plus isolés de la planète, ai-je rétorqué, me souvenant des lumières d'Honolulu qui avaient jailli soudain du gouffre noir dans la nuit du Pacifique. C'est ce qui en fait un lieu si mythique, en dépit de la foule et de tout ce côté mercantile. »

Sheldrake a dressé l'oreille en entendant le mot « mythique ».

« Comme le jardin des Hespérides ou les îles Fortunées dans la mythologie classique, ai-je ajouté. Le pays sans hiver où séjournent les morts bienheureux. On pensait que ce lieu se trouvait au bord le plus à l'ouest du monde connu. »

Cette idée a eu pour effet de l'exciter passablement et il m'a demandé les références. Je lui ai dit de chercher dans Hésiode et dans Pindare, et il a pris note de ces noms dans son calepin, les doigts pleins d'encre.

« Quand on y réfléchit bien, ai-je ajouté, c'est une idée essentiellement païenne et non judéo-chrétienne d'imaginer le paradis comme une île. L'Eden n'était pas une île. Certains spécialistes pensent que les *Insulae Fortunatae* étaient en fait les Canaries.

— Oh, Seigneur, a-t-il dit. Qui oserait les appeler fortunées de nos jours ? Avez-vous visité Tenerife récemment ? »

Quand je lui ai demandé s'il lui arrivait d'emmener sa femme avec lui dans ses voyages de recherche, il m'a répondu d'un ton plutôt sec qu'il n'était pas marié. « Autant pour moi, ai-je rectifié, quelque peu confus, excusez-moi.

— J'ai été fiancé une fois, a-t-il dit, mais elle a rompu nos fiançailles quand je me suis mis à faire ma thèse de doctorat. Elle a dit que je lui gâchais ses vacances à force de les analyser tout le temps. »

Juste à ce moment-là, j'ai eu la surprise d'entendre une voix de femme qui m'appelait : « Salut, Bernard ! » et, en relevant la tête, j'ai vu Sue, flanquée de son amie Dee, qui me souriait. Elles avaient toutes les deux un maillot de bain une pièce tout luisant et un chapeau de paille, et portaient l'habituel attirail de plage dans des sacs en plastique. Je me suis relevé avec empressement pour faire les présentations. Sue a dit qu'elles allaient acheter des billets pour une balade en mer au coucher du soleil et m'a invité ainsi que Sheldrake à se joindre à elles. Elle m'a lancé un petit coup d'œil complice tandis que Dee détournait le regard comme pour indiquer qu'elle ne s'associait pas à cette proposition. Je me suis excusé, mais j'ai encouragé Sheldrake à y aller. Il ne s'est pas trop fait prier. Il a l'air d'être aussi seul que moi, et de le supporter encore moins bien.

Suis allé voir papa cet après-midi à Saint-Joseph. Quand je suis arrivé dans sa chambre, il était en train de recevoir la communion des mains d'un aumônier de l'hôpital. Situation inconfortable. Je suis resté près de la porte, me demandant si je ne pouvais pas m'éclipser discrètement, mais papa m'a aperçu et a dit quelque chose au prêtre qui a souri et m'a fait signe d'approcher. C'était un homme assez jeune, un peu rond, aux cheveux coupés court. Il portait une étole par-dessus une chemise grise de clergyman et un pantalon noir. Un adolescent en jeans et baskets, qui avait l'air de mourir d'ennui, lui servait d'acolyte. C'était bizarre de les voir accomplir ces gestes familiers ; j'avais l'impression de voir une réincarnation de moi-même. (Pourquoi ai-je si souvent l'impression d'être un fantôme ces temps-ci ?) Papa a fermé les yeux et tendu la langue pour recevoir l'hostie selon le rite traditionnel. Il n'avait jamais voulu recevoir l'hostie dans la main, comme on le fait depuis Vatican II — une combine irrespectueuse digne des protestants, disait-il avec mépris.

Après avoir refermé le couvercle du ciboire, le prêtre a posé la main sur la tête de papa et a commencé à prier à haute voix pour sa guérison. J'ai reconnu là la marque des charismatiques. Papa, pris au dépourvu, s'est mis à secouer la tête comme un cheval effarouché, mais l'aumônier a plaqué sa tête contre l'oreiller et poursuivi sa prière. J'ai résisté à la tentation de sourire devant la déconfiture de papa. Lorsque le prêtre a eu fini, il s'est tourné vers moi et m'a demandé si je voulais prier. J'ai fait non de la tête. Ça a été alors au tour de papa de faire un petit sourire, un sourire sardonique.

Le prêtre s'est présenté en disant qu'il était le père Luke McPhee. Il a dit qu'il remplaçait l'un des aumôniers de l'hôpital, parti faire un stage en Californie, et que c'était pour lui un réel privilège, car les malades semblaient apprécier l'eucharistie beaucoup plus que ses paroissiens à la messe du dimanche. J'ai bredouillé une réponse plus ou moins appropriée, mais peut-être n'ai-je pas paru très convaincu ni convaincant, car il m'a regardé droit dans les yeux comme un officier en uniforme qui croit reconnaître un déserteur sous les habits du civil.

J'ai filé ensuite au Geyser pour voir Ursula. Je ne suis pas rentré dans les détails au sujet des maisons de repos — j'ai simplement dit qu'elles ne convenaient pas et que j'en verrais deux autres demain. Elle s'est inquiétée de papa. Apparemment, elle a essayé de l'avoir au téléphone ce matin et quelqu'un à Saint-Joseph lui a répondu qu'il n'était pas disponible. Elle a laissé un message mais il n'a pas rappelé. Je lui ai dit qu'il n'avait pas le téléphone dans sa chambre et elle a rétorqué qu'on lui en apporterait un s'il le demandait. Ça la chagrinait beaucoup de n'être qu'à quelques kilomètres de son frère — « si près et si loin à la fois — ce serait tellement bien de pouvoir causer un peu ». J'ai dit que papa n'avait jamais été très fort pour bavarder au téléphone, ce qui est parfaitement exact, peut-être parce qu'il a passé presque toute sa vie active avec des sonneries de téléphone qui lui perçaient les oreilles. Mais il ne m'avait rien dit du message qu'il aurait reçu d'Ursula.

Elle a éprouvé une petite pointe de jalousie quand je lui ai dit qu'il avait reçu la communion. Elle a dit que l'aumônier catholique venait au Geyser à peu près tous les trente-six du mois. Elle aimerait être dans un hôpital catholique mais son assurance médicale l'oblige à se faire soigner au Geyser. Je lui ai dit que j'étais sûr que le père Luke accepterait de lui rendre visite, mais elle devrait supporter l'imposition des mains. Elle a dit qu'elle n'aimait pas beaucoup ce genre de chose, que c'était pour elle une religion à la Billy Graham. « Mais ça se répand très vite dans l'Église catholique, semble-t-il. Quand j'ai recommencé à aller à la messe, il y a quelques années, je ne reconnaissais pas la liturgie. Pour moi, ça ressemblait davantage à un concert public. Il y avait toute une troupe de gosses autour de l'autel avec des tambourins et des guitares, et ils chantaient ces espèces de chansons qu'on chante autour d'un feu de camp, pas les bons vieux cantiques dont je me souvenais, comme *Divin Sauveur* et *Oh, l'Auguste Sacrement*. Et la messe était en anglais, pas en latin, et il y avait même une femme à l'autel qui lisait l'épître, et le prêtre disait la messe face aux fidèles — j'ai été très gênée de le voir mâchonner l'hostie. Quand j'étais jeune, au collège, on nous disait de ne jamais toucher l'hostie avec les dents. Il fallait s'arranger pour la renvoyer en arrière avec la langue et l'avaler. »

Je lui ai dit que c'était une vieille superstition que l'on avait fait disparaître de la préparation à la petite communion il y a de nombreuses années. Je lui ai fait une petite mise au point sur la théologie moderne de l'eucharistie : l'importance du partage de la nourriture dans la culture juive, la place de l'*agapé*, la fête de l'amour, dans la vie des premiers chrétiens, l'effort malencontreux de la scolastique pour trouver un fondement aristotélicien à l'eucharistie, ce qui avait conduit à la doctrine de la transsubstantiation et à la réification superstitieuse de l'hostie consacrée. Je parlais de plus en plus comme un professeur au collège Saint-Jean, et je voyais qu'Ursula était de plus en plus nerveuse, mais, curieusement, je n'arrivais pas à trouver un registre plus approprié. Quand j'ai eu fini, elle a demandé : « Les juifs, qu'est-ce qu'ils viennent faire dans tout ça ? » J'ai dit que Jésus était juif. Elle a dit : « J'imagine que oui, mais, bizarrement, je ne l'ai jamais considéré comme tel. Il n'a pas l'air juif sur le suaire de Turin. » Je lui ai dit qu'on avait récemment prouvé que le suaire de Turin était un faux créé de toutes pièces au Moyen Age. Elle est restée silencieuse un moment, puis elle a dit : « Est-ce que cette chipie de Sophie Knoepflmacher met encore son nez dans mes affaires ? »

Il est parfois bien difficile d'aimer les vieilles personnes ignorantes et pleines de préjugés, même quand elles sont malades et désemparées.

Suis retourné à l'appartement afin de me préparer pour ma visite chez les Miller. A 5 heures 15, j'étais prêt : douché, barbe taillée, chemise changée. Je me suis demandé si je devais mettre une cravate, mais j'ai décidé que non : trop chaud. Pour tuer le temps, j'ai consigné dans ce journal les événements de la journée. Il est maintenant 6 heures 15. Je me sens étrangement nerveux, excité, comme si j'attendais quelque chose. Pourquoi ? Peut-être parce que je n'ai parlé à personne de l'invitation — ni à papa, ni à Ursula, pas même à Mme Knoepflmacher qui a frappé à ma porte il y a un instant pour m'apporter une salade au thon que j'ai acceptée avec gratitude et mise aussitôt au réfrigérateur. J'ai un peu l'impression de faire l'école buissonnière, ou de fraterniser avec l'ennemi. Ce doit être ça.

Dix heures du soir

Je viens de rentrer de mon dîner chez Yolande Miller. Soirée intéressante, et somme toute agréable, même si la fin a été un peu brusquée et peu satisfaisante. Entièrement de ma faute. Je me sens nerveux et mécontent de moi ; et bizarrement, je n'ai pas envie de dormir — à cause du décalage horaire, sans doute. Je suis sûr que si j'allais me coucher, je ne dormirais pas, alors autant écrire mes impressions sur cette rencontre tant qu'elles sont encore fraîches dans mon esprit.

La maison des Miller est une de ces nombreuses petites constructions en bois carrées à un seul étage, nichée au flanc d'une étroite crevasse humide, au bout d'une vallée dans les collines qui dominent Waikiki, juste au-dessus de l'Université. La route monte progressivement ; elle devient très raide à la fin et si tortueuse que je me suis demandé plus d'une fois si ma vieille Honda allait réussir à négocier le tournant suivant. Le climat là-haut n'est pas le même qu'à Waikiki, plus humide et plus moite. La végétation est dense et luxuriante. « Bienvenue dans notre forêt tropicale ! » a crié Yolande du porche de sa maison tandis que je montais le sentier en escalier menant de la route à la maison, un sentier glissant jonché de feuilles et de pétales d'hibiscus. Elle m'a appris qu'il pleut presque tous les jours, mais rarement pendant très longtemps. Les nuages rasent le sommet des collines et de temps en temps déversent une petite ondée. « Par habitude, a-t-elle dit, comme un chien qui pisse contre un poteau. » Les appareils ménagers rouillent, les livres moisissent, et le vin tourne au vinaigre. « Je déteste ça, a-t-elle ajouté, mais je suis clouée ici. »

Il ne pleuvait pas ce soir, cependant, et de la véranda (ou plutôt du *lanai* a dit Yolande en accentuant bizarrement le mot comme si elle ne voulait pas se prendre au sérieux en utilisant ce terme local), on avait une vue superbe du soleil qui se couchait derrière Waikiki, colorant de rose et de mauve l'amas serré des gratte-ciel. De là-haut, on voit à quel point Waikiki est compact et anachronique. On dirait un Manhattan en miniature, propre et net comme une maquette d'architecte, surgi là comme par magie d'une plage tropicale. Yolande m'a montré du doigt la ligne du canal Ala Wai qui limite la ville côté terres. « On a construit le canal pour draîner les marais — c'est ce qui a rendu Waikiki habitable. Avant, c'était infesté de moustiques. Mais, en termes de planning, ç'a été un coup de génie, car non seulement ça attire les touristes mais ça les parque dans un seul endroit, si bien qu'ils sont obligés de dépenser leur argent dans les hôtels et les boutiques de Waikiki, et ils ne nous gênent pas trop, nous les autochtones. Mon mari m'a expliqué cela un jour. Il est géographe. »

J'ai bientôt compris qu'elle était séparée de son mari et que le « nous » de l'invitation faisait référence à Roxy, sa fille de seize ans, à qui j'ai été présenté comme étant le « M. Walsh dont le père a eu cet accident. » Roxy m'a regardé avec curiosité et s'est inquiétée poliment de la santé de papa. Son père à elle a apparemment quitté Yolande il y a un an pour une femme plus jeune, une assistante de son département à l'Université. Les procédures de divorce ont été retardées par des litiges à propos du règlement financier, litiges que Yolande reconnaît faire traîner.

« Il voudrait que je parte, que je disparaisse de sa vie, que j'accepte le divorce le plus vite possible, prenne ma part de la maison et retourne sur le continent. Mais je n'ai pas l'intention de lui faciliter les choses. Pourquoi le ferais-je ? Je veux lui rendre les choses difficiles. Je veux qu'il ait honte. Je veux lui faire mal. Je veux qu'il sache que, chaque fois qu'il va au supermarché, au drugstore ou à une réception à la fac, il risque de me trouver sur son chemin. Je tiens en réserve pour lui — ou pour elle — un regard mauvais. Je m'exerce devant la glace de la salle de bains. Pas très adulte comme comportement, vous pourriez me dire, surtout chez une thérapeute, et vous auriez raison. Mais j'ai été terriblement blessée. Je me suis sentie trahie. Je connaissais la fille, vous comprenez. C'était une des thésardes de Lewis. Elle venait souvent à la maison. Je la considérais comme une amie. »

Je dois dire qu'elle avait ingurgité pas mal d'alcool avant d'atteindre ce degré de franchise. Un gin tonic bien tassé avant le dîner (à supposer que le sien ait été aussi tassé que celui qu'elle m'avait préparé) et plus de la moitié de la bouteille de Beaujolais que j'avais apportée. Nous en étions au fromage et aux fruits. La suspension, ramenée très bas au-dessus de la table, projetait un cercle de lumière éclatant sur la flaque jaune du camembert qui coulait, mais son visage restait dans l'ombre. Nous étions seuls. Roxy avait expédié très vite sa salade et sa blanquette de poulet au citron pour partir avec des amis à un cinéma en plein air. (« Ne rentre pas tard », lui avait dit Yolande, pendant qu'un klaxon de voiture s'égosillait sur la route en dessous de la maison et que Roxy se relevait brusquement. « Tard, c'est quoi ? — Dix heures. — Onze heures. — Dix heures et demie. — Onze heures moins le quart », avait crié Roxy du porche tandis que la porte grillagée claquait derrière elle. Yolande avait soupiré et fait la grimace. « Ça s'appelle une négociation familiale », avait-elle dit.)

Roxy (diminutif de Roxane), une belle fille au teint mat et aux cheveux noirs et luisants comme sa mère, est un autre facteur dans leur impasse conjugale. Bien que, au dire de Yolande, elle désapprouve l'attitude de son père, elle le voit régulièrement et ne veut pas perdre contact avec lui. Il y a bien un autre enfant, un fils plus âgé nommé Gene, étudiant dans une université de Californie, qui, pour le moment, exerce un job d'été dans un parc régional, mais c'est Roxy qui est au centre des préoccupations de Yolande.

« J'ai peur que si je l'éloigne d'Hawaii, elle m'en veuille. Je crois qu'elle espère en secret qu'un jour ou l'autre Lewis et moi reprendrons la vie commune.

— Est-ce une éventualité ? ai-je eu l'audace de demander.

— Non, a-t-elle répondu, en avalant sa dernière goutte de

Beaujolais. Je ne crois pas. Mais parlez-moi un peu de vous, Bernard, êtes-vous marié ? »

J'ai fait non de la tête.

« Divorcé ? Veuf ?

— Non, seulement célibataire. » Quelque chose, je ne sais quoi — je suppose que j'avais moi aussi dépassé ma dose habituelle d'alcool — m'a poussé à ajouter : « Je ne suis pas pédé non plus. »

Elle a ri et dit : « Je n'ai jamais pensé que vous l'étiez. Sinon, je ne vous aurais pas fait venir ici pour vous soumettre à toutes mes ruses de femme.

— De quelles ruses voulez-vous parler ? » ai-je demandé d'une voix rauque. La panique m'avait pris à la gorge. Par pitié, ne la laissez pas se jeter à mes genoux, ai-je prié intérieurement — (prié qui ?) — surtout pas ça. J'étais en train de passer une bonne soirée, j'appréciais cette excellente nourriture, ce vin, sa charmante compagnie, je me sentais en vacances et j'avais oublié mes devoirs envers Ursula et papa. J'avais peur maintenant qu'elle gâche tout en me faisant des avances sexuelles auxquelles je ne serais pas en mesure de répondre, elle allait être blessée, j'allais devoir partir, et on ne se reverrait plus jamais. Je tenais à la revoir. Je sentais que je pouvais m'en faire une amie, et j'ai cruellement besoin d'amis.

« Oh, la nourriture, la nappe et les serviettes, les lumières tamisées... Vous ne savez sûrement pas la chance que vous avez de pouvoir manger un vrai camembert français à Honolulu. Et, pour tout vous dire, je pensais que j'étais plutôt jolie dans cette robe. Roxy a dit que c'était un amour de robe.

— C'est une très jolie robe », ai-je dit lamentablement, sans la regarder. J'avais la vague impression qu'elle était soyeuse, dans les tons grenat.

Elle a ri de nouveau. « O.K. Venons-en au problème qui nous intéresse ce soir. Allez-vous oui ou non me poursuivre ? »

Il m'a fallu quelques secondes avant de comprendre ce qu'elle voulait dire. Alors, ç'a été à mon tour de rire, soulagé.

« Bien sûr que non. Nous étions en tort. Nous traversions la rue au mauvais endroit.

— Oui, je sais. Mais les flics ont testé mes freins après votre départ en ambulance, et ils n'ont guère paru impressionnés. Je ne devrais sans doute pas vous dire ça, mais ça n'aurait rien changé au moment de l'accident, croyez-moi. Votre père s'est littéralement jeté contre l'aile de ma voiture et je n'ai pas eu le temps de freiner.

— Je sais, ai-je dit, me rappelant la séquence des événements, le choc atroce et le crissement des pneus.

— Mais c'est le genre de chose que les avocats exploitent. Je n'ai pas fait vérifier la voiture depuis un bon moment. La situation n'est pas rose parfois, Lewis n'assurant plus sa part de corvées, et je n'ai pas trouvé le temps de faire vérifier les freins. La pire des choses pour moi serait de me retrouver embringuée dans un procès. Je ne peux pas me le permettre. Les gens ne vous ont pas dit que vous devriez me poursuivre en justice ? »

J'ai reconnu que oui, mais j'ai répété que je n'avais aucune intention de le faire.

« Merci, a-t-elle dit en souriant. C'est bizarre, mais j'ai tout de suite pensé que vous étiez un type honnête. Il n'en reste pas tant que ça. »

Son visage est métamorphosé chaque fois qu'elle sourit. Quand ses traits sont au repos, sa bouche volontaire lui donne un air un peu agressif, presque lugubre, mais quand elle sourit, tout son visage s'illumine, ses lèvres charnues se retroussent au-dessus du croissant de ses dents blanches et ses yeux marron foncé semblent pétiller.

Pendant que nous prenions le café, elle m'a raconté l'histoire de sa vie dans ses grandes lignes. Elle est née et a été élevée dans un faubourg cossu de New York, son père était avocat et se rendait à Manhattan tous les jours pour son travail. « Le nom de mon père est Argument, vous le croirez si vous voulez. Quand j'étais jeune fille, je m'appelais donc Yolande Argument. Lewis aimait à dire que ce nom m'allait à la perfection. C'était un nom huguenot, à l'origine. » Elle est allée faire ses études universitaires à Boston au milieu des années soixante, a adopté des positions extrémistes comme on savait le faire à l'époque, a terminé une licence de psychologie puis s'est lancée dans une maîtrise avant de rencontrer Lewis Miller, un autre étudiant qui préparait son doctorat de géographie. Ils ont vécu ensemble et, lorsque Yolande est tombée enceinte accidentellement, ils se sont mariés. Pendant les premières années de leur mariage, Yolande a travaillé dans un bureau pour payer les études de Lewis, et du coup, elle n'a donc pas pu terminer son propre doctorat. « On aurait pu espérer un peu de reconnaissance de la part de cet enfant de putain, vous ne croyez pas ? C'était trop demander. » L'un des points litigieux qu'il leur reste à présent à régler dans leur procès en divorce vient du fait que Yolande exige des compensations financières pour un doctorat qu'elle n'a pas pu terminer et pour le manque à gagner qui en découle dans son travail. « Mon avocate — j'ai choisi une femme — trouve la cause très excitante. »

Dans les années soixante-dix, Yolande s'est lancée à corps perdu dans le Mouvement de libération des femmes. « J'étais mûre pour ça. Mais au lieu d'appliquer les enseignements du mouvement et de retourner à l'université, j'ai investi toutes mes énergies dans le mouvement lui-même — réunions, manifs, ateliers. Pendant un temps, j'ai cru que j'allais être une artiste féministe. Je faisais des collages avec des couches, des tampax, des collants et des pages arrachées à des revues féminines. Seigneur, que de temps j'ai gaspillé ! Lewis a été malin, lui. Pendant que je me défonçais avec mes sœurs de combat, il s'est attelé à la tâche et a fait avancer sa carrière. Dès qu'il a eu fini son doctorat, il a été nommé assistant dans son département. Il n'avait aucun problème avec le MLF. Les autres femmes de mon groupe m'enviaient même, il semblait si domestiqué. Il partageait toujours avec moi la cuisine et les courses. En fait, il adorait cuisiner, il adorait faire les courses. »

Un jour, Lewis est revenu d'un grand congrès à Philadelphie et a annoncé qu'on lui avait offert un excellent poste de maître de conférences titulaire à l'université d'Hawaii. « Il mourait d'envie d'accepter. C'était une promotion et l'endroit convenait parfaitement à son domaine de recherche — il est climatologue. Pour moi, l'idée d'aller vivre à Hawaii me semblait étrange — je veux dire que ça ne me paraissait pas être un endroit sérieux où l'on puisse faire du travail sérieux. C'était pour moi un lieu où passer ses vacances ou sa lune de miel quand on est un peu vieux jeu, qu'on a du fric et qu'on ne craint pas les longs voyages en avion. C'était une station balnéaire. La dernière station, le terminus. C'est exactement ça, vous savez. C'est là que finit l'Amérique, que finit l'Ouest. Si vous poursuivez votre route après Hawaii, vous allez vous retrouver à l'Est, au Japon, à Hong-kong. Nous sommes ici au bord de la civilisation occidentale, cramponnés à cette paroi comme des alpinistes... Mais je voyais bien que Lewis brûlait d'envie d'accepter cette offre et qu'il me le reprocherait toujours si je refusais d'y aller. C'était le creux de l'hiver en Nouvelle-Angleterre, j'étais enrhumée et les gosses étaient eux aussi enrhumés, et ça ne paraissait pas une si mauvaise idée que ça d'aller passer quelques années à Hawaii — Lewis a promis qu'il resterait cinq ans au plus. Alors j'ai accepté.

» Dès que nous sommes arrivés ici, j'ai su que c'était une erreur — pour moi, en tout cas. Lewis, lui, était ravi. Il adorait le climat, il adorait le département — la compétition était moins rude que dans l'Est parmi les professeurs, et ses étudiants avaient pour lui un respect immense. Nos gosses étaient ravis, eux aussi — baignade, surf et pique-niques toute l'année. Mais je n'ai jamais été heureuse ici. Pourquoi ? Avant tout, parce que c'est ennuyeux. Ouais, c'est ce qui est étonnant. Le paradis est ennuyeux, mais vous n'avez pas le droit de le dire. »

Je lui ai demandé pourquoi. Elle a répondu : « pourquoi c'est ennuyeux, ou pourquoi on n'a pas le droit de le dire ? » Je lui ai dit : les deux. « C'est ennuyeux pour la bonne raison que ce pays n'a aucune véritable identité culturelle. La culture polynésienne primitive a plus ou moins été balayée, parce qu'elle était orale. Les Hawaiiens n'avaient pas d'alphabet jusqu'au jour où les missionnaires en ont inventé un pour eux, et cet alphabet a servi à traduire la Bible, pas à consigner les mythes païens. Les bâtiments les plus vieux datent du XIXᵉ siècle, et encore sont-ils rares. Tout ce qui reste de mille ans d'histoire hawaiienne avant l'arrivée du capitaine Cook, ce sont quelques hameçons, des haches et des morceaux d'étoffe *tapa* exposés au musée de L'Évêché. J'exagère, mais à peine. Il y a beaucoup de *géographie* ici, de superbes volcans, des chutes d'eau, des forêts tropicales — c'est pour ça que Lewis s'y plaît tant —, mais peu d'histoire, d'histoire dans le sens d'une continuité. Tout ce qu'il y a, c'est une multitude d'éléments ethniques disparates qui sont venus ici à des époques différentes pour des raisons différentes — *haole,* Chinois, Japonais, Polynésiens, Mélanésiens, Micronésiens —, ballottés comme des épaves dans les eaux tièdes de la culture américaine, de la société de consommation.

« La vie ici est incroyablement douce. Il n'y a eu aucun événément important à Hawaii depuis Pearl Harbor. Les années soixante sont passées pratiquement inaperçues. Les nouvelles du reste du monde prennent tellement de temps à parvenir jusqu'ici que, lorsqu'elles arrivent, ce ne sont déjà plus des nouvelles. Pendant que nous lisons le journal du lundi, on imprime déjà à Londres les gros titres du mardi. Tout semble se passer si loin de

157

nous qu'il est difficile de se sentir impliqués. Si la Troisième Guerre mondiale éclatait, vous trouveriez vraisemblablement la nouvelle dans une page intérieure du *Honolulu Advertiser*, et la une porterait sur les impôts locaux qui augmentent. Ça vous donne le sentiment d'être hors du temps, en quelque sorte, comme si vous vous étiez endormi et que vous vous retrouviez à votre réveil dans une sorte de pays de rêve, le pays du lotus où tous les jours se ressemblent. C'est peut-être pour ça que tant de gens viennent prendre leur retraite à Hawaii. Ça leur donne l'illusion qu'ils ne vont pas mourir, parce qu'ils sont déjà morts en quelque sorte, du fait même qu'ils sont ici. C'est la même chose avec l'absence de saison. Nous avons toutes sortes de temps, toutes sortes de climats, mais pas de saisons à proprement parler. Les saisons vous rappellent que le temps passe. Vous ne pouvez pas savoir à quel point l'automne de la Nouvelle-Angleterre me manque. Les feuilles d'érables qui tournent au rouge, au jaune, au marron, qui tombent des arbres et laissent les branches noires et nues. Viennent alors les premières gelées. La neige. Le patinage en plein air. Puis le printemps, les pousses qui apparaissent, les bourgeons, les fleurs... Ici, il y a des fleurs pendant toute la putain d'année. Excusez-moi », a-t-elle dit en me voyant peut-être sourciller devant ce juron.

« C'est la fièvre du rocher qui me fait parler ainsi. La fièvre du rocher, c'est comme ça qu'on appelle la maladie des gens d'ici, paniqués à l'idée de se savoir à trois ou quatre mille kilomètres du continent le plus proche, ce besoin désespéré de fuir. C'est une sorte de fléau social qui touche les plus vieux profs d'ici, les gens vous fuient si vous avez attrapé cette maladie, parce que, implicitement, c'est un jugement porté sur eux, sur le fait qu'ils se soient installés ici. Ou peut-être pensent-ils que c'est une maladie contagieuse. Peut-être l'ont-ils déjà mais ils camouflent les symptômes. Officiellement, nous avons, paraît-il, une chance inouïe d'être ici, dans ce merveilleux climat, mais il vous arrive parfois de prendre les gens par surprise et vous les voyez, le regard un peu triste, les yeux perdus dans le vague. La fièvre du rocher.

» J'ai fait de mon mieux pour m'adapter. J'ai suivi des cours sur la culture hawaiienne, j'ai même un peu appris la langue, mais j'ai été vite ennuyée, ennuyée et déprimée. Il reste si peu de choses authentiques. L'histoire d'Hawaii est l'histoire d'une perte.

— Le paradis perdu ? ai-je demandé.
— Le paradis volé. Le paradis violé. Le paradis pourri. Le

paradis acheté, développé, mis en paquets, le paradis vendu. Bref, j'ai pensé un moment retourner à l'université pour échapper à l'ennui, finir ma thèse, mais, vous comprenez, je me suis sentie trop vieille ; trop de temps avait passé, je ne me voyais pas redevenir étudiante et me mettre à lécher les bottes des professeurs, et, de toute façon, il n'y avait personne ici dans mon domaine qui vaille la peine qu'on lui lèche les bottes. Je voulais un boulot. Je voulais avoir un peu d'argent à moi et ne pas dépendre de Lewis pour tout. J'avais peut-être des prémonitions. Un jour, j'ai trouvé une annonce pour un travail à mi-temps comme conseillère au centre social des étudiants à l'université d'Honolulu. Je n'étais pas vraiment qualifiée, je n'avais aucune expérience clinique, mais, sur le papier, mes qualifications ont fait grosse impression, et je pouvais me prévaloir de pas mal d'expériences sur le continent dans le cadre du MLF, comme ces ateliers d'autothérapie ou ces T groupes. De toute façon, l'université ne payait pas beaucoup et ne pouvait donc pas se permettre d'être trop difficile. J'ai donc obtenu le poste et j'ai appris mon travail sur le tas. Je plains les pauvres gosses que j'ai conseillés la première année, j'étais l'aveugle guidant d'autres aveugles. »

Je lui ai demandé quel genre de problèmes elle avait à traiter.

« Oh, les problèmes habituels : l'amour, la mort, l'argent. Plus un problème local : les conflits raciaux. Tout le monde parle ici d'une société multiraciale, d'un melting-pot. Ne le croyez surtout pas. Encore du café ? »

J'ai refusé et dit que j'allais devoir partir.

« Oh, mais vous n'allez pas partir déjà ! s'est-elle écriée. Je vous ai raconté l'histoire de ma vie. C'est votre tour maintenant. » Elle a lancé ça sur un ton badin, mais en fait elle ne plaisantait pas totalement. Et sa demande était justifiée. C'était précisément parce que je craignais d'avoir à payer en espèces ses aveux fascinants que j'avais fait le geste de m'en aller. J'ai esquissé un sourire et dit que mon histoire était ennuyeuse.

« Où habitez-vous en Angleterre ?

— Dans un endroit appelé Rummidge, une grosse ville industrielle au centre du pays. Très grise, très sale, et souvent très laide. On ne saurait imaginer sur terre un coin plus différent d'Hawaii.

— Vous avez du brouillard là-bas ?

— Pas très souvent. Mais la lumière est toujours brouillée en été, dense et opaque en hiver.

— J'ai eu autrefois un imperméable appelé "fog londonien". Je l'ai acheté à cause du nom, ça paraissait romantique. Ça m'a fait penser à Charles Dickens et à Sherlock Holmes.

— Rummidge n'a rien de romantique.

— Je ne l'ai jamais porté ici. Bien qu'il pleuve tout le temps, il fait toujours trop chaud pour porter un imperméable, alors je l'ai donné à l'Armée du Salut. Rummidge est votre ville natale ?

— Non, non. Je n'y suis que depuis quelques années. J'enseigne la théologie dans un collège œcuménique.

— La théologie ? (Elle m'a lancé un regard auquel je ne suis que trop habitué, un regard où défilaient tout à la fois de la surprise, de la curiosité et le spectre de l'ennui.) Êtes-vous pasteur ?

— Je l'ai été autrefois, ai-je répondu. Mais plus maintenant. (Je me suis levé pour partir.) Merci beaucoup de m'avoir invité. J'ai passé une soirée très agréable, mais il faut absolument que je m'en aille. J'ai beaucoup à faire demain.

— Bien sûr », a-t-elle dit avec un sourire et un haussement d'épaules. Elle a peut-être pris cela pour une rebuffade mais en tout cas elle ne l'a pas montré. On s'est serré la main sous le porche et elle m'a demandé de dire bien des choses à papa, « s'il peut encore supporter d'entendre parler de moi. »

J'ai roulé comme un fou en redescendant la route raide et tortueuse ; les pneus crissaient et la lumière des phares ricochait sur les panneaux de signalisation, mais j'étais en colère après moi et il fallait que je me défoule. Je trouvais que j'avais été maladroit et indélicat. Je le pense toujours. J'aurais dû lui retourner ses confidences. J'aurais dû lui raconter toute mon histoire. Lui dire quelque chose comme ça :

Je suis né et j'ai été élevé dans le sud de Londres dans une famille de quatre enfants descendant en deuxième génération d'immigrés irlandais. Nos parents occupaient dans l'échelle sociale un rang assez bas, juste au-dessus de la classe ouvrière. Mon père était employé au service des messageries dans une entreprise de transport routier. Ma mère a travaillé pendant plusieurs années comme dame de cantine dans une école. Ce sont leurs enfants qui leur ont permis de s'élever au-dessus de leurs pairs. Nous étions tous des enfants brillants, doués pour les études, et nous avons passé nos examens haut la main. Nous avons été dans des écoles secondaires catholiques conventionnées ou des couvents. Mon frère aîné est allé à l'université, mes sœurs dans des écoles normales. On avait toujours vaguement pensé dans la famille que je deviendrais prêtre. J'étais un garçon assez pieux — enfant de chœur, je servais régulièrement la première messe, je collectionnais les indulgences et faisais des neuvaines. J'étais aussi un bûcheur. A quinze ans, j'ai décidé que j'avais la vocation. Je pense maintenant que c'était pour moi la meilleure façon de traiter d'un seul coup tous les problèmes de l'adolescence. J'étais troublé par ce qui se passait dans mon corps et par les pensées qui circulaient dans mon esprit. J'étais très préoccupé par l'idée du péché, je savais avec quelle facilité on y succombe et connaissais les conséquences qui en résultent quand on meurt en état de péché mortel. Voilà ce que fait de vous une éducation catholique — ce qu'elle faisait à mon époque, en tout cas.

J'étais fondamentalement paralysé par la peur de l'enfer et l'ignorance du sexe. Il y avait bien les habituelles cochonneries que les garçons se disaient dans la cour de récréation et derrière les abris à bicyclettes, mais je n'y étais jamais associé. C'était comme si les autres comprenaient que j'étais voué au célibat, ou peut-être qu'ils avaient peur que je moucharde. Toujours est-il que je n'arrivais pas à me glisser spontanément dans ces petits groupes où les plaisanteries paillardes et les magazines pornos déclenchaient de gros rires et où, peut-être, certaines connaissances se transmet-

161

taient au milieu de toutes ces paillardises. Je ne pouvais pas parler à mes parents : le sexe était un sujet qu'ils n'évoquaient jamais. J'étais trop timide pour demander à mon frère aîné, et de toute façon il était à l'université pendant toute cette période cruciale. J'étais incroyablement ignorant et craintif. J'ai dû me dire, j'imagine, qu'en me consacrant à la prêtrise j'allais résoudre tous mes problèmes d'un seul coup : sexe, éducation, carrière et salut éternel. Du moment que je m'étais fixé pour but de devenir prêtre, je ne pouvais pas, comme on disait, « m'égarer ». Compte tenu de ce que je savais, c'était une décision parfaitement logique.

Sur les conseils du curé de notre paroisse et d'un monseigneur responsable des vocations dans le diocèse, j'ai quitté l'école un an avant la fin de mes études secondaires et suis rentré dans une sorte d'internat dépendant du séminaire proprement dit et faisant office de juvénat. Il fallait avant tout protéger le jeune aspirant à la prêtrise des dangereuses influences du monde et de ses tentations, les filles surtout, et ça a plutôt bien marché. Je suis passé directement du juvénat au grand séminaire et du grand séminaire au collège anglais de Rome — c'était ma récompense pour avoir été le premier de la classe en théologie et en philosophie. J'ai été ordonné à Rome, puis envoyé à Oxford pour faire un doctorat de théologie, résidant dans une institution de Jésuites, travaillant sous la direction d'un jésuite, n'ayant que peu de rapports avec la vie de l'université en général. On me préparait assidûment à tenir un rôle académique au sein de l'Église, mais normalement j'aurais dû être envoyé en paroisse comme vicaire pendant au moins quelques années après avoir terminé mes études. C'est à ce moment-là que le théologien distingué qui avait été mon professeur dans mon ancien séminaire s'est brusquement révolté, a quitté les ordres à la suite des débats provoqués par *Humanæ Vitæ* et, peu après, s'est excommunié de lui-même en épousant une ancienne religieuse ; ainsi donc, il y avait un poste vacant à Saint-Ethelbert qu'on s'empressa bien vite de me confier.

J'étais de retour à la case départ, à Ethel (comme nous appelions notre *alma mater*), et j'y suis resté douze ans. Ajoutez ça à mes années d'études et vous comprendrez que j'ai passé presque toute ma vie adulte entièrement coupé des réalités et des soucis du monde et de la société moderne. C'était une vie proche de celle que devait connaître un professeur d'Oxford en pleine époque victorienne : une vie de célibat, un univers masculin, de nobles idéaux mais sans ascétisme pour autant. La plupart de mes collègues savaient commander une bonne bouteille de vin ou discuter des mérites respectifs de plusieurs marques de malts à l'occasion. Le bâtiment lui-même était une sorte de réplique d'un collège d'Oxford ou de Cambridge, un vénérable édifice néo-gothique érigé au milieu d'un petit parc. A l'intérieur, l'ambiance était moins intimidante, à mi-chemin entre l'internat et l'hôpital : sols carrelés, peinture laquée sur les murs, salles de cours portant des noms de martyrs anglais : *Salle More, Salle Fisher*, etc. Le dimanche matin, des odeurs de viande grillée et de chou bouilli s'échappaient des cuisines et se mêlaient aux effluves d'encens provenant de la chapelle du collège.

La vie était régulière, ordonnée, répétitive. On se levait tôt, on faisait une demi-heure de méditation, on concélébrait la messe dans la chapelle à huit heures, on prenait le petit déjeuner (repas d'autant plus apprécié des professeurs qu'il se prenait sans les élèves), on faisait ses cours, rarement plus de deux par jour, et on rencontrait les élèves sur rendez-vous pour des séances de tutorat. Le déjeuner était un repas communautaire, de même que le souper, mais le thé de l'après-midi était servi dans la salle des professeurs. A bien y réfléchir, on mangeait beaucoup trop, et pourtant la nourriture était bourrative et sans raffinement. Les après-midi étaient généralement libres. On pouvait aller faire un tour dans le parc, rattraper son retard de corrections, ou encore travailler à un article pour une revue théologique. Après le souper, on se réunissait généralement dans la salle des professeurs et on regardait la télévision, ou on se retirait dans sa chambre pour lire. (Mes collègues prenaient volontiers pour se détendre des romans policiers ou des biographies, mais, moi, j'avais un goût marqué pour la poésie, goût qui me venait de ma dernière classe d'anglais au juvénat. Je me dis souvent que je serais peut-être devenu professeur d'anglais dans une école secondaire catholique si je n'étais pas devenu prêtre.) Lorsque quelqu'un d'important, comme l'évêque, nous rendait visite, nous avions droit aux boissons alcoolisées. De temps en temps on s'offrait un gueuleton discret dans un restaurant du coin. C'était une vie civilisée, digne, non dénuée d'intérêt. Les étudiants vous regardaient avec beaucoup de respect. Ils n'avaient, après tout, rien d'autre à regarder. Nous étions les maîtres de notre minuscule royaume artificiel.

Bien sûr, nous ne pouvions ignorer complètement le fait que

les vocations déclinaient, que les étudiants partaient en cours d'études de plus en plus fréquemment et que les prêtres ordonnés quittaient la prêtrise ou l'Église en nombre croissant. Quand il s'agissait de quelqu'un que vous connaissiez personnellement, quelqu'un avec qui vous aviez fait vos études ou qui avait été votre professeur, ou encore dont vous aviez lu et admiré les travaux, c'était toujours un choc. C'était comme dans une réception ou une rencontre animée où tout le monde parle fort pour se faire entendre, lorsque soudain la porte claque, que l'assistance se tait et que tous se retournent et regardent vers la porte, comprenant soudain que l'un des convives vient de quitter la pièce pour ne plus revenir. Mais, au bout d'un moment, les conversations repartent de plus belle comme si de rien n'était. La plupart des déserteurs, apparemment, finissaient tôt ou tard par se marier, qu'ils aient obtenu ou non leur réduction à l'état laïc, et ceux d'entre nous qui restaient attribuaient leur départ à des problèmes de sexe. Il était plus facile de blâmer le sexe que de remettre en question le bien-fondé de notre enseignement.

Au fur et à mesure que notre nombre s'amenuisait, ceux d'entre nous qui restaient devaient étendre de plus en plus le champ de leurs compétences théologiques. C'est ainsi que j'ai dû me mettre à enseigner l'exégèse biblique et l'histoire de l'Église, domaines dans lesquels je n'étais pas vraiment qualifié, en même temps que la théologie dogmatique qui, elle, était censée être ma spécialité. Dans la formation que j'avais reçue, il y avait quelque chose qu'on appelait l'apologétique et qui consistait à défendre chaque article de l'orthodoxie catholique contre les attaques et les prétentions des Églises, des religions et des philosophies rivales, en employant tous les procédés de la rhétorique, tous les arguments et toutes les citations bibliques possibles. Dans le climat engendré par Vatican II, un style d'enseignement plus tolérant et plus œcuménique s'était développé, mais les séminaires catholiques anglais — Saint-Ethelbert en tout cas — avaient gardé un enseignement traditionnel. Nos autorités épiscopales ne tenaient pas à nous voir troubler la foi des candidats — d'ailleurs de moins en moins nombreux — à la prêtrise en les exposant d'emblée au vent glacé de la théologie libérale moderne. Les Anglicans s'enfonçaient dans cette brèche, et nous éprouvions une certaine *Schadenfreude* à suivre les querelles et les menaces de schismes au sein de l'Église d'Angleterre, déclenchées par des évêques et des prêtres qui niaient la doctrine de l'Immaculée Conception, de la Résurrection et même de la divinité du Christ. Je racontais tous les ans dans mon introduction à mon cours de théologie une histoire sur les démystificateurs qui avaient jeté l'Enfant Jésus avec l'eau du bain, une histoire qui provoquait toujours l'hilarité générale. Et il y avait aussi cette autre histoire qui avait fait rire la salle des professeurs pendant une semaine à propos d'un pasteur anglican qui avait appelé ses trois filles Foi, Espérance et Doris, ayant lu Tillich entre la deuxième et la troisième. A bien y réfléchir, le souvenir le plus tenace que je garde d'Ethel est celui d'un gros fou rire dans les salles de cours, dans la salle des professeurs et au réfectoire. Criaillements sonores, épaules convulsées de rire, bouches grimaçantes. Pourquoi les curés rient-ils tant à la moindre plaisanterie ? Pour garder le moral, comme quand on siffle dans le noir ?

Toujours est-il qu'on a continué à mener nos petites parties de théologie avec nos vieilles bonnes battes. Nous détournions adroitement les questions délicates ou les regardions voler autour de nous sans les intercepter. Les plus faciles, nous les renvoyions hors des limites du terrain. Et on ne nous prenait jamais en défaut puisque nous étions aussi les arbitres. (J'aurais été obligé d'expliquer cette métaphore à Yolande, bien sûr.)

Point n'est besoin d'aller très loin dans la philosophie de la religion pour découvrir qu'il est impossible de prouver qu'une proposition religieuse est juste ou fausse. Pour les rationalistes, les matérialistes, les positivistes, etc., c'est une raison suffisante pour refuser de considérer sérieusement le sujet dans sa totalité. Mais pour les croyants, un Dieu dont il n'est pas possible de prouver l'existence vaut bien un Dieu dont l'existence est avérée et vaut manifestement mieux que l'absence totale de Dieu, puisque sans Dieu il n'y a aucune réponse satisfaisante aux sempiternels problèmes du mal, du malheur, de la mort. La circularité du discours théologique qui utilise la révélation pour appréhender un Dieu dont on ne dispose d'aucune preuve de l'existence en dehors de la révélation (que Saint-Thomas d'Aquin repose en paix !) ne dérange pas le croyant, car le fait de croire n'entre pas en ligne de compte dans le jeu théologique, c'est l'arène dans laquelle se joue le jeu théologique. C'est un don, le don de la foi, quelque chose que l'on acquiert sur le chemin de Damas ou que l'on vous impose par le baptême. Whitehead a dit que Dieu n'était pas la principale exception à tous les principes métaphysiques pour les sauvegarder de la faillite, mais, malheureusement, d'un point de vue philosophique, c'est exactement ce qu'Il est, et Whitehead n'a jamais pu trouver un argument convaincant pour prouver le contraire.

Ainsi donc, tout dépend des principes auxquels nous croyons. Si on accepte une fois pour toutes l'existence d'un Dieu personnel, Dieu le Père, toute la doctrine catholique se tient assez bien. Une fois cela admis, vous pouvez manier la batte toute la journée. Une fois cela admis, vous pouvez vous permettre quelques objections mentales sur tel ou tel point mineur de doctrine — l'existence de l'enfer, disons, ou l'assomption de la Sainte Vierge — sans vous sentir ébranlé dans votre foi pour autant. Et c'est ce que j'ai fait, précisément : j'ai considéré ma foi comme allant de soi. Je ne l'ai pas sérieusement remise en question, ni examinée de près. Elle me définissait. Elle expliquait pourquoi j'étais ce que j'étais, pourquoi je faisais ce que je faisais, pourquoi j'enseignais la théologie à des séminaristes. Ce n'est qu'après mon départ du séminaire que j'ai découvert que j'avais perdu la foi. Présentée aussi lamentablement, la chose paraît incroyable. Après tout, je menais en quelque sorte une « vie de prière ». En fait, je respectais plus consciencieusement que la plupart de mes collègues la demi-heure obligatoire de méditation du matin. A qui donc adressais-je mes prières dans ma tête ? Je ne puis répondre à cette question, sauf en disant que la prière faisait partie de tout ce que je prenais comme allant de soi dans ma foi, qu'elle était liée par un continuum sans faille à l'acceptation simple des idées religieuses, processus qui avait commencé lorsque ma mère m'avait fait croiser mes doigts d'enfant pour la première fois à l'heure du coucher et m'avait appris le *Je vous salue Marie*. Vraisemblablement, ça avait quelque chose à voir avec ma carrière exclusivement académique au sein de l'Église. Lévi-Strauss dit quelque part que « l'étudiant qui choisit d'être enseignant ne dit pas adieu au monde de l'enfance : au contraire, il essaie d'y rester. »

Au début des années quatre-vingts, on a procédé à une rationalisation de la formation des prêtres catholiques en Angleterre et au Pays de Galles, ce qui a entraîné la fermeture d'Ethel. Certains enseignants ont été redéployés vers d'autres institutions académiques. Mais mon évêque m'a convoqué pour un entretien et a suggéré qu'une petite expérience pastorale pourrait m'être utile pendant quelque temps. Je pense qu'on lui avait rapporté que j'étais un professeur ni très motivé ni très motivant, que je n'arrivais pas à passionner les étudiants pour l'apostolat auquel ils se préparaient. C'était la vérité, bien sûr, même si le programme y était aussi pour quelque chose. Le hasard des circonstances qui m'avait propulsé tout droit de mon statut d'étudiant vers celui de professeur expliquait pourquoi je savais peu de choses ou rien de la vie quotidienne du simple prêtre de paroisse. J'étais comme un officier d'état-major qui n'est jamais allé au combat et qui envoie de jeunes recrues se battre dans une guerre moderne avec des armes et une tactique héritées du Moyen Age.

L'évêque m'a affecté à la paroisse Saint-Pierre-et-Saint-Paul, à Saddle. C'est un de ces coins assez flous à une trentaine de kilomètres au nord-est de Londres, un ancien village qui, depuis la guerre, est devenu une petite ville. Il y a une cité réservée aux ouvriers, un quartier résidentiel pour les cadres, une zone industrielle et un peu de cultures maraîchères, mais la plupart des gens vont travailler tous les jours à Londres. La ville possède une église anglicane avec une tour de style anglais primitif, une chapelle méthodiste néo-gothique en brique et une église catholique moderne, un édifice un peu bricolé et très léger, en parpaings et verre teinté. Mes paroissiens constituaient un échantillon parfait de la communauté catholique anglaise : une majorité d'Irlandais installés en Angleterre depuis deux ou trois générations, avec ici et là quelques poches d'immigrés italiens arrivés plus récemment et qu'on avait fait venir après la guerre pour travailler dans les serres horticoles, et aussi quelques rares convertis ou des catholiques de vieille souche dont les ancêtres remontaient au temps des persécutions.

Pour une communauté catholique anglaise, c'était une communauté plutôt prospère. Le chômage faisait moins de ravages dans cette partie du pays qu'ailleurs au début des années quatre-vingts. Le prix élevé des logements et leur rareté rendaient la vie difficile aux jeunes ménages, mais il n'y avait pas de vraie pauvreté, ni tous les problèmes sociaux graves qui en découlent : le crime, la drogue, la prostitution. C'était une société respectable, relativement aisée. Si on m'avait envoyé dans une paroisse de São Paulo ou de Bogota, ou même dans un des quartiers les plus misérables de Rummidge, les choses auraient pu se passer tout différemment. J'aurais pu me lancer à fond dans le combat pour la justice sociale, prendre ce que les théologiens de la libération appellent une « option préférentielle en faveur des pauvres » — même si j'en doute. Je n'ai jamais eu la fibre héroïque. Quoi qu'il en soit, c'était la grande banlieue londonienne, non l'Amérique du Sud. Mes paroissiens n'avaient aucun besoin ni aucun désir de libération politique ou économique. La plupart d'entre eux avaient voté pour Mme Thatcher. Mon rôle était clairement défini : offrir une « assurance surnaturelle ». Ils comptaient sur l'Église pour qu'elle ajoute une dimension spirituelle à leurs vies, qui par ailleurs ne se distinguaient pas extérieurement de celles de leurs voisins non-croyants. Heureusement pour moi, peut-être, la grande controverse à propos du contrôle des naissances et d'*Humanæ Vitæ* qui avait dominé la vie des prêtres catholiques pendant les années soixante et soixante-dix avait pris fin lorsque je suis arrivé sur la scène paroissiale. La plupart de mes paroissiens avaient résolu la question en leur âme et conscience, et ils avaient le tact de ne pas soulever la question devant moi. Ils voulaient que je les marie, que je baptise leurs enfants, que je les réconforte dans le deuil et les délivre de la peur de la mort. Ils voulaient que je les rassure et leur dise que s'ils n'étaient pas aussi riches et prospères qu'ils auraient pu le souhaiter, ou si leurs conjoints les abandonnaient, ou si leurs enfants déviaient du droit chemin, ou s'ils étaient atteints de maladies incurables, tout n'était pas perdu et que ce n'était pas une raison pour désespérer ; il y avait un autre endroit, un autre temps hors du temps où tout recevrait sa juste récompense, où justice serait faite, où la douleur et la perte seraient abolies, et où on vivrait tous heureux pour toujours.

Tel est, après tout, ce que leur promettaient tous les dimanches les textes de la messe. « Aie pitié de nous ; rends-nous dignes de partager la vie éternelle avec la Vierge Marie, Mère de Dieu, avec les apôtres et tous les saints qui ont accompli ta volonté à travers les siècles des siècles. Puissions-nous nous joindre à eux pour te louer et te rendre gloire dans les siècles des siècles. » Seconde prière de l'eucharistie. Ouvrez le missel au hasard (je viens d'en faire l'expérience avec le missel trouvé dans le bureau d'Ursula, un exemplaire apparemment assez neuf en similicuir blanc, avec des « images pieuses » entre les pages à tranche dorée) et vous retrouverez partout le même thème, répété à l'infini. « Dieu notre Père, puissions-nous t'aimer en toutes choses et par-dessus tout et accéder à la joie promise qui surpasse tout désir. » (Introït du vingtième dimanche ordinaire, année A.) « Seigneur, nous te présentons cette offrande comme tu nous as appris à le faire.

Puisse-t-elle nous purifier et nous renouveler, et nous conduire à la récompense éternelle. » (Prière de l'offrande, sixième dimanche ordinaire, année C.) « Seigneur tout-puissant, nous recevons une vie nouvelle du repas que ton Fils nous a donné en ce monde. Accorde-nous d'être un jour rassasiés à la table de ton royaume éternel. » (Prière après la communion, messe vespérale de la Cène.)

Voilà le message fondamental que le christianisme a toujours essayé de faire passer — rien d'étonnant à cela. La très grande majorité des vies humaines dans l'histoire n'ont pas été très longues, ni très heureuses, ni très réussies. Même si le progrès pouvait faire qu'un jour cette grande utopie se réalise pour chacun, ce qui paraît peu probable, cela ne saurait faire oublier les milliards de vies frustrées, racornies et ruinées par la malnutrition, la guerre, l'oppression, la maladie physique et mentale. D'où ce besoin humain si tenace de croire en une autre vie où les injustices et les inégalités flagrantes de celle-ci seraient réparées. Cela explique pourquoi le christianisme s'est développé si vite parmi les pauvres et les défavorisés, les vaincus et les esclaves, dans l'Empire romain du premier siècle. Ces premiers chrétiens, et, apparemment, Jésus lui-même, pensaient que la fin de l'histoire, et avec elle la fin de l'injustice et de la souffrance, était imminente, avec le retour du Christ sur terre et l'instauration de son règne éternel — espoir qui continue d'inspirer les sectes fondamentalistes encore aujourd'hui. Dans les enseignements de l'Église en tant qu'institution, le retour du Christ et le Jugement dernier ont été repoussés à l'infini dans le temps, et l'accent a été mis sur le destin de l'âme individuelle après la mort. Pourtant, l'attirance qu'exerce le message de l'évangile demeure fondamentalement la même. La Bonne Nouvelle est celle qui annonce la vie éternelle, le paradis. Pour mes paroissiens, j'étais une sorte d'agent de voyages qui distribuait des billets, des contrats d'assurances, des brochures et leur garantissait le bonheur ultime. Et lorsque je regardais leurs visages du haut de l'autel, tandis que je leur redisais ces promesses et ces espérances semaine après semaine, scrutant leurs visages patients, confiants, gagnés par l'ennui, en me demandant s'ils croyaient vraiment en ce que je disais ou s'ils espéraient seulement que ce fût vrai, je me rendais compte que moi je n'y croyais pas, je n'en croyais plus le traître mot, même si je ne parvenais pas à identifier exactement le jour où j'étais passé d'un état à l'autre — tant la membrane qui séparait la croyance du scepticisme était ténue, et la distance entre les deux infime.

Toute la théologie démystificatrice libérale à laquelle, pendant une bonne partie de ma vie, j'avais résisté farouchement semblait soudain d'une vérité évidente. L'orthodoxie chrétienne était un mélange composite de mythes et de métaphysique qui n'avait aucun sens dans notre monde moderne héritier du Siècle des lumières, sauf lorsqu'on essayait de la comprendre historiquement ou de l'interpréter métaphoriquement. Jésus, pour autant que l'on pouvait distinguer son identité réelle du *midrash* des premiers évangélistes, était manifestement un homme remarquable, proposant une philosophie éminemment valable (bien qu'énigmatique, très énigmatique), un homme infiniment plus intéressant que les fanatiques qui, dans cette période tourmentée de l'histoire juive, annonçaient l'apocalypse ; et l'histoire de sa crucifixion (bien que non vérifiable historiquement) est une histoire émouvante et édifiante. Mais tout le fatras surnaturel autour de cette histoire — l'idée que Jésus était Dieu, envoyé du ciel sur terre par lui-même en tant que Père, né d'une vierge, ressuscité d'entre les morts et remonté au ciel d'où il reviendra au dernier jour pour juger les vivants et les morts, etc. —, eh bien, tout ça avait une certaine grandeur et une certaine force symbolique en tant que récit, mais ce n'était pas plus crédible que la plupart des autres mythes et légendes circulant autour des divinités qui proliféraient dans le bassin méditerranéen et au Moyen-Orient à la même époque.

Prêtre athée, ou du moins agnostique, voilà ce que j'étais. Et je n'osais en parler à qui que ce soit. Je me suis replongé dans les théologiens anglicans libéraux, John Robinson, Maurice Wiles, Don Cupitt et compagnie, que j'avais coutume de tourner en dérision dans mon cours d'introduction à la théologie, et je les ai relus avec plus de respect. Dans leurs œuvres, j'ai trouvé une sorte de justification pour continuer à être prêtre. Cupitt parlait, par exemple, de « ces personnes qui sont secrètement agnostiques ou sceptiques vis-à-vis des *doctrines* chrétiennes touchant au surnaturel, et qui continuent néanmoins à pratiquer la *religion* chrétienne avec une remarquable efficacité ». Je me disais que je serais l'une d'entre elles. Cupitt, qui ne faisait pas mystère de son scepticisme et avait été dénoncé publiquement comme « prêtre athée », me fascinait tout particulièrement lorsque je le voyais, dans la suite de ses écrits, scier tristement la branche sur laquelle il était assis, jusqu'au moment où il n'était plus rien resté d'autre, entre lui et le vide, que ce « besoin de religion » très kierkegaardien : « Il n'y a pas de Dieu en ce qui nous concerne mais un besoin impératif de religion, la nécessité de choisir une religion, la soumission à ses exigences et le sentiment libérateur de transcendance qu'il nous procure. » J'amusais les étudiants à Ethel autrefois en transformant ce genre de discours en credo : « Je crois en un besoin de religion... » Maintenant, même Cupitt me donnait l'impression d'accepter beaucoup trop de choses. Où donc était ce sentiment libérateur de transcendance ? Je ne le percevais nulle part. Je me sentais seul, vide, insatisfait.

C'est à ce moment-là que Daphné est entrée dans ma vie. Dans des circonstances assez ironiques, d'ailleurs. Elle était infirmière-chef d'un service de femmes dans un hôpital de la ville que je visitais. On parlait de temps en temps de ses malades dans le petit réduit qui lui servait de bureau. Il y avait une malade à laquelle nous nous intéressions tout particulièrement tous les deux, une religieuse, sœur Philomène, âgée d'une quarantaine d'années et atteinte d'un cancer des os incurable particulièrement virulent. Pendant plusieurs mois, elle a fait différents séjours à l'hôpital, souffrant souvent le martyre. On l'a amputée d'une jambe, sans parvenir pour autant à enrayer la maladie. Les médecins ne pouvaient plus rien pour elle. Elle acceptait son sort avec calme et courage. Elle avait une foi extraordinaire. Elle était absolument convaincue qu'elle allait rencontrer son créateur, ou, pour reprendre les termes de la cérémonie des vœux perpétuels, son époux. Évidemment, je ne l'ai pas ennuyée avec mes propres doutes, mais je lui ai renvoyé l'image de sa foi avec une ferveur feinte. Sœur Philomène aurait dit à Daphné, semble-t-il, que j'avais été pour elle une source précieuse de réconfort et d'inspiration, et j'ai dû accepter cet hommage non mérité qu'on me faisait par personne interposée.

Après que la sœur Philomène eut quitté le service pour la dernière fois pour aller mourir dans son couvent (elle est morte deux mois plus tard), Daphné a dit qu'elle avait été si bouleversée d'avoir eu à soigner cette femme qu'elle voulait en savoir plus sur la foi catholique. Elle m'a demandé si elle pourrait venir me voir pour des cours de catéchèse (formule qu'elle avait empruntée de toute évidence à sœur Philomène). J'ai essayé de l'orienter vers mon vicaire mais elle a insisté pour que ce fût moi, ce qui aurait peut-être dû me mettre sur mes gardes. Mais je ne voyais pas comment refuser sans paraître impoli et irrationnel. Ainsi donc, tous les jeudis soir, ou les vendredis après-midi lorsqu'elle était de service le jeudi, Daphné venait au presbytère et nous allions dans le salon de devant, placardé d'affiches de missions multicolores, où la pendule faisait tic-tac et où un imposant crucifix en plâtre était suspendu au-dessus de la cheminée ; nous nous asseyions de part et d'autre de la table cirée sur des chaises droites dont le fond en rexine, depuis longtemps affaissé, formait un petit cratère inconfortable, et là nous passions en revue les articles de la foi catholique. Quelle farce !

Au début, j'ai mené les choses rondement pour en avoir fini le plus vite possible, si bien que lorsque Daphné, penchée au-dessus de la table, tournait son regard grave vers moi et se mettait à soulever des objections ou à manifester son embarras sur tel ou tel point de doctrine, je haussais les épaules et détournais les yeux en répondant que cela présentait en effet certains problèmes d'un point de vue purement rationnel mais qu'il fallait replacer tout ça dans le contexte de la foi en général ; et aussitôt nous passions à la doctrine suivante. Mais bientôt j'ai commencé à attendre avec de plus en plus d'impatience ses visites hebdomadaires. Dieu sait à quel point j'étais seul. La docte compagnie de mes collègues dans la salle des professeurs d'Ethel me manquait beaucoup. Mon vicaire, Thomas, était un garçon de Liverpool, un brave type, tout jeune, ordonné depuis peu et envoyé en renfort dans notre diocèse si pauvre en vocations, mais ses intérêts séculiers allaient surtout vers le football et la musique rock (il s'intéressait beaucoup au club des jeunes et célébrait une messe folk très populaire le dimanche soir) — sujets dont j'ignorais tout. Notre bonne était une veuve toute ratatinée et pleine d'arthrite nommée Aggie dont les deux principaux sujets de conversation étaient le prix de la nourriture et ses douleurs articulaires. Daphné n'était peut-être pas l'esprit le plus brillant du siècle, mais elle s'intéressait avec intelligence aux nouvelles, elle regardait les programmes de télévision les plus sérieux, elle lisait des romans qui avaient remporté des prix littéraires, et elle allait de temps en temps à Londres pour voir une pièce ou une exposition. Elle avait fait ses études dans une excellente pension de jeunes filles (son père, soldat de métier, était la plupart du temps en garnison à l'étranger) et y avait acquis une manière de s'exprimer et un accent très bourgeois qui étaient très intimidants pour bien des gens (j'ai surpris le personnel de l'hôpital en train de la singer quand elle avait le dos tourné), mais pas pour moi. Nous avons pris l'habitude de bavarder un peu sur des sujets non religieux après avoir examiné les points de doctrine prévus au programme. Peu à peu, la partie doctrinale s'est abrégée et le bavardage entre nous s'est intensifié. J'ai commencé à comprendre que Daphné n'avait pas plus de chances de devenir catholique que moi de recouvrer ma foi, et qu'elle aussi prolongeait les cours de catéchèse pour des raisons personnelles.

Que trouvait-elle en moi de si intéressant ? Je me le suis souvent demandé par la suite. Elle avait trente-cinq ans et cherchait désespérément à se marier, peut-être aussi à avoir des enfants. Et elle n'avait pas, il faut le reconnaître, un physique que les canons modernes de la beauté, ou tout autre canon d'ailleurs, qualifieraient de séduisant, bien que cela ne m'ait pas frappé lors de notre première rencontre, car je m'étais entraîné depuis longtemps à ne pas considérer les femmes comme des objets sexuels. Elle était grande, avait des allures de matrone et paraissait plus impressionnante dans son uniforme que lorsqu'elle n'était pas en service. Elle avait un teint pâle, des mâchoires bien marquées et un début de double menton. Elle avait un nez pointu et une petite bouche aux lèvres fines qu'elle gardait généralement bien serrées, raides et sévères, surtout quand elle était dans l'exercice de ses fonctions (elle menait son service avec une autorité despotique, et les jeunes infirmières qui dépendaient d'elle la considéraient avec respect et aussi, comme je ne pouvais éviter de le remarquer, avec une certaine hostilité). Mais lorsque nous étions ensemble, elle se permettait parfois un sourire, laissant voir deux rangées parfaites de dents blanches assez pointues et le bout effilé d'une langue rose qu'elle passait rapidement sur ses lèvres en un petit mouvement que je trouvais de plus en plus sensuel et excitant au fur et à mesure que notre intimité se développait. Mais ce n'était pas à proprement parler une femme désirable, pas plus que je n'étais moi-même un homme désirable. Ni elle ni moi n'aurions atteint une note très élevée dans ce que Sheldrake appelle l'échelle d'attractivité. C'est peut-être ce qui l'a poussée à croire que nous étions faits l'un pour l'autre.

Voici donc venu le jour de ce funeste déjeuner dans son appartement, un appartement tout petit dans un immeuble locatif privé réservé aux couples sans enfants et aux jeunes cadres célibataires, le genre d'immeuble où l'on trouve fatalement un caoutchouc dans le hall d'entrée et où ne résonne dans les couloirs moquettés que le gémissement de l'ascenseur. C'était un jour froid de février, et une bruine glacée tombait d'un ciel chargé de nuages bas et gris. L'intérieur de l'appartement de Daphné m'a paru chaleureux et accueillant lorsqu'elle a ouvert la porte — et c'est aussi l'effet qu'elle m'a fait elle-même. Elle portait une robe en velours souple que je ne lui avais jamais vue, et ses cheveux, qu'elle remontait généralement en un chignon plutôt sévère, étaient défaits et frais lavés, sentant encore bon le shampooing. Elle a eu l'air agréablement surprise en voyant ma tenue : j'avais mis un pull-over et un pantalon en velours, et c'était la première fois qu'elle me voyait avec autre chose que mon habit noir de clergyman. « Ça vous donne un air plus jeune », a-t-elle dit, et j'ai dit : « Est-ce que d'habitude je fais vieux ? » et on a ri, et, avec ce tic irrésistible de félin qu'elle avait, sa langue rose est venue caresser ses lèvres.

Nous étions tous les deux un peu embarrassés, mais un verre de sherry avant le déjeuner nous a fait sortir de notre réserve et la bouteille de vin accompagnant le repas nous a complètement déridés. On a parlé plus librement et abordé des sujets plus personnels et plus intéressants que jamais auparavant. Je ne me souviens pas de ce qu'on a mangé, sauf que c'était léger et savoureux, sans commune mesure avec les ragoûts gras d'Aggie. Après le déjeuner on a pris le café, assis l'un à côté de l'autre sur le divan que Daphné avait ramené devant le feu, un de ces feux au gaz qui consument de fausses braises plus vraies que vraies, et on a causé. Et on causait encore tandis que l'après-midi d'hiver tournait au crépuscule et que la pièce devenait de plus en plus sombre. A un certain moment, Daphné s'est déplacée pour allumer une lampe, mais je l'ai arrêtée. J'étais soudain saisi d'un désir irrésistible de lui dire toute la vérité à mon sujet, et il me semblait plus facile de le faire dans la pénombre, comme si la pièce était une sorte de confessionnal. « Il y a quelque chose que je veux vous dire. Je ne peux pas continuer à vous donner des cours de catéchèse, parce que moi-même, voyez-vous, je n'y crois plus, à tout ça, ce ne serait pas bien de continuer, ce serait de la mauvaise foi dans tous les sens du terme. Voilà, c'est dit, et vous êtes la seule personne au monde à qui je l'ai dit. »

A la lumière du foyer, j'ai vu ses yeux s'agrandir d'excitation. Elle a pris ma main et l'a serrée.

« Je suis profondément émue, Bernard, a-t-elle dit (nous en étions aux prénoms depuis quelques semaines). Je sais à quel point ce geste est important pour vous, la valeur qu'il a. C'est un grand privilège pour moi de recevoir votre confidence. »

Nous sommes restés assis pendant quelques minutes dans un silence solennel à regarder le feu. Puis, tandis que sa main étreignait toujours la mienne, je lui ai raconté toute mon histoire, un peu comme je viens de le faire ici. A la fin, j'ai dit : « Maintenant, je vais être obligé de vous confier à Thomas. Il est un peu inexpérimenté, mais il a la foi bien accrochée.

— Ne soyez pas stupide », a-t-elle dit, puis se penchant vers moi, elle m'a embrassé sur la bouche comme pour me faire taire, ce qui s'est effectivement passé.

Lundi 14

Rencontre ce matin avec l'avocat d'Ursula, un certain M. Bellucci. Son bureau est dans le centre ville d'Honolulu, en plein quartier des finances et des affaires. Ce quartier, tout comme Waikiki, a quelque chose d'un peu irréel, comme si toutes les constructions dataient d'hier et pouvaient, en l'espace d'une nuit, être démolies et rasées pour être remplacées dès le lendemain par quelque chose de totalement différent. On prend une sortie sur une section plutôt lamentable du boulevard Ala Moana, un kilomètre et demi après le centre commercial, on laisse la voiture dans un parking à étages et on ressort à pied de l'autre côté dans un labyrinthe de rues piétonnes et de petites places qui relient des tours brillantes toutes bâties sur le même modèle, en acier inoxydable, verre fumé et briques vernissées. Les bureaux, ou plutôt les « suites », sont somptueusement décorés de lambris et de moquettes et soumis en permanence au souffle glacial de la climatisation ; ils sont protégés de l'extérieur par des stores vénitiens tirés devant les fenêtres teintées, si bien qu'en pénétrant dans cet univers juste après avoir quitté le trottoir chauffé à blanc, il est difficile de croire qu'on se trouve encore à Hawaii. Peut-être y a-t-il là une volonté délibérée de créer artificiellement un microclimat prédisposant au travail, ou un désir de lutter contre la léthargie des tropiques. Bellucci et son personnel donnaient en tout cas l'impression de jouer des scènes de bureau dans quelque capitale de l'hémisphère Nord. Il portait un costume trois-pièces et une cravate, et sa secrétaire une tunique sévère à manches longues, des bas et des chaussures à talons hauts. Avec mon pantalon et ma chemisette, je me sentais lamentable et peu apte à négocier des affaires.

M. Bellucci m'a accueilli avec gravité à la porte de son bureau et m'a fait signe de m'asseoir dans un fauteuil en cuir vert capitonné qui, comme tout le reste des meubles, semblait flambant neuf et bizarrement peu authentique. « Comment allez-vous, monsieur Walsh ? » a-t-il dit. Je lui ai parlé brièvement de mes problèmes, de l'accident de papa, etc., et il a fait un petit claquement de langue en signe de sympathie.

« Quelle cerise ! Ce n'est pas comme ça qu'on dit ? » Je lui ai répondu qu'on disait plutôt quelle « guigne ». « Sans blague ! a-t-il dit d'un ton quelque peu incrédule. Vous allez poursuivre le chauffeur de la voiture ? » Il a paru déçu quand j'ai dit non.

Il a demandé à sa secrétaire d'apporter le formulaire pour la procuration, et il a fumé un cigare pendant que je parcourais les quatre pages du document. Le texte était rédigé dans un jargon juridique typique et semblait couvrir toutes les éventualités possibles — « pour acheter, vendre, négocier, passer des contrats pour, entraver la vente de, hypothéquer, ou aliéner tout bien immobilier, personnel ou mixte, corporel ou incorporel... » Mais l'idée générale était assez claire. Le document devait être signé par Ursula en présence d'un notaire. J'ai demandé comment cela pouvait se faire puisqu'elle était alitée, et Bellucci m'a dit que le notaire se rendrait à l'hôpital. « L'assistante sociale de l'hôpital organisera tout pour vous. » C'est en effet ce qu'elle a fait. A ma grande surprise, toute l'affaire était bouclée à trois heures de l'après-midi, après une rapide petite séance au chevet d'Ursula. J'ai désormais pleins pouvoirs pour gérer ses affaires. Ma première tâche a été de payer la note assez considérable de M. Bellucci, deux cent cinquante dollars.

Entre mon rendez-vous avec Bellucci et la signature du document, j'ai réussi à visiter deux autres maisons de repos figurant sur la liste du Dr Gerson. La première, Makai Manor, est située dans le quartier résidentiel sélect qui longe la mer de l'autre côté de Diamond Head. A peine avais-je franchi la grille que je savais déjà que l'établissement allait être absolument magnifique mais totalement inabordable. Le bâtiment est une belle bâtisse de style colonial d'un blanc impeccable, flanquée d'une longue véranda où les malades les plus valides peuvent venir s'asseoir à l'ombre et jouir de la vue et des odeurs d'un luxuriant jardin parfaitement dessiné. L'air est aussi parfumé à l'intérieur qu'à l'extérieur. Tout est lisse, confortable et propre. Les résidents sont tous logés dans des chambres individuelles claires, confortablement meublées et toutes équipées d'une télé et d'un téléphone près du lit, etc. Les infirmières sont souriantes, bien habillées et très soignées, et elles distribuent repas et médicaments aux malades avec cette aisance très étudiée qu'ont les hôtesses de l'air. Ursula adorerait Makai Manor. Malheureusement, la pension est de six mille cinq cents dollars par mois, sans compter les médicaments, la physiothérapie, l'ergothérapie, etc. Son plaisir serait gâché par la crainte de devoir quitter l'établissement faute d'argent. L'administratrice qui me faisait visiter l'établissement, une grande dame blonde, à la beauté plastique, vêtue d'un tailleur de lin impeccable, m'a signalé discrètement, comme si elle avait lu dans mes pensées, qu'ils exigeaient certaines garanties financières lorsqu'un malade incurable était admis, « pour prévenir toute difficulté qui pourrait survenir au cas où le pronostic s'avérerait par trop pessimiste », comme elle a dit dans une jolie périphrase. Il lui suffisait de voir ma mine songeuse et probablement aussi mon jeans fripé de chez Penney's pour comprendre que je n'appartenais pas à cette classe. Les choses en sont donc restées là.

Le second établissement que j'ai visité s'appelle Belvedere House, nom un peu prétentieux pour ce bâtiment tout simple de plain-pied, construit en béton et peint en couleurs pastel, qui, de la route, ressemble plutôt à une petite école. L'endroit est très exposé aux vents et dépourvu d'ombre, et il est situé légèrement en retrait par rapport à une large artère principale toute droite dans une banlieue anonyme et assez désolée à la périphérie nord-ouest de la ville. Après le luxe de Makai Manor, on retombait bien bas, mais à bien y réfléchir c'était infiniment mieux que les deux premiers établissements que j'ai visités hier. Il y avait bien quelques relents d'urine mais je n'y prêtais déjà plus attention à la fin de ma visite, et il régnait une atmosphère chaleureuse et attentionnée parmi le personnel. Il y a encore quelques petites choses qu'Ursula n'appréciera pas : elle sera obligée de partager sa chambre avec une autre dame, et les deux lits sont très proches l'un de l'autre (j'ai l'impression que les chambres ont été prévues pour une seule personne à l'origine) ; certains malades sont totalement gagas, et les équipements de loisirs collectifs très limités. Mais, par ailleurs, on ne demande que trois mille dollars par mois. Et ils ont une place de libre.

Demain, il faut que j'aille à la banque d'Ursula à Waikiki pour retirer ses actions de son coffre-fort et les porter chez son agent de change au centre d'Honolulu pour qu'il les vende. Il faut aussi que je fasse fermer définitivement son coffre-fort pour ne plus avoir à payer la location, que je liquide un petit compte à terme, et enfin que je vende son portefeuille d'obligations géré par la banque et qui s'élève à trois mille dollars. Ensuite, tout cet argent devra être déposé sur un compte chèques rémunéré, c'est comme ça qu'on appelle ici les comptes courants. Lors de la dernière estimation, encore toute récente, le portefeuille d'actions d'Ursula s'élevait à quelque vingt-cinq mille dollars, et ses autres économies et actifs à environ quinze mille dollars, ce qui donne un total de quarante mille dollars, plus sa retraite. Supposons qu'elle garde sa retraite pour ses menus frais quotidiens et autres imprévus, et qu'elle paie sa pension à la maison de repos sur son capital. Si elle allait à Belvedere House, elle serait garantie pour plus d'un an, c'est-à-dire deux fois le sursis que lui accorde Gerson, ce qui laisse une marge d'erreur acceptable dans son pronostic. Calcul quelque peu morbide, mais il faut bien regarder la réalité en face.

Ursula aussi semble préparée à la regarder en face. Je lui ai parlé des toutes dernières maisons de repos que j'ai visitées, sans trop m'attarder sur les fastes inaccessibles de Makai Manor. Elle s'en est remise à mon jugement et a reconnu que Belvedere House était probablement le meilleur endroit que nous puissions trouver compte tenu de ses moyens ; elle a accepté que j'entame les formalités pour la faire rentrer le plus tôt possible. Gerson n'a pas encore résolu son problème de constipation qui semble particulièrement tenace, mais c'est une question de temps et elle sera bien forcée alors de quitter l'hôpital. Ursula s'est montrée vivement intéressée par toute cette histoire de procuration et par le calcul de ses actifs. Paradoxalement, toute cette activité semble lui avoir redonné le goût de vivre. Elle m'a demandé de lui rapporter de l'appartement d'autres vêtements de nuit et de la lingerie, et demain elle va se faire coiffer. Je ne vois pas le temps passer quand je lui rends visite, il y a tant de choses à discuter.

J'aimerais pouvoir dire la même chose de papa. Il passe son

temps à geindre, à se plaindre de sa hanche, de l'humiliation qu'il éprouve à utiliser le bassin, et de moi qui l'ai mis dans un tel pétrin. Il a hâte de rentrer chez lui et il m'a reparlé de Tess. Je crois que je ferais peut-être mieux de lui téléphoner ce soir et de liquider le problème une fois pour toutes, mais c'est trop tôt — ils dorment encore en Angleterre. Je crois que je vais aller prendre un bain. J'ai besoin d'un peu d'exercice après avoir sillonné Honolulu toute la journée sur le siège plastifié de ma voiture et passé tout ce temps dans des bureaux et des chambres d'hôpital.

Je rentre à l'instant de la plage où j'ai frôlé une mini-catastrophe, et je suis si content de moi que je ne peux m'arrêter de rire, de rire aux éclats même par moments, pour donner libre cours à ce sentiment de triomphe ridicule. Mme Knoepflmacher m'a surpris en train de rire tout seul comme je sortais de l'ascenseur, et elle m'a lancé un regard suspect. Elle s'est approchée si près de moi en me demandant des nouvelles de papa et d'Ursula que je crois bien qu'elle voulait sentir mon haleine. Mais je n'ai absolument rien bu.

J'avais l'intention de me baigner dans la piscine ici mais, quand j'ai été la voir du haut du balcon, elle était complètement à l'ombre, totalement déserte et curieusement peu attirante. Alors, j'ai été mettre un maillot de bain et enfiler un short, puis je suis descendu en voiture jusqu'à la plage en bordure du parc Kapiolani, un parc qui commence là où s'arrêtent les hôtels de Waikiki. J'ai trouvé sans difficulté à me garer sous les arbres du parc car il était tard et la plage était pratiquement déserte. Les vacanciers qui se battent ici dans la journée pour avoir un petit coin où bronzer avaient replié serviettes et nattes en paille et étaient rentrés en claquant des tongs vers leurs couveuses à étages pour se sustenter. Les quelques personnes qui traînaient encore sur la plage semblaient surtout être des gens du pays descendus ici après leur journée de travail avec quelques bières et des Coca-Cola pour se baigner, se détendre et regarder le soleil se coucher.

C'était l'heure idéale pour se baigner. Le soleil, bas dans le ciel, ne brûlait plus comme aux heures torrides de la journée, mais la mer était chaude et l'air suave. J'ai nagé énergiquement pendant une centaine de mètres, en direction de l'Australie disons, puis je me suis laissé flotter sur le dos et j'ai contemplé la voûte céleste. De longues traînées de nuages mauves frangés d'or, flottaient comme des bannières d'ouest en est. Un jet ronronnait dans le ciel sans troubler en rien la paix et la beauté du soir. La rumeur de la ville semblait assourdie et lointaine. J'ai fait le vide dans mon esprit et je me suis laissé bercer par les vagues comme si j'étais un fragment d'épave. De temps en temps, une vague plus grosse s'abattait sur moi, me submergeait ou me soulevait comme une allumette, et je me retrouvais tout crachotant après son passage, riant comme un gosse. J'ai décidé que j'allais faire ça plus souvent.

Quelques fanas de surf profitaient des derniers rayons du soleil. Maintenant que je m'étais éloigné de la plage, je pouvais les observer et apprécier leur grâce et leur adresse beaucoup mieux qu'avant. Lorsqu'une grosse vague arrive, ils se laissent glisser en diagonale le long de sa surface vitreuse, juste en dessous de la crête écumante, genoux pliés et bras tendus ; d'un mouvement de hanches, ils peuvent changer de direction ou inverser même leur trajectoire, traverser l'écume et se retrouver dans le creux de la vague de l'autre côté. Lorsqu'ils chevauchent la vague jusqu'à ce qu'elle se brise, ils se redressent peu à peu. (Parfois, je ne voyais pas leurs planches d'où j'étais et, quand ils s'approchaient de moi, ils avaient l'air de marcher sur l'eau.) Puis, à mesure qu'ils perdent de la vitesse, ils plient les genoux comme s'ils rendaient grâce, avant de se retourner et de repartir en pagayant avec leurs mains vers la pleine mer. Pendant que je les observais, quelques vers de *La Tempête* me sont vaguement revenus à l'esprit, et je viens de les retrouver dans le recueil des pièces complètes de Shakespeare appartenant à Ursula, un recueil publié par le Club du Livre. Francisco parle de Ferdinand :

> *Monsieur, il vit peut-être.*
> *Je l'ai vu battre les vagues sous lui,*
> *Et chevaucher leur croupe.*

Est-ce, je me le demande, la première description du surf dans la littérature anglaise ?

De retour sur la plage, je me suis séché et me suis assis pour observer le coucher du soleil. Les derniers surfeurs chargeaient leur planche sur leurs dos et s'en allaient. Au large, les voiles inclinées des catamarans et des goélettes qui faisaient la « Croisière Cocktails » se détachaient sur un arrière-plan doré qui miroitait. Quelque part sous les arbres du parc à l'arrière de la plage, un invisible saxophoniste improvisait en solo d'interminables cadences de jazz. L'instrument geignait et sanglotait avec des accents gutturaux comme s'il était la voix même du soir. Pour la première fois peut-être, je comprenais le charme qu'Hawaii pouvait exercer sur le visiteur.

Alors que je me préparais à rentrer, ma paix d'esprit a soudain volé en éclats : je me suis rendu compte que je n'avais plus mes clés. Elles avaient dû tomber de mes poches de short et s'enfoncer dans le sable sec et poudreux. Je suis resté comme pétrifié, conscient qu'au moindre mouvement je risquais de les enfouir à tout jamais, si ce n'était déjà fait. J'ai pivoté sur moi-même lentement, le rayon de mon ombre s'allongeant et se contractant sur le sable, et j'ai scruté chaque bosse, chaque creux autour de moi, sans apercevoir mes clés.

J'ai poussé un gémissement sourd de désespoir et me suis littéralement tordu les mains d'angoisse ; car ce n'étaient pas seulement les clés de la voiture et de l'appartement qui étaient perdues, mais aussi la clé du coffre-fort qu'Ursula m'avait solennellement confiée cet après-midi et que j'avais attachée au porte-clés de la firme de location de voitures sur lequel je gardais aussi la clé de l'appartement. Toutes ces clés pouvaient évidemment être remplacées, mais au prix d'un effort démesuré, de maints désagréments et d'un gaspillage de temps précieux. Je trouvais que je m'étais plutôt bien débrouillé pour gérer les affaires d'Ursula, et maintenant, par un acte de négligence insensé, j'avais compromis mes chances de régler cette affaire au plus vite et perdu du même coup ma toute nouvelle confiance en moi. Car c'était une négligence insensée, en effet, d'avoir emporté à la plage un trousseau de clés dans une poche qui ne fermait pas. Il est si facile de perdre un petit objet dans le sable ; les écumeurs de plages professionnels qui passent leurs journées à arpenter celles de Waikiki avec leurs détecteurs de métal le savent bien. J'ai soigneusement examiné toute la plage dans l'espoir de voir un de ces types, et j'envisageais très sérieusement de rester planté dans mon petit coin, jusqu'à demain matin s'il le fallait, en attendant qu'il en arrive un et que je puisse le mettre à contribution.

Assis à une dizaine de mètres de moi, il y avait deux jeunes gens, bruns et bien bronzés, en jeans délavés coupés aux genoux et maillots de corps, qui buvaient des boîtes de bière. Ils étaient arrivés sur la plage pendant que j'étais dans l'eau. C'était peut-être un espoir insensé mais je les ai appelés et leur ai demandé si, par hasard, ils n'avaient pas aperçu un trousseau de clés dans le sable. Ils ont fait non de la tête, pleins de compassion. Je me suis demandé si je ne devais pas me mettre à genoux et prendre le risque de fouiller le sable avec mes doigts. Dans une autre phase de ma vie, je me serais sans doute mis à genoux pour dire une prière. Mon ombre sur le sable était longue et fine, absolument grotesque comme une de ces statues anorexiques de Giacometti, et elle semblait représenter à merveille mon affliction et mon impuissance. Je me suis tourné de nouveau face à la mer où le disque doré du soleil commençait à s'enfoncer rapidement. Bientôt, il n'allait plus y avoir assez de lumière pour chercher les clés. Cela m'a soudain donné une idée.

C'était une idée farfelue, mais il m'a semblé que c'était ma seule chance. Je suis descendu tout droit jusqu'au bord de l'eau, quinze mètres plus bas. Le soleil touchait presque l'horizon maintenant et ses rayons rasaient la surface de l'océan. Je me suis arrêté, j'ai pivoté sur mes talons et me suis accroupi. J'ai suivi des yeux la ligne légèrement inclinée de la plage jusqu'à l'endroit où je m'étais changé pour me baigner, et là, à un mètre ou deux à droite de ma serviette, quelque chose de brillant luisait, quelque chose réfléchissait la lumière du soleil couchant, comme une étoile minuscule dans l'immensité de l'espace. Quand je me suis relevé, le point lumineux a disparu. Et lorsque je me suis accroupi de nouveau, il a reparu. Les deux jeunes gens observaient ces manœuvres avec un brin de curiosité. Gardant les yeux fixés sur l'endroit où l'étincelle de lumière avait jailli, j'ai remonté la plage et là, en effet, la clé du coffre-fort d'Ursula dépassait du sable d'à peine plus d'un centimètre. Poussant un « ah ! » de triomphe, je me suis jeté à terre, j'ai retiré du sable la clé et tout le reste du trousseau, et j'ai montré le tout aux deux jeunes gens pour qu'ils admirent mon exploit ; ils ont souri et applaudi. Juste à ce moment-là, le soleil a sombré derrière l'horizon et la plage s'est obscurcie comme une scène de théâtre où l'on vient soudain de baisser les lumières. Serrant bien fort les clés — j'en ai encore les marques sur les paumes de mes mains — je me suis dirigé vers ma voiture dans la lumière pourpre du crépuscule, tout joyeux et le cœur léger. Demain, il va falloir que j'achète une de ces petites poches de marsupiaux.

Je viens de relire l'« histoire de ma vie » jusqu'à l'endroit où je m'étais arrêté hier soir, après avoir griffonné comme un forcené jusqu'au petit matin, poussé par un besoin impérieux de m'exprimer ou plutôt de m'examiner. Au début, j'ai eu l'impression que je m'adressais à Yolande Miller mais bientôt je me suis rendu compte que c'était à moi que je parlais. Et si je me suis arrêté là, ce n'est pas parce que j'étais fatigué, ou parce que j'avais pris conscience de ce fait nouveau, mais parce que ça m'était presque insupportable de continuer. Il m'est si pénible de me rappeler ce qui s'est passé ensuite, d'essayer de démêler l'écheveau des terribles décisions spirituelles que j'ai dû prendre et des absurdes ébats qui ont suivi. Bien sûr, c'est pour ça que j'ai pris congé de Yolande et quitté sa maison si précipitamment : parce que je craignais de voir ces mêmes événements se répéter. J'en étais arrivé au même point, hier soir, dans le salon de Yolande, qu'avec Daphné, dans son appartement, en ce sombre après-midi pluvieux de février. C'est pour ça que j'ai paniqué et que j'ai fichu le camp. Je vais finir l'histoire aussi brièvement que possible.

J'ai laissé notre héros cloué, pour ainsi dire, au dossier du divan, les lèvres écrasées par une bouche chaude de femme pour la première fois de... De toute ma vie, je crois, du moins depuis mon adolescence. Il y avait une petite fille dans notre rue, Jennifer, à qui je faisais un peu la cour quand j'avais environ sept ans, et je me rappelle vaguement l'avoir embrassée sur la bouche comme gage au cours d'un jeu lors d'un anniversaire ; je me souviens des sentiments très mitigés que j'ai éprouvés, un sentiment de plaisir au contact de ses lèvres douces et humides comme un grain de raisin sans peau, mêlé à un sentiment de honte et de gêne d'avoir à donner ce baiser en public. Mais, après le début de ma puberté, je n'ai jamais embrassé d'autres femmes que ma mère et mes sœurs, et ces embrassades et ces petites bises sur la joue étaient, inutile de le dire, complètement asexuées. C'était donc pour moi une sensation extraordinairement nouvelle de sentir la bouche de Daphné contre la mienne. Je n'avais pas de barbe à l'époque, et il n'y avait donc pas de coussinet de protection au point de contact. Elle m'a embrassé avec fermeté et application, avec révérence pourrais-je presque dire, comme certaines de mes paroissiennes, des femmes élégantes au port de matrones bien souvent, comme Daphné, qui venaient baiser les pieds du Christ en croix pendant la liturgie du Vendredi saint, avec une génuflexion gracieuse, un mouvement de tête assuré et parfaitement ciblé, comme pour montrer aux autres comment il fallait faire. (Moi, qui officiais, debout derrière la grosse croix retenue par deux acolytes sur les marches de l'autel, essuyant les pieds en plâtre avec un linge blanc après le passage de chaque adoratrice, je ne pouvais m'empêcher de noter et de classer mentalement les différentes manières qu'adoptaient ces personnes pour accomplir cet acte de piété — certaines timides et gênées, comme si c'était un gage, d'autres maladroites mais ferventes et décontractées, d'autres encore, froides, posées et pleines de respect humain.)

Je suis resté immobile et surpris mais n'ai opposé aucune résistance pendant que Daphné m'embrassait — en fait, j'étais ravi. J'ai découvert en un éclair combien j'avais été privé de contacts physiques avec d'autres humains, du bonheur animal de toucher, pendant toutes ces longues années de formation et de sacerdoce — privé, surtout, de cette mystérieuse altérité physique des femmes, de leurs rondeurs douces et molles, de leur peau lisse et satinée, de leur haleine et de leurs cheveux parfumés. Ce fut un long baiser. J'ai eu le temps de remarquer que les yeux de Daphné étaient fermés ; et moi, soucieux de me conformer au protocole de cette procédure peu familière, j'ai aussi fermé les yeux. Alors, elle a détaché ses lèvres des miennes, écarté son visage et dit d'un ton espiègle : « Il y a une éternité que je voulais faire ça. Pas vous ? »

Il semblait peu galant de dire non, alors j'ai dit oui. Elle a souri, baissé les paupières, froncé les lèvres et avancé le menton, m'obligeant plus ou moins à me pencher vers elle et à l'embrasser de nouveau, ce que j'ai fait. Lorsque j'ai quitté l'appartement, pressé (oh, sacrilège !) de regagner l'église à temps pour mes confessions de six heures, j'ai senti, bien qu'aucune autre marque d'intimité n'ait été échangée et que rien n'ait été explicitement dit, que j'étais sentimentalement engagé envers Daphné et moralement obligé d'abandonner la prêtrise. Il serait injuste de dire qu'elle m'a poussé à adopter cette ligne de conduite. J'étais prêt à rompre avec l'Église — dans mon for intérieur, je le souhaitais ardemment pour mettre fin aux contradictions de mon ministère et pour être enfin franc, ouvert, sincère par rapport à mes convictions et à mes doutes — mais je n'avais pas le courage de le faire seul. J'avais besoin qu'on me provoque, qu'on me soutienne. Daphné a fait les deux. Un prêtre sceptique qui dissimule ses doutes et continue à faire son travail par faiblesse ou sens du devoir, c'est une chose (et je crois qu'il y en a beaucoup comme ça) ; mais un prêtre catholique qui batifole avec une femme sur un divan, c'en est une autre — c'était en fait un scandale, une anomalie qui ne pouvait durer. Le baiser que m'avait donné Daphné et auquel j'avais répondu avait scellé le destin de ma foi perdue — ou plutôt, devrais-je dire, avait brisé le sceau et révélé tous les doutes que je dissimulais. Je n'éprouvais aucune culpabilité, seulement un grand soulagement et une immense jubilation comme je quittais l'immeuble en voiture ; je jetai un coup d'œil à la fenêtre du salon de Daphné où le rideau avait été tiré et où une silhouette corpulente se dessinait contre la lumière intérieure et semblait agiter la main. Pour la deuxième fois seulement de mon existence, je venais de faire un pas décisif pour changer ma vie. La première fois, c'était pour me jeter dans le giron austère mais rassurant de notre Sainte Mère l'Église ; et maintenant, pour me jeter dans les bras d'une femme et dans une vie pleine d'imprévus. Je me sentais plus vivant que jamais depuis des années. L'expérience m'avait transporté au plus haut point, et je crois vraiment que je n'ai jamais été un confesseur aussi efficace que ce soir-là — plein de compassion, d'attention, d'encouragements.

Lorsqu'il s'est agi de dire la messe et de faire le sermon le lendemain matin, ce fut une autre histoire. J'étais nerveux et agité. Contrairement à mon habitude, je bredouillais en lisant les textes et, pendant que je distribuais la communion, j'ai évité tout contact visuel avec mes paroissiens comme si je craignais qu'en me regardant dans le blanc des yeux ils aperçoivent, comme dans un peepshow, le scandaleux tableau de leur serviteur et de Daphné en train de s'embrasser. Au déjeuner, j'ai eu de la peine à tenir une conversation cohérente avec Thomas qui m'a regardé d'un air bizarre à deux ou trois reprises et demandé si je me sentais bien. L'après-midi, je me suis rendu à l'appartement de Daphné et nous avons encore eu une longue conversation, cette fois à propos de l'avenir.

Mon principal souci était d'atténuer au maximum le choc et la douleur que mon changement d'état allait inévitablement causer à mes parents. Aussi, plutôt que de renoncer publiquement et en bloc à la prêtrise, à la foi catholique et au célibat, j'ai pensé qu'il valait mieux solliciter d'abord ma réduction à l'état laïc, en présentant cette décision comme une crise de vocation devant papa et maman ; puis, lorsqu'ils se seraient faits à l'idée, je pourrais peut-être alors expliquer les doutes théologiques qui avaient motivé tout cela, et, au moment opportun, les préparer à accepter le fait que je me marie. J'ai pensé qu'entre-temps il fallait que je cherche un poste de professeur quelque part dans le nord de l'Angleterre et que Daphné pourrait venir m'y rejoindre en temps utile, pour que nous puissions mieux nous connaître dans le calme et l'intimité avant de prendre la décision de nous marier. Mais c'était un plan bien naïf et très mal pensé — il s'est vite effondré.

Je suis allé voir l'évêque auxiliaire dont je dépendais dans le diocèse, je lui ai dit que j'avais perdu la foi et lui ai demandé ma réduction à l'état laïc. Comme prévu, il m'a incité à la prudence, à la patience, à la réflexion. Il m'a demandé de faire une retraite pour reconsidérer la chose dans une atmosphère spirituelle paisible. Pour lui montrer ma bonne volonté, je suis allé dans un monastère de Carmélites faire une retraite de deux semaines, mais j'en suis parti au bout de trois jours à moitié fou, ne pouvant plus supporter ce silence et cette solitude, et je suis retourné voir l'évêque pour lui renouveler mon désir d'être réduit à l'état laïc. Il m'a demandé si le problème du célibat avait quelque chose à voir avec cette décision, et j'ai répondu, en bon casuiste, que mes doutes sur la foi catholique étaient entièrement intellectuels et philosophiques, même s'il y avait des chances pour que, une fois rendu à l'état laïc, je fasse comme la plupart des laïcs et me marie. Il m'a dit qu'il allait revoir le problème à la lumière de sa conscience et qu'il espérait que nous puissions nous mettre d'accord quant à la manière de retarder cette décision irrévocable. Il m'a dit qu'il prierait pour moi.

Il y eut ensuite un intermède d'une ou deux semaines pendant lequel mon esprit fut pris dans un maelström d'indécision et de pulsions contradictoires. L'évêque m'avait dispensé de l'obligation de dire la messe : officiellement, je n'étais pas bien, je souffrais de stress, et je me reposais sur ordre du médecin. J'avais une chambre dans un couvent en haut de la rue où se trouvait Saint-Pierre-et-Saint-Paul. Daphné et moi avons continué à nous revoir en cachette. Je crois qu'elle appréciait assez le caractère illicite et secret de notre relation — qui ajoutait un certain piquant romantique. Nous ne parlions pourtant que de mes doutes, de ma décision, de la procrastination de l'évêque, mais notre intimité physique grandissait. Ses baisers lorsque nous nous séparions étaient longs et insistants, et une fois j'ai senti à mon grand émoi sa langue chaude et humide s'insinuer entre mes lèvres et mes dents. Comme cela devait finir par arriver, un paroissien nous a surpris un soir nous tenant la main dans un petit pub de campagne à plusieurs kilomètres de Saddle et toute l'affaire s'est ébruitée.

Le lendemain, la paroisse bourdonnait de commérages. Lorsque je suis passé au presbytère prendre mon courrier, Aggie m'a regardé avec des yeux ronds comme si des cornes m'avaient poussé sur le front et que des sabots dépassaient des revers de mon pantalon. On m'a dénoncé à l'évêque qui m'a convoqué pour une interview et m'a accusé de l'avoir trompé. Nous avons échangé des propos si véhéments que j'ai quitté les ordres sur-le-champ, m'excommuniant ainsi de fait moi-même. Je me suis rendu chez mes parents dans le sud de Londres et j'ai eu avec eux une entrevue difficile au cours de laquelle je leur ai dit ce que j'avais fait et ce que je comptais faire. Ce fut un choc terrible pour eux. Maman a pleuré. Papa était hébété et sans voix. Ce fut une vraie descente aux enfers. Je n'ai pas essayé d'expliquer les raisons qui avaient motivé ma décision — ça n'aurait fait qu'accroître leur douleur. Leur foi toute simple était aussi vitale pour eux que le sang qui circulait dans leurs veines ; elle les avait soutenus dans les épreuves et les désillusions de la vie, et elle les soutiendrait encore dans cette épreuve. Comme je partais, maman a dit qu'elle réciterait le rosaire tous les jours de sa vie pour que je retrouve la foi, et je suis sûr qu'elle l'a fait. Que de souffle gaspillé... Ça me rend incroyablement triste encore aujourd'hui de l'imaginer à genoux, tous les soirs de son existence, se livrant à cette vaine pratique dans sa chambre glacée, sous la statue de Notre-Dame de Lourdes trônant sur la cheminée, les yeux hermétiquement clos, et les grains du chapelet enroulés autour de ses doigts comme des liens, à une époque où elle-même n'allait pas bien du tout. La rupture de ma brève liaison avec Daphné lui a redonné espoir, pourtant. Mon retour à la prêtrise devenait ainsi encore possible théoriquement.

J'ai déménagé du presbytère de Saddle en catastrophe et loué un studio à Henfield Cross, un endroit plus terne et moins cossu à une dizaine de kilomètres de la grande banlieue de Londres (l'ironie du nom, avec cette référence discrète au christianisme, ne m'a pas échappé). Daphné m'avait offert de m'installer avec elle dans son appartement qui avait une minuscule chambre d'amis, mais, pour ma tranquillité, c'était trop près de la paroisse. La presse locale s'était emparée de l'affaire. Un jour, un jeune reporter m'a tendu une embuscade dans le hall d'entrée de l'immeuble de Daphné et m'a demandé une interview.

Quoi qu'il en soit, j'hésitais à me lancer aussi brusquement et aussi totalement dans cette intimité et cet engagement. Curieusement, en l'espace de quelques semaines, nos petites embrassades s'étaient transformées en fréquentations, et l'éventualité d'un mariage avait cédé la place à une discussion sur des détails pratiques : où, quand, sous quels auspices. Je trouvais que j'avais besoin d'un moment de calme pour rassembler mes idées, m'habituer à ma vie laïque et mieux connaître Daphné. Et puis il y avait la question, toujours non résolue, de savoir comment j'allais gagner ma vie. Je vivais sur mes maigres économies mais elles allaient vite s'épuiser. J'avais fait une demande d'allocation chômage au bureau de la sécurité sociale. Un jour je suis allé inscrire mon nom dans un registre professionnel à l'agence locale pour le chômage. L'employé a eu l'air quelque peu intrigué lorsque j'ai indiqué que j'étais « théologien ». « Il n'y a pas tellement de demandes dans cette branche », a-t-il dit. Je l'ai cru volontiers. J'ai commencé à fréquenter la bibliothèque publique locale, à lire les petites annonces dans les journaux, surtout pour des postes d'enseignement, là où je croyais avoir le plus de chances de trouver un emploi.

Pendant ce temps, je voyais Daphné régulièrement. Souvent on allait dîner dans un pub ou un restaurant asiatique, ou bien elle venait jusqu'à Henfield Cross et faisait la cuisine sur mon réchaud à gaz. J'hésitais à aller la voir dans son appartement pour les raisons que je viens d'indiquer. D'ailleurs, elle avait une voiture et moi pas. La Ford Escort que j'utilisais en tant que curé de paroisse avait été achetée avec un prêt du diocèse, et j'ai dû m'en défaire en quittant Saint-Pierre-et-Saint-Paul. La voiture est la seule chose qui, sincèrement...

J'ai été interrompu au milieu de ma phrase par la sonnerie du téléphone. C'était Tess. J'avais complètement oublié de téléphoner en Angleterre ce soir comme j'avais prévu de le faire. Et que ce soit Tess qui me rappelle pour la deuxième fois me mettait naturellement encore davantage dans mon tort ; je me suis trouvé dans une position morale pire encore lorsque j'ai dû avouer qu'elle ne pouvait pas parler à papa parce qu'il était à l'hôpital. Elle a sauté au plafond, bien sûr. Je me suis presque conformé au stéréotype des bandes dessinées, tenant mon combiné à bout de bras loin de mon oreille tandis qu'elle me reprochait ma négligence et mon incompétence à m'occuper de papa, et, par-dessus tout, ma folie de l'avoir entraîné à Hawaii. Ce qui attisait sa colère, je le savais bien, c'était qu'elle se sentait un peu coupable elle-même de l'avoir encouragé à venir, pour des motifs très intéressés qui s'étaient avérés sans fondement. Je lui ai fourni un rapport aussi optimiste que possible sur la fracture de papa et la nette amélioration de son état, et j'ai habilement laissé entendre que l'hôpital était non seulement très efficace mais catholique de surcroît. J'ai aussi fait valoir à mon crédit (crédit qui revenait en fait au jeune homme de l'agence de voyages) que j'avais eu l'intelligence de prendre une assurance pour couvrir les frais médicaux. (Les Walsh n'ont jamais été très prudents en la matière : je me souviens que notre maison a été cambriolée deux fois dans les années cinquante avant que papa se décide à assurer ses biens.) J'ai promis de faire tout mon possible pour que papa lui téléphone de son lit d'hôpital afin qu'elle puisse constater par elle-même que je disais la vérité et qu'il n'était pas (« pour autant que je sache », comme elle l'a sournoisement insinué) commotionné, inconscient ou en soins intensifs.

J'ai essayé de la brancher sur autre chose en lui racontant toutes les difficultés que j'avais rencontrées à trouver une maison de repos convenable pour Ursula. Tess m'a demandé combien pesait financièrement Ursula, et elle a émis un grognement de mécontentement quand je lui ai dit. Lorsque j'ai mentionné que j'avais persuadé Ursula de prendre sur son capital pour payer une maison de repos privée, Tess a répondu : « Tu ne crois pas, Bernard, que tu as agi de façon un peu autoritaire en cette affaire ? Après tout, c'est l'argent d'Ursula, même si tu as cette... cette procuration, comme tu dis. Si elle préfère vraiment aller dans un établissement public et avoir le plaisir de laisser un peu d'argent derrière elle...

— Arrête, je t'en prie, Tess, l'ai-je interrompue, ce n'est pour elle qu'une question de mois. Et, de toute façon, ça ne change rien. Si elle allait dans un établissement public maintenant, ils mettraient le grappin sur ses biens personnels et récupéreraient presque tout leur argent à part quelques milliers de dollars. (J'avais découvert ça au cours de mes recherches.)

— Oh, alors, je ne dis rien, dit Tess contrariée. C'est une

belle pagaille. » Et, contre toute logique, elle a conclu en disant :
« Et tout ça est de ta faute », puis elle a raccroché brusquement.

Revenons à Daphné : je veux en finir avec cette triste histoire
et aller me coucher. Globalement la situation était la suivante : je
voulais retarder le mariage, nous donner le temps à tous les deux
de mieux nous connaître. Daphné était plus pressée : elle avait
trente-cinq ans et désirait une famille. J'avais terriblement besoin
de sa compagnie et de son soutien, mais au fond de moi j'étais
terrifié par l'aspect sexuel du mariage. Nous en étions toujours au
stade charmant et digne des baisers et des caresses, ce que je
trouvais plus rassurant qu'excitant. Ce n'est que lorsque la langue
de Daphné recherchait la mienne que je ressentais une petite
excitation sexuelle, et alors, par une sorte de réflexe conditionné,
je me ressaisissais et essayais de distraire mes esprits pour ne pas
« succomber au péché ». Cette excitation me faisait supposer que
j'étais au moins capable d'accomplir l'acte sexuel, mais comment
allais-je m'y prendre le moment venu ? Je préférais ne pas trop y
penser. Un soir que nous étions assis tous les deux dans mon
studio, j'ai évoqué mes angoisses et mes doutes, mais avec tant de
discrétion et de détours que Daphné a mis du temps à comprendre
ce qui me tracassait. Quand elle a compris, elle a dit, avec sa
brusquerie habituelle : « Eh bien, il n'y a qu'une façon de le
savoir », et elle a suggéré que nous allions au lit sur-le-champ.

Eh bien, ce fut un désastre, un fiasco total, ce soir-là et toutes
les autres fois que nous avons essayé — et que ce fût dans ma
chambre, dans son appartement ou encore (une fois, en désespoir
de cause) dans un hôtel n'y changea rien. Daphné n'était pas vierge
mais son expérience sexuelle se résumait à une ou deux idylles
brèves et peu satisfaisantes du temps où elle était étudiante. En
l'écoutant, je voyais en imagination ces tristes scènes : la grosse
fille laide, assoiffée d'affection et se donnant trop facilement à des
jeunes gens peu scrupuleux qui prennent leur plaisir sans lui en
donner beaucoup et repartent bien vite. Devenue infirmière, elle
était tombée amoureuse d'un chirurgien dans le premier hôpital où
elle avait travaillé, mais cette relation était restée purement
platonique parce que le chirurgien en question était marié et heureux
en ménage. Elle voulait sans doute, en me racontant tout ça, que
j'admire sa grande maîtrise d'elle-même et son abnégation, mais je
me demande si le chirurgien ne se satisfaisait pas d'une relation

platonique avec Daphné et si, quand on lui a proposé un poste de professeur en Nouvelle-Zélande, il n'a pas sauté sur l'occasion en partie pour échapper à sa dévotion par trop oppressante. Ainsi donc, elle avait peu d'expérience sexuelle, peu de pratique en tout cas, mais ça ne l'empêchait pas d'être parfaitement dénuée de pudeur — la pire des combinaisons possibles pour mettre à l'aise un vieux novice comme moi. Les quinze années qu'elle avait passées à soigner des hommes et des femmes de tous âges et de toutes formes l'avaient rendue totalement indifférente à la nudité du corps humain, à ses fonctions et à ses imperfections, tandis que moi j'étais affreusement gêné d'exposer mon propre corps et très mal à l'aise au spectacle du sien. La Daphné sans vêtements était une créature toute différente de la Daphné caparaçonnée dans son uniforme amidonné d'infirmière, ou enveloppée dans ses robes de dame et ses sous-vêtements invisibles. L'image que j'avais de la nudité féminine, pour autant que je me la représentais, c'était quelque chose de chaste, de classique et d'idéal, une image empruntée, j'imagine, à la Vénus de Milo ou à la Vénus de Botticelli. Daphné nue était davantage une version grandeur nature d'une de ces figurines représentant la fertilité féminine que l'on trouve dans les collections d'objets exotiques des musées d'ethnologie, avec d'énormes mamelles, des ventres rebondis et des fesses protubérantes, grossièrement sculptées dans le bois ou modelées dans l'argile. Un amant plus viril et plus sûr de lui aurait pu faire ses délices de cette luxuriance charnelle, mais moi j'étais intimidé.

Certains s'imaginent, je pense, qu'un homme libéré de vingt-cinq ans de célibat obligatoire doit être atteint de priapisme aigu et être impatient de s'accoupler avec la première femelle consentante qu'il trouve sur son chemin. Il n'en est rien. Il y avait eu une époque, quand j'étais étudiant, où, comme tout jeune homme normalement constitué, j'étais pris d'une fièvre lubrique presque intolérable si par hasard mon regard accrochait une image lascive dans une revue ou si, dans un wagon de métro bondé, mes yeux plongeaient dans l'encolure béante d'une jolie fille assise près de moi tandis que, debout, je me tenais à une poignée. Pendant plus longtemps que la plupart des jeunes gens (j'imagine), j'ai été dérangé par des pollutions nocturnes ; le liquide séminal, s'accumulant et ne trouvant pas à se libérer de façon normale, s'épanchait dans mon sommeil et dans mes rêves. (C'était un problème très commun : un jour, j'ai surpris les deux femmes qui lavaient le linge à Ethel en train de plaisanter grossièrement sur les « cartes d'Irlande sur les draps », et elles ont ajouté : « pas étonnant qu'on appelle ça un séminaire ».) Mais c'était il y a longtemps. Peu à peu l'excitation sexuelle spontanée est devenue plus rare et plus facile à contrôler. Le célibat est moins devenu un sacrifice et davantage une habitude. La sève s'est lentement tarie.

Même chez les hommes qui ont eu une vie sexuelle normale, je crois, il vient un moment où l'acte sexuel est un acte volontaire plutôt qu'une réaction réflexe. Récemment, j'ai lu quelque part ce trait d'esprit attribué à un Français et si typique de cette sagesse française sur les choses de la vie : « Cinquante ans est le bel âge : quand une femme dit "oui" vous êtes flatté, quand elle dit "non" vous êtes soulagé. » Certes, je n'avais pas cinquante ans, seulement quarante et un ans lorsque Daphné a dit « oui » à une question que j'avais à peine formulée, mais, comme les muscles qui manquent d'exercice, les instincts que l'on ne satisfait pas tendent à s'atrophier. Ni Daphné ni moi ne possédions l'adresse ni le tact de ranimer ma libido si longtemps refoulée. Je n'arrivais pas, comme on dit vulgairement, je crois, à « bander ». Ou si je bandais, je ne pouvais pas le faire assez longtemps pour pénétrer Daphné ; et toute la bonne volonté qu'elle mettait pour m'aider ne faisait qu'accroître ma honte et ma gêne. Chaque échec, me rendant plus nerveux et plus craintif, hypothéquait lourdement la tentative suivante. Un jour, Daphné m'a donné à lire un manuel d'éducation sexuelle, plein de dessins érotiques et de descriptions de pratiques perverses. Mais c'était comme quand on présente un menu de gourmet à un homme qui n'a vécu que de pain et d'eau toute sa vie (le livre était même divisé en plusieurs parties intitulées très drôlement : amuse-gueules, entrées, plat principal, etc.). C'était comme si on donnait un manuel de physique nucléaire à un bricoleur du dimanche qui veut seulement changer un fusible. Le manuel n'a eu pour résultat que d'aggraver mon malaise et mon sentiment de panique à l'approche du test suivant.

Bien que Daphné ait été tolérante et bien disposée au début, sa patience a peu à peu commencé à s'émousser et il devint de plus en plus difficile de dissimuler le fait que nous n'étions vraisemblablement pas destinés à nous entendre sexuellement. Elle se sentait bien sûr rejetée, et moi je me sentais humilié. Les tensions que nous avions entre nous dans ce domaine commencèrent à s'étendre à tout le reste de nos relations qui, Dieu sait pourtant, étaient suffisamment vulnérables et tendues comme ça. On se chamaillait pour des bagatelles, et on se querellait sur un point important : ce poste à mi-temps que l'on m'avait offert au collège Saint-Jean, fallait-il que je l'accepte ? Elle ne voulait pas aller s'installer à Rummidge — ce taudis industriel minable et crasseux, comme elle disait, alors qu'elle n'avait fait que le traverser par l'autoroute, ce qui n'en donne pas la meilleure image. Elle voulait que je passe plus de temps à chercher un emploi dans le Sud-Est, peut-être dans un département d'éducation religieuse d'une école secondaire. Mais je savais au fond de moi que je serais incapable de tenir une classe d'adolescents hargneux, et inintéressés à coup sûr, dans un collège public, alors que le poste à Saint-Jean, malgré le petit salaire qu'il offrait, paraissait davantage dans mes cordes. Par ailleurs, j'avais hâte de quitter le Sud, de quitter Londres et ses environs, et d'aller quelque part où je risquais moins de me retrouver nez à nez avec mes anciens élèves ou collègues, et où j'aurais moins l'occasion de rencontrer les membres de ma famille. C'est ainsi que, tristement, misérablement, lamentablement, deux mois après avoir quitté la prêtrise, j'ai quitté Daphné — ou plutôt c'est elle qui m'a quitté. Enfin, on s'est séparés par consentement mutuel. L'échec de cette relation a hanté mon esprit pendant des mois. L'avais-je exploitée, ou m'avait-elle exploité ? Je ne sais pas, peut-être que ni l'un ni l'autre ne comprenions réellement nos vrais motifs. J'ai été extrêmement soulagé d'apprendre l'an dernier qu'elle s'était mariée. J'espère qu'il n'est pas trop tard pour elle d'avoir des enfants.

Mardi 15

Une chose extraordinaire et merveilleuse est arrivée aujourd'hui. A une autre époque de ma vie, j'aurais appelé ça un événement providentiel ou plutôt « miraculeux », pour reprendre le terme utilisé par Ursula aujourd'hui. Maintenant, je suppose, je dois parler de bonne fortune ou de chance, bien que le mot « fortune » paraisse trop faible et celui de « chance » trop désinvolte pour traduire un événement dont la justice poétique est si plaisante. Et la clé ! La clé perdue et la clé retrouvée ! Une personne plus superstitieuse que moi aurait sûrement interprété ce petit épisode comme un signe de bon augure. Car, sans cette clé, je n'aurais pas pu aller à la banque ce matin pour ouvrir le coffre d'Ursula, et si je n'avais pas ouvert le coffre je n'aurais pas retiré ses actions, et sans ses actions je ne serais pas allé chez l'agent de change au centre d'Honolulu et je n'aurais pas découvert qu'Ursula est infiniment plus aisée qu'elle ne s'imagine. Riche, même.

Car il y avait un joker dans le paquet, une action supplémentaire qu'Ursula avait complètement oubliée, dans une banale enveloppe de quatre sous, sans signe particulier, glissée dans les plis de son certificat de mariage (certificat qu'elle n'avait jamais eu envie de consulter depuis son divorce) au fond de la boîte, sous un exemplaire de son testament, et sous la petite liasse des actions dont elle se souvenait, chacune dans sa petite poche en plastique transparente ; elle les avait achetées depuis qu'elle s'était installée à Honolulu par l'intermédiaire de la firme Simcock Yamaguchi dont je devais rencontrer un des responsables ce matin, un certain M. Weinburger. Elle avait apparemment acheté cette action (car ce n'était que cela, une unique action) à l'époque où son mariage se brisait, sur les recommandations d'un ami, de son avocat ou même peut-être de son ex-mari (elle n'en sait rien, tout ça est si loin), un tout petit investissement de 235 dollars, le prix d'une seule action dans une compagnie peu connue alors. Elle avait rangé son certificat d'achat, l'avait oublié et avait négligé d'informer la compagnie de ses nombreux changements d'adresse à cette époque mouvementée de sa vie, de sorte qu'elle n'avait jamais reçu de dividendes, et la compagnie aurait sûrement fini par renoncer à prendre contact avec elle, aux dires de M. Weinburger.

Il a froncé les sourcils en sortant le certificat de son enveloppe légère. « Qu'est-ce que c'est que ça ? a-t-il demandé. Ça n'apparaît nulle part dans le portefeuille de Mme Riddell. »

La liste des actions d'Ursula était affichée sur l'un de ses écrans d'ordinateurs en une succession de lettres et de chiffres ambrés sur fond marron. Il avait examiné chaque article un à un, faisant apparaître d'autres listes et d'autres tableaux sur un autre écran, lettres blanches sur fond vert, pour montrer, avec un luxe de professionnalisme qui ne m'impressionnait aucunement car je n'y comprenais rien, la valeur marchande de chaque action à ce jour, avant d'appuyer sur une touche pour donner l'ordre de vente.

C'est une vie bien étrange que mène M. Weinburger, une vraie vie de troglodyte. La bourse de New York ferme à dix heures du matin, heure d'Hawaii, si bien qu'il doit se lever en pleine nuit pour venir travailler à cinq heures tous les jours, et passer huit heures dans une immense pièce aveugle encombrée de rangées de bureaux non séparés où des hommes en costumes sombres et en chemises à rayures regardent en grimaçant des écrans d'ordinateurs et marmonnent des choses dans des téléphones qu'ils tiennent coincés sous leurs mentons comme des violons. La salle des négociations de Simcock Yamaguchi fait encore davantage penser à Wall Street que la suite de M. Bellucci, et elle parvient encore mieux à vous faire oublier qu'à l'extérieur du bâtiment le soleil brille sur les vagues et que les palmiers s'inclinent au gré des alizés. La richesse d'Hawaii dépend vraisemblablement de gens comme M. Weinburger qui travaillent sans relâche à la lumière des néons, indifférents aux charmes du climat tropical. A treize heures, si j'ai bien compris, il allait avoir fini sa journée de travail, mais, à en juger par sa mine, il ne devait pas passer ses après-midi à la plage. Ses joues, assombries par une barbe prématurément longue, étaient aussi pâles que celles d'un mineur. Je l'imaginais bien prenant son déjeuner avec ses collègues dans quelque restaurant glacé, mal éclairé, au sous-sol d'un centre commercial voisin, puis rentrant chez lui dans sa voiture climatisée aux vitres teintées pour regarder la télé dans sa maison aux volets clos.

« Seigneur Jésus ! a-t-il dit tandis qu'il examinait le certificat. D'où diable sortez-vous ça ? »

J'ai expliqué où je l'avais trouvé.

« L'avez-vous bien regardé, monsieur Walsh ?

— Oui. Ce n'est qu'une simple action, n'est-ce pas ?

— Une simple action, peut-être, mais achetée en 1952 ; et avez-vous remarqué le nom de la compagnie, International Business Machines ? (Il a tapé sur le clavier de son ordinateur et consulté l'écran blanc et vert où est apparue une nouvelle enfilade de chiffres.) Il y a eu de nombreux partages d'actions et des distributions de dividendes depuis 1952, si bien que la petite action de votre tante s'est subdivisée en 2 464 actions ; le prix courant d'IBM étant de 113 dollars, l'investissement de votre tante vaut approximativement... (il a fait un rapide calcul)... 278 000 dollars. »

Je suis resté bouche bée à le regarder.

« Vous avez bien dit 278 *mille* ?

— Sans compter les dividendes et les intérêts sur les dividendes qu'IBM a dû placer à la banque sous le nom de votre tante depuis un certain nombre d'années tandis qu'on essayait de la localiser.

— Mon Dieu ! ai-je soupiré, complètement ahuri.

— Un bénéfice de 100 000 % sur l'investissement de départ, a dit M. Weinburger. Pas mal. Pas mal du tout. Que voulez-vous que je fasse de ces actions ?

— Vendez-les ! me suis-je écrié. Vendez-les tout de suite avant qu'elles ne perdent de leur valeur.

— N'y a pas de danger », a dit M. Weinburger.

Trois quarts d'heure plus tard, je suis sorti du bâtiment, planant littéralement, avec un chèque de 301 096 dollars et 35 cents dans mon portefeuille, la valeur totale de la vente des actions d'Ursula, moins la commission de Simcock Yamaguchi. J'ai sauté dans un taxi et foncé vers le Geyser dans un état euphorique d'incrédulité. Tous les problèmes d'Ursula se trouvaient résolus d'un seul coup. Plus jamais elle n'allait avoir de soucis d'argent. Plus question de l'envoyer au Belvedere House ou dans un autre établissement du même acabit. Elle allait pouvoir s'installer à Makai Manor dès que les choses seraient réglées. Quel plaisir d'être porteur de bonnes nouvelles ! Dans ces cas-là, on se sent habité par un instinct de propriétaire totalement insensé. Je me suis engouffré dans le hall du Geyser et je trépignais d'impatience en attendant l'ascenseur. J'ai franchi à toute allure les portes battantes donnant accès à l'aile d'Ursula, je suis passé à côté d'une infirmière qui m'a fait remarquer sévèrement que ce n'était pas l'heure des visites et je me suis précipité vers le lit d'Ursula. Les rideaux étaient tirés tout autour et il y avait dans l'air une affreuse puanteur. Une infirmière au visage pâle est apparue de derrière les rideaux, portant quelque chose sous une serviette et elle a disparu bien vite, suivie du Dr Gerson qui, me prenant par l'épaule, m'a fait faire demi-tour pour m'entraîner vers la porte.

« On a enfin réussi à lui dégager les intestins, a-t-il dit. C'est un vrai cocktail Molotov qu'il a fallu. Je commençais à me demander si on n'allait pas devoir l'opérer.

— Elle va bien maintenant ? ai-je dit.

— Elle est O.K., mais ça n'a pas été très agréable. Elle se repose. Revenez dans une heure environ. »

J'ai dit que j'avais une nouvelle importante à lui communiquer et que je préférais attendre. Assis sur une banquette mauve dans le hall du rez-de-chaussée, je me suis calmé un peu et j'ai passé en revue les événements de la matinée. Les problèmes financiers d'Ursula étaient peut-être résolus mais ça ne changeait rien au fait qu'elle était mourante, qu'elle souffrait et était dans un état de détresse. Cette réalité était incontournable. Difficile de se réjouir dans la circonstance.

Naturellement, Ursula a été aux anges quand j'ai finalement réussi à la voir. Elle avait peine à croire à cette fortune tombée du ciel et ce n'est qu'en voyant le chèque, apparemment, qu'elle a été convaincue. Elle avait complètement oublié qu'elle avait acheté cette action — ce souvenir avait été enterré avec tous les autres souvenirs pénibles liés à la rupture de son mariage.

« C'est un miracle, a-t-elle dit. Si j'avais su que j'avais cette action, je l'aurais vendue il y a bien longtemps et j'aurais sans doute gaspillé tout l'argent. Voilà qu'elle réapparaît au moment même où j'en ai le plus besoin, comme un trésor caché. Dieu a été très bon pour moi, Bernard — et toi aussi !

— Quelqu'un aurait bien fini par la trouver, ai-je dit.

— Oui, mais peut-être après ma mort », a-t-elle répliqué. Le mot « mort » a jeté un froid dans nos esprits pendant quelques instants. Ursula a rompu le silence. « N'en parle pas à Sophie Knoepflmacher, sous aucun prétexte. N'en parle à personne. » Lorsque je lui ai demandé pourquoi, elle a marmonné quelque chose à propos des cambrioleurs et des profiteurs, mais ça ne voulait rien dire. J'ai attribué cela à ce sens invétéré du secret et de la cachotterie qui caractérise les Walsh en matière d'argent. Je lui ai demandé si je pouvais le dire à papa et elle a répondu que oui, bien sûr. « Et dis-lui de téléphoner à sa sœur, tu veux bien ? Je n'ai pas encore réussi à lui parler. »

Je me suis rendu directement à Saint-Joseph pour annoncer la nouvelle à papa, mais je me suis retrouvé nez à nez avec Mme Knoepflmacher, une Mme Knoepflmacher aux cheveux argentés, en *muumuu* blanc barbouillé de grosses fleurs roses et bleues, qui était postée près de papa. Un petit bouquet d'orchidées dans les mêmes tons était posé sur la table de chevet de papa.

« Votre père vient de me parler de la religion catholique, m'a-t-elle informé.

— Oh, vraiment ? ai-je dit, en essayant de dissimuler mon amusement. Sous quel aspect ?

— Oh, on parlait de la différence entre... qu'est-ce que c'était déjà ? a-t-elle dit, se tournant vers papa qui avait l'air plutôt penaud.

— La calomnie et la médisance, a-t-il murmuré.

— C'est ça, a dit Mme Knoepflmacher. Apparemment, c'est pire de dire sur quelqu'un du mal qui est vrai que du mal qui n'est pas vrai.

— Parce que si c'est vrai, vous ne pouvez vous rétracter sans dire de mensonge, ai-je ajouté.

— C'est ça, a dit Mme Knoepflmacher. C'est exactement ce qu'a dit M. Walsh. Je n'avais jamais pensé à ça. Mais, à vrai dire, je ne suis toujours pas sûre de très bien comprendre.

— Je ne suis pas sûr moi non plus, madame Knoepflmacher. C'est le genre de problème avec lequel les théologiens spécialistes de morale se divertissent pendant les longues soirées d'hiver. »

Nous avons continué de bavarder pendant quelques minutes, puis Sophie Knoepflmacher nous a laissés seuls. « Il faut bien parler de quelque chose, a dit papa comme pour se justifier ; cette satanée bonne femme persiste à venir me voir. Ce n'est pas moi qui l'invite.

— Je trouve que c'est très gentil de sa part. Et si ça t'empêche de penser à ta hanche...

— Rien ne m'empêche d'y penser.

— Ursula vient d'apprendre quelque chose qui devrait te distraire, ai-je dit. Pourquoi tu ne lui téléphonerais pas tout de suite pour qu'elle te le dise elle-même ! Je vais demander qu'on apporte un téléphone à ton lit.

— Quelle nouvelle ?

— Si je te le dis, ça va gâcher la surprise.

— Je n'aime pas les surprises. C'est un nouvelle à propos de quoi ?

— A propos d'argent. »

Il a réfléchi un moment. « Bon, d'accord. Mais je ne veux pas que tu me regardes pendant que je lui parle. »

Je lui ai dit que j'attendrais dehors. La conversation n'a pas été bien longue, compte tenu du fait qu'ils ne s'étaient pas parlé depuis des dizaines d'années. Quand, au bout de quelques minutes, j'ai glissé un coup d'œil par la porte, papa avait déjà reposé le combiné.

« Alors ? ai-je demandé avec un petit sourire.

— C'est finalement une femme riche, a-t-il dit platement. Ça ne va pas lui servir à grand-chose maintenant, la pauvre.

— Elle va pouvoir s'offrir la meilleure maison de repos du pays.

— Ouais, c'est toujours ça, je suppose. » Il avait le regard pensif, lointain. J'ai compris que la nouvelle qu'il venait d'apprendre d'Ursula avait ravivé en lui l'espoir d'hériter d'elle. C'est une réaction désolante d'égoïsme, mais s'il se lamente un peu moins d'avoir été entraîné jusqu'à Hawaii, je ne m'en plaindrai pas.

« J'imagine qu'Ursula a été contente d'entendre enfin ta voix », ai-je dit pour l'inciter à parler.

Il a haussé les épaules. « C'est ce qu'elle a dit. Elle a menacé de louer une ambulance pour venir me voir ici.

— Oui, il faudra peut-être en arriver là. Tu n'as pas parlé longtemps au téléphone.

— Non, a-t-il répondu. Moins je cause avec Ursula et mieux je me porte, ç'a toujours été comme ça. »

Juste avant de quitter Ursula aujourd'hui, elle m'a dit d'un air mélancolique : « Ç'aurait été merveilleux, non, si tous les trois, Jack, toi et moi, on avait pu aller en ville faire la java ce soir ? Il va falloir que tu arroses ça pour nous, Bernard. Offre-toi un petit gueuleton quelque part.

— Quoi, tout seul ? ai-je dit.

— Tu ne connais personne que tu pourrais inviter ? »

J'ai tout de suite pensé à Yolande Miller. C'était l'occasion rêvée de lui rendre son invitation, mais comme je n'avais pas parlé de mon dîner de dimanche soir à Ursula, il m'était difficile de mentionner le nom de Yolande sans déclencher chez elle de la surprise et une curiosité gênante pour moi. « Je peux toujours inviter Sophie Knoepflmacher, ai-je dit.

— Surtout pas ! » s'est exclamée Ursula. Quand elle a vu que je la taquinais, son visage s'est détendu. « Écoute ce que tu pourrais faire, Bernard — moi, c'est ce que je ferais ce soir, si j'en avais la possibilité. Va prendre un cocktail champagne au Moana. C'est le plus vieil hôtel de Waikiki — et aussi le meilleur. Tu as dû l'apercevoir sur l'avenue Kalakaua à l'intersection de Kaiolani. Il vient d'être restauré, il était en très mauvais état. A l'arrière, il y a une cour, avec un énorme vieux banian, qui donne sur l'océan et où l'on peut s'asseoir et consommer. C'est de là qu'autrefois on diffusait un programme de radio célèbre, « Hawaii Calls », à destination du continent. Je l'écoutais régulièrement quand je suis arrivée en Amérique. Vas-y ce soir à ma place. Tu me diras demain comment c'était. »

J'ai dit que j'allais le faire. Il est maintenant quatre heures et demie de l'après-midi. Si je dois inviter Yolande Miller, je ferais mieux de le faire tout de suite.

Mercredi 16

La journée a été un peu moins démente que les précédentes. J'ai tout arrangé pour qu'Ursula entre au Makai Manor vendredi, « sous réserve qu'elle puisse fournir des garanties financières suffisantes », ce qui ne devrait pas poser de problème. J'y suis allé en voiture pour « compléter », comme on dit ici, les formulaires nécessaires et j'ai rapporté un prospectus pour le montrer à Ursula. Je lui ai aussi apporté à l'hôpital la lingerie de rechange qu'elle avait réclamée. Je dois dire que j'ai trouvé cela bizarre et assez gênant d'avoir à fouiller dans les tiroirs de sa chambre pour chercher ces articles intimes de lingerie féminine, les tenant devant moi pour en déterminer la fonction, palpant le tissu délicat pour m'y retrouver entre le nylon et la soie ; il est vrai que, depuis le début, toute cette expédition à Hawaii m'a plongé dans des expériences tout à fait inhabituelles.

Au fond d'un des tiroirs, j'ai trouvé une enveloppe vierge non cachetée en papier bulle ; pensant qu'il y avait peut-être dedans une autre action oubliée ou quelque trésor de ce genre, j'ai regardé à l'intérieur. Elle ne contenait cependant rien d'autre qu'une vieille photographie, un cliché sépia que l'on avait déchiré presque par le milieu à une certaine époque puis recollé avec du scotch. On y voyait trois jeunes enfants, une fillette de sept ou huit ans et deux garçons plus âgés de treize et quinze ans environ. La fillette et le plus jeune des garçons étaient assis sur un tronc d'arbre abattu au milieu d'un champ, clignant des yeux face à l'appareil, tandis que l'aîné des garçons posait très décontracté derrière eux, les mains dans les poches, un grand sourire suffisant au coin des lèvres. Leurs habits étaient tristes et démodés, et ils portaient tous les trois de lourdes bottines à lacets, alors qu'on semblait être en été. J'ai tout de suite reconnu papa dans le plus jeune des garçons. La petite fille avec sa touffe de bouclettes et son sourire timide était Ursula, et l'aîné des garçons devait être l'un des frères — Sean, peut-être : j'ai eu l'impression de reconnaître la pose désinvolte du héros mort noyé, celui de la photo exposée sur le buffet de papa.

J'ai emporté la photo à l'hôpital, pensant qu'elle risquait de raviver quelques souvenirs intéressants de l'enfance d'Ursula. Elle y a jeté un coup d'œil et m'a regardé d'un air étrange. « Où as-tu trouvé ça ? » Je lui ai dit.

« Elle s'est déchirée un jour et j'ai essayé de la recoller. Ça ne vaut pas la peine de la garder. » Elle me l'a redonnée. « Jette-la. » Je lui ai dit que si elle n'y tenait pas, moi je voulais bien la garder. Elle a confirmé que j'avais identifié correctement les enfants sur la photo, mais elle a paru peu disposée à en parler davantage. « La photo a été prise en Irlande, a-t-elle dit, à l'époque où nous habitions Cork, avant de déménager vers l'Angleterre. C'est loin tout ça. Est-ce que tu es allé au Moana hier soir ? »

J'ai tout dit à Ursula sur ma soirée au Moana — tout, sauf que j'étais en compagnie de Yolande.

J'ai finalement pris mon courage à deux mains et je lui ai téléphoné à cinq heures hier après-midi. C'est Roxy qui a répondu. Je l'ai entendue appeler sa mère qui se trouvait apparemment hors de la maison : « Maman ! Le téléphone ! Je crois que c'est le type qui était ici l'autre soir. » Yolande a pris l'appareil et je l'ai sentie froide et réservée, comme on pouvait s'y attendre après mon départ précipité dimanche soir. Alors, tout gêné et intimidé, bafouillant et m'époumonant, je lui ai résumé les événements passionnants de la journée et j'ai expliqué qu'Ursula me mandatait pour que j'aille au Moana prendre des cocktails et célébrer l'événement. J'ai demandé à Yolande si elle connaissait l'hôtel.

« Bien sûr que oui, tout le monde le connaît. On y a fait, paraît-il, un très joli travail de restauration.

— Vous voulez bien venir, alors ?

— Quand ?

— Ce soir.

— Ce soir ? Vous voulez dire maintenant ?

— Il faut que ce soit ce soir, ai-je répondu. J'ai promis à ma tante.

— Je suis dans le jardin en train de défricher ma jungle, a-t-elle dit. Je suis pleine de terre et je sue comme un cochon.

— Venez, je vous en prie.

— Eh bien, je ne sais pas, a-t-elle dit, hésitante.

— J'y serai dans une demi-heure, ai-je dit. J'espère que vous m'y rejoindrez. »

Je ne sais pas où j'ai déniché cette formule nonchalante, presque désinvolte, car ce n'est pas du tout mon genre ; mais ça a marché. Quarante minutes plus tard, alors que j'étais assis avec ma chemise blanche impeccable dans un fauteuil en rotin, installé à une table pour deux sous la véranda qui entoure le jardin du banian au Moana, j'ai vu arriver Yolande par la porte arrière du hall de l'hôtel ; elle a regardé tout autour d'elle, s'abritant les yeux de la main pour se protéger de la lumière du couchant. Je lui ai fait signe et elle m'a rejoint en quelques enjambées, de sa démarche sautillante d'athlète. Ses cheveux noirs, encore tout mouillés après la douche, dansaient sur ses épaules. Elle portait une robe longue en coton qui paraissait légère et confortable. Lorsque je me suis levé pour lui serrer la main, elle m'a regardé d'un air intrigué.

« Surpris de me voir ?

— Non », ai-je dit. Puis, craignant de paraître un peu trop arrogant, j'ai rectifié avec un « Oui », et fini par dire : « Enfin, disons, soulagé. Merci beaucoup d'être venue. »

Elle s'est assise. « Vous devez penser que ma vie sociale est plutôt terne pour que j'abandonne tout et que j'accepte comme ça à la dernière minute de venir boire un verre.

— Non, je...

— Eh bien, vous auriez tout à fait raison, en l'occurrence. D'ailleurs, je suis incapable de refuser un rendez-vous à un homme qui sait utiliser le verbe "mandater". »

J'ai ri, éprouvant soudain un petit frisson de danger plutôt agréable en entendant le mot « rendez-vous ».

Le garçon est arrivé. Je lui ai demandé ce qu'était un cocktail champagne et, après avoir entendu son explication, j'ai suggéré à Yolande que nous prenions tout simplement du champagne, ce qu'elle a accepté volontiers. J'ai commandé une bouteille de Bollinger, le seul nom que je connaissais dans la liste débitée par le garçon.

« Vous vous imaginez ce que ça va vous coûter dans un endroit pareil ? a demandé Yolande après le départ du garçon.

— J'ai reçu l'ordre de faire des folies ce soir.

— Eh bien, a-t-elle dit en regardant autour d'elle, c'est très sélect ici. »

Et ça l'était en effet. Le Moana est un édifice tout à fait à part parmi tous ceux que j'ai pu voir à Waikiki — il n'est pas kitsch, ce n'est pas non plus une réplique à échelle réduite comme l'étrange petite plazza de style victorien que j'ai trouvée sur mon chemin l'autre jour (un Burger King abrité derrière des fenêtres à guillotine, un faux pub anglais nommé La Rose et la Couronne) — mais c'est quelque chose d'authentique, un bâtiment en bois de style Art Nouveau d'une réelle noblesse et d'une grande distinction, merveilleusement restauré, avec des planchers en bois verni et des tissus William Morris. Des colonnes ioniques et un porche en arcades donnent à la façade gris pâle un air imposant. Le jardin de derrière qui débouche sur la plage est dominé par la masse imposante d'un vieux banian arrimé au sol par d'étranges racines aériennes. A l'ombre du banian, un trio à cordes jouait du Haydn — du Haydn à Waikiki ! — tandis que le soleil baissait dans le ciel et descendait vers la mer à travers une brume jaune orangé. Je ne me rappelle pas avoir jamais été si heureux, si insouciant ; jamais la vie ne m'était apparue aussi agréable. Je buvais du vrai champagne, j'écoutais de la musique classique, je regardais le soleil se coucher sur le Pacifique, et je conversais avec une compagne intelligente, amusante et très présentable.

« "Quel bonheur d'avoir de l'argent, oh, oui, quel bonheur d'avoir de l'argent" ! ai-je récité.

— C'est une chanson ?

— C'est tiré d'un poème d'Arthur Hugh Clough. L'un des sceptiques sincères de l'époque victorienne avec lequel je me sens des liens de parenté.

— Sceptique sincère, a repris Yolande. L'expression me plaît.

— "La foi est plus vive chez le sceptique sincère, croyez-moi, que chez celui qui accepte la moitié des credos." Tennyson. *In Memoriam.* »

Qu'est-ce qui me prenait de faire ainsi de l'épate ? J'ai compris que je devais être un peu ivre. Yolande ne semblait pas s'en offusquer, ni même le remarquer. Peut-être était-elle aussi un peu ivre. Elle en est arrivée elle-même à cette conclusion lorsqu'elle a renversé son dernier demi-verre de champagne.

« Comment vais-je pouvoir rentrer en voiture dans cet état ?

— Vous feriez bien de manger quelque chose », ai-je dit. Nous n'avions rien pris avec le champagne à part un petit plat de chips épaisses et noueuses comme de l'écorce, une spécialité de l'île de Maui.

« O.K. Mais pas ici. Ce serait beaucoup trop impressionnant et je risquerais de nous ridiculiser en renversant un autre verre. Vous aimez le sushi ? »

J'ai dû avouer mon ignorance. Yolande a dit qu'il était temps que j'apprenne et qu'il y avait un bon restaurant japonais dans un hôtel de l'autre côté de la rue.

Le restaurant était bondé ; on s'est donc assis à un bar sur de hauts tabourets. Un chef japonais très souriant a déposé devant nous des morceaux de poisson cru préparés avec raffinement, que nous avons plongés dans différentes sauces délicieuses. Yolande a dit que le poisson devait être d'une fraîcheur parfaite. Le chef, qui nous a entendus, a répondu, désignant avec son couteau l'aquarium derrière lui, qu'il était si frais qu'il nageait dans l'eau il y a encore quelques minutes. Eh bien, ai-je pensé, ça c'est la grande vie. Je me suis senti très mondain et très sophistiqué.

La plupart des convives du restaurant étaient des touristes japonais et lorsque le chef s'est éloigné, Yolande a dit qu'elle pouvait identifier au moins deux couples de jeunes mariés dans l'assistance. « Ils viennent ici pour avoir un mariage à l'occidentale, après s'être mariés chez eux selon la tradition du pays ; ils viennent pour la robe blanche, la limousine, la pièce montée, le tout pris au caméscope pour le faire voir à leurs proches à leur retour. Vous êtes ici à Fantaisieville, vous savez ? Rien n'est réel. Je suis rentrée par hasard l'autre jour dans l'église de la mission Kawaiahao — c'est l'un des plus vieux édifices d'Honolulu, ce qui ne veut pas dire grand-chose, mais l'endroit est assez charmant — et il y avait un couple japonais en train de se marier. Peu à peu, j'ai compris que tout était loué, pas seulement le pasteur, l'organiste, le bedeau, le photographe et le chauffeur, mais aussi le garçon et les demoiselles d'honneur. J'étais la seule personne qu'on n'avait pas payée pour être là, à part la mariée et le marié — et encore je n'étais pas très sûre pour eux. »

Je lui ai demandé comment elle pouvait identifier les couples de jeunes mariés dans le restaurant. « C'est facile, ils ne s'adressent pas la parole, ils sont timides. Ils ne se connaissent pas très bien — il y a encore des mariages arrangés au Japon. Chez nous, c'est le contraire ; ce sont les couples entre deux âges qui mangent en silence. »

Elle a gardé le silence elle aussi pendant un moment, se souvenant peut-être de ces longs moments de mutisme au cours de sa vie conjugale. J'ai dit que j'avais rencontré dans l'avion un couple de jeunes mariés anglais qui ne se parlaient pas, et je lui ai raconté l'histoire du jeune homme à bretelles et de sa Cecily. Elle a répondu qu'elle ne savait pas si l'histoire était drôle ou triste. Je lui ai dit qu'elle était affreusement britannique. Ça m'a fait penser à un couple que j'avais connu à Saddle, des piliers de notre communauté paroissiale qui communiaient toutes les semaines ; ils discutaient toujours beaucoup avec moi quand je leur rendais visite, mais j'avais appris par une personne fiable qu'ils ne s'étaient pas adressé la parole en privé depuis cinq ans, depuis le jour où leur fille unique s'était fait mettre enceinte par son petit ami et avait quitté la maison. J'ai trouvé le moyen de raconter cette histoire à Yolande sans révéler mes liens avec le couple. Puis on s'est mis à parler des pratiques sexuelles très libres des anciens Polynésiens, « le genre d'utopie sexuelle que nous recherchions tous dans les années soixante, a expliqué Yolande, — amour libre, nudité et éducation collective des enfants. Sauf que chez eux ce n'était pas du toc, ils vivaient comme ça. Jusqu'au jour où les *haoles* sont arrivés avec leurs complexes, leurs bibles et leurs maladies. »

Les marins ont transmis la vérole aux belles amoureuses d'Hawaii, et les missionnaires les ont obligées à porter des *muumuus* pour se baigner, si bien que lorsqu'elles s'asseyaient ensuite sur la plage avec leurs habits humides, elles attrapaient froid. En soixante-dix ans, la population des îles était passée de 300 000 à 50 000. « Et maintenant, les Hawaiiens ont les mêmes complexes en matière de sexe que les gens partout ailleurs. Vous n'avez qu'à lire les petites annonces personnelles dans le *Honolulu Advertiser* si vous ne me croyez pas. Mais il ne faut pas idéaliser les Polynésiens. Après tout, ce sont eux qui ont inventé le mot tabou. Ils l'associaient seulement à des choses bien différentes. Si, par hasard, vous dîniez au mauvais endroit ou en mauvaise compagnie, ça pouvait vous être fatal. Si le roi prenait votre bébé dans ses bras et que celui-ci lui pissait dessus, il devait soit l'adopter soit le faire décerveler. Les êtres humains semblent avoir un malin plaisir à se rendre la vie encore plus difficile qu'elle n'est. » Yolande a alors regardé sa montre.

« Faut que je m'en aille. »

J'ai été surpris de voir qu'il était si tard. Nous n'étions pas encore complètement dégrisés, sans doute parce que nous avions bu un peu de saké, du vin de riz chaud, dans de minuscules tasses en porcelaine sans anses, avec le sushi. Pendant que je réglais l'addition, ajoutant un généreux pourboire pour le chef, j'ai dit à Yolande qu'elle ferait peut-être mieux de rentrer en taxi.

« Non, je vais très bien, a-t-elle répondu. Et j'ai dû garer ma voiture si loin que la marche va me permettre de cuver mon alcool. »

J'ai proposé de l'accompagner jusqu'à sa voiture qu'elle avait laissée près du zoo.

« Ce serait gentil, a-t-elle dit. C'est un peu sombre là-bas du côté du parc. »

Ça l'était en effet, et tandis que nous marchions sous les arbres au milieu des couples qui flânaient main dans la main ou se tenaient enlacés, j'ai pensé soudain que pour eux nous devions être un couple comme les autres, et j'ai deviné que Yolande, qui s'était tue un instant, toute songeuse, avait eu la même idée. Brusquement, l'ambiance conviviale et détendue de la soirée s'est détériorée. Ma bonne vieille panique m'a repris et j'ai eu le pressentiment que, d'un instant à l'autre, Yolande allait s'arrêter soudain, m'attirer dans ses bras, m'embrasser, glisser sa langue entre mes lèvres, et puis ensuite, — ensuite, quoi ? Et quand, quelques minutes plus tard, elle s'est arrêtée et a posé la main sur mon bras, je me suis écarté d'un bond comme si je venais de me brûler. « Qu'est-ce qu'il y a ? » a-t-elle dit. « Rien », ai-je dit. « Je voulais seulement vous faire voir la lune. » Elle m'a montré le croissant de lune lumineux à travers une trouée dans les arbres. « Oh, oui, ai-je dit. Très jolie. »

Elle a continué de marcher en silence quelques instants, puis elle s'est arrêtée et s'est tournée vers moi. « Qu'est-ce qui ne va pas, Bernard ? Vous croyez peut-être que j'essaie de vous séduire ou quoi ? Hein ? C'est ça ? Vous croyez que je suis une épouse abandonnée, assoiffée de sexe, qui meurt d'envie qu'on la baise ? C'est ça ?

— Non, bien sûr que non », ai-je dit timidement. Quelques couples s'étaient arrêtés dans l'ombre tout près, surpris par cet éclat de voix.

« Permettez-moi de vous faire remarquer que c'est vous qui avez manigancé tout ça ce soir, c'est vous qui m'avez suppliée de venir, en ne me prévenant qu'une demi-heure à l'avance.

— Je sais. Et je vous sais gré d'être venue.

— Eh bien, vous avez une drôle de façon de le montrer.

L'autre soir, ç'a été la même chose, je croyais qu'on s'entendait bien tous les deux, et, tout à coup, vous déguerpissiez si vite que je me suis demandé ce que j'avais pu dire.

— Je suis désolé, ai-je dit. Ce n'était pas de votre faute. C'était de la mienne.

— O.K. N'en parlons plus. » Elle a fermé les yeux et aspiré de longues bouffées d'air. J'ai observé sa poitrine qui montait et descendait sous sa robe de coton. Les gens qui s'étaient arrêtés tout près se sont dispersés. Yolande a ouvert les yeux. « Inutile de m'accompagner plus loin, a-t-elle dit. Je vois la voiture d'ici. Bonsoir, et merci pour le champagne et le dîner. »

Elle a tendu la main, et moi, comme un imbécile, je l'ai serrée et suis resté cloué sur place en la regardant s'éloigner à grands pas décidés, sa jupe se balançant autour de ses hanches. Comme un imbécile, je l'ai laissée partir alors que j'aurais dû courir après elle, prendre sa main, essayer de lui expliquer pourquoi j'ai tant de difficultés à établir une relation normale, amicale avec une femme et de lui dire que, pendant une bonne partie de la soirée, j'avais été plus proche que jamais d'y parvenir.

Je viens d'avoir une idée, une idée plutôt loufoque. Il est maintenant minuit et demi. Je vais monter en voiture chez Yolande dans les collines et déposer ce journal, cette confession, je ne sais comment l'appeler, enveloppé avec du papier d'emballage, dans la boîte à lettres de Yolande, et si le paquet est trop gros, je le placerai contre la porte d'entrée sous le porche. Il faut que je le fasse tout de suite avant que je change d'avis ou succombe à la tentation de relire d'abord le texte, de le corriger et de l'améliorer. Je vais écrire dessus : « Que celle qui lira ces pages puisse les comprendre. »

2

Chère Gail,

Il y a d'habitude plus de monde sur la plage qu'on en voit sur cette photo. L'eau est bien chaude mais c'est fatigant de passer tout son temps à se baigner et papa ne veut pas que Robert et moi on fasse du surf, parce qu'il dit que c'est dangereux. Il n'y a pas grand-chose d'autre à faire. C'était plus drôle à Center Parc l'an dernier.

Grosses bises,

Mandy

Mon très cher Des,

Eh bien, nous voilà à Hawaii ! Oh ! là ! là ! qu'il fait chaud ! Hôtel propre et très confortable mais il faut attendre près de dix minutes pour prendre l'ascenseur aux heures de pointe. La plage est belle mais il y a un peu trop de monde. On a trouvé un endroit agréable pour boire le soir, une terrasse en plein air avec un spectacle de cabaret. On a rencontré un Anglais nommé Bernard dans l'avion ; je trouve qu'il irait bien avec Dee, mais il est très timide et elle n'est pas attirée par lui, de toute façon. J'espère que tu es bien sage.

Bien tendrement,

Sue

Chère Maman,

Bon, nous voilà arrivés, mais je ne suis pas sûre que ça valait le déplacement. Waikiki est très surfait — trop de monde et trop de commerces. C'est MacDonald, Kentucky Fried Chicken et compagnie, exactement comme au centre commercial de Harlow.

On aurait dû aller dans l'une des autres îles, Maui ou Kauai, mais c'est trop tard maintenant. Affectueusement,

Dee

Chère Denise,

Arrivés à bon port. Ça, c'est notre hôtel, j'ai indiqué notre balcon d'une croix. Il donne sur la mer. Quel bel endroit, des fleurs partout. Rien n'est trop beau pour maman, comme dit Terry ! Malheureusement, sa petite amie n'a pas pu venir, alors son ami Tony lui tient compagnie. Chaleur torride ici, ton père supporte mal.

Affectueusement,

Maman

Mon très cher Des,

J'ai rencontré sur la plage Bernard, l'Anglais dont je t'ai parlé, en compagnie de son ami Roger, un autre Anglais qui conviendrait très bien à Dee, je trouve. Il est chauve mais on ne peut pas tout avoir. On a fait la balade en mer au coucher du soleil (Bernard ne pouvait pas venir), sur ce voilier dont les voiles sont réglées par ordinateur ; très romantique, mais Dee a eu le mal de mer et j'ai été obligée de causer avec Roger tout le temps, ou plutôt de l'écouter ; il est prof d'université, il aime s'écouter parler. J'espère avoir plus de chance la prochaine fois. Dommage que tu ne sois pas là.

Bien tendrement,

Sue

Cher Greg,

Ça, c'est la fameuse plage de Waikiki. Je ne l'ai pas tellement vue jusqu'à présent — on a dû rattraper le sommeil perdu (hum !

hum !). Comment ça a marché avec la demoiselle d'honneur après la réception ? Ou étais-tu trop pété ? Salut,

Russ

Boulangerie du Paradis
Cabinet Dentaire du Paradis
Jet Ski du Paradis
Les Taxis Rouges du Paradis
Hall Nautique du Paradis
Maçons du Paradis
Chapelle du Paradis
Ferrari et Lamborghini du Paradis
Antiquités d'Art du Paradis
Vidéo du Paradis
Animalerie du Paradis

Cher Monsieur,

J'ai le plaisir, si je puis dire, de vous informer que je passe des vacances au Hawaiian Beachcomber de Waikiki, vacances organisées par votre compagnie.

Il est écrit en toutes lettres dans votre brochure que l'hôtel est à « cinq minutes » de la plage de Waikiki. J'ai exploré tous les itinéraires possibles entre l'hôtel et la plage, et mon fils et moi avons chronométré ces parcours chacun de notre côté avec nos chronos à quartz. Le meilleur temps que nous ayons pu faire l'un et l'autre, c'est 7 minutes et 6 secondes, et encore en marchant à bonne allure, tôt le matin, au moment où les trottoirs étaient relativement déserts et les feux de signalisation aux passages piétons favorables.

Une famille normale, chargée de l'habituel attirail de plage, mettrait au moins douze minutes pour aller du vestibule de l'hôtel jusqu'au coin de plage le plus proche. Votre brochure est terriblement trompeuse et passablement inexacte. Je vous informe donc par la présente de mon intention de réclamer une réduction sur le coût de ces vacances. Je reprendrai contact avec vous à mon retour en Grande-Bretagne.

Salutations distinguées,

Harold Best

Mon très cher Des,

On a été faire de la plongée sous-marine avec Roger hier. On peut louer tout l'équipement ainsi qu'un petit appareil photo étanche pour photographier les poissons. Il y a des milliers de poissons, mais aussi des milliers de plongeurs, et on retrouve partout dans l'eau ces bouts de pain qu'on donne aux gens pour nourrir les poissons. Dee a dit que c'était dégoûtant et a refusé de plonger ; je me suis retrouvée seule dans l'eau à nourrir les poissons pendant que Roger prenait des photos. J'espère avoir plus de chance la prochaine fois.

Bien tendrement,

Sue

Brouillon d'intro : La classification des motivations des touristes en deux catégories : « désir de voyager » et « désir de soleil » (Gray, 1970) est aussi peu satisfaisante que la proposition faite par Mercer d'établir une taxonomie des vacances fondée sur « le refus de la monotonie » (Mercer, 1976). Il serait plus judicieux de fonder la typologie des vacances sur l'opposition binaire culture/nature. On peut distinguer deux grands types de vacances, selon que celles-ci mettent l'accent sur le contact avec la culture ou avec la nature : les vacances comme pèlerinage et les vacances comme paradis. Les premières se caractérisent essentiellement par des visites en car de villes, de musées, de châteaux célèbres, etc. (Sheldrake, 1984) ; les secondes consistent surtout en des vacances balnéaires pendant lesquelles le sujet s'efforce de retourner à l'état de nature ou d'innocence prélapsarienne en faisant semblant de se passer d'argent (signant des notes de frais, utilisant des cartes de crédit ou encore, comme dans les villages du Club Méditerranée, des colliers-bar), s'adonnant à des activités physiques plutôt que mentales, et portant le minimum de vêtements. Le premier type de vacances est essentiellement mobile ou *dynamique* et vise à caser le maximum de visites dans un minimum de temps. Le second est essentiellement *statique* et tend à instaurer une sorte de routine répétitive intemporelle, typique des sociétés primitives (Lévi-Strauss, 1967, p. 49).

[*N.B.* : Apparemment, le Club Med n'a pas réussi à s'implanter à Hawaii. Pourquoi ?]

Chère Joanna,

Que puis-je dire ? J'ai eu si honte et j'ai été si gênée que je n'ai même pas osé te téléphoner après. Tu dois regretter d'avoir accepté d'être ma première demoiselle d'honneur. Je ne pardonnerai jamais à Russ, jamais. Notre vie conjugale est fichue avant même d'avoir commencé. Je ne lui ai pas parlé depuis la réception. Quand on rentrera en Angleterre, j'engagerai une procédure de divorce.

Tu es sûrement surprise de recevoir une telle lettre d'Hawaii, mais ce n'est pas une lune de miel à proprement parler. Nous couchons dans des lits séparés et communiquons par notes ou par personnes interposées. Je prends ça comme des vacances, des vacances pour lesquelles j'avais fait des économies et que j'attendais depuis des mois. Je ne vois pas pourquoi je n'en profiterais pas même si mon mariage est fichu. Si on avait annulé au dernier moment, on aurait perdu presque la totalité des arrhes versées. J'ai consulté notre assurance vacances mais elle ne couvre pas les annulations pour cause d'adultère. Oui, je sais que ce n'était pas un adultère au sens strict du mot puisque nous n'étions pas mariés à l'époque, mais nous étions tout de même fiancés et nous vivions ensemble.

Comment a-t-il pu faire ça, avec cette salope de Brenda par-dessus le marché ? *Et l'inviter ensuite au mariage.* Ça, c'était le comble.

On va chacun de notre côté tous les jours. Je passe le plus clair de mon temps au bord de la piscine de l'hôtel — c'est plus agréable qu'à la plage, il y a moins de monde et davantage d'ombre, et on peut commander à boire et à manger. Je ne sais pas où il va, et je m'en fiche. Peut-être qu'il a ramassé une autre petite garce quelque part, une autre Brenda, mais je ne pense pas. Il reste dans la chambre presque tous les soirs à regarder la télé.

Réponds-moi si tu reçois cette lettre assez tôt. Ce qui est plutôt improbable.

Je t'embrasse,

Cecily

Cher Stuart,

J'ai pensé que ça te divertirait un peu de trouver cette beauté basanée sur ton bureau. Jolie paire de nichons, hein ? Ça me rappelle ceux de Shirley Tracey, au bon vieux temps de chez Pringle. En fait, Hawaii est très décevant côté nichons. Rien à voir avec Corfou. Les beaux châssis yankees tiennent à garder le haut de leur bikini. Dommage. Ç'aurait fait bien en vidéo. Mais l'hôtel est confortable, la bouffe abondante et le temps très chaud. Ne travaille pas trop dur.

Brian

Chère Gail,

On a été faire de la plongée sous-marine hier. Il y avait tout un tas de poissons brillants de toutes les couleurs, si peu craintifs qu'ils s'approchent de toi. Papa a attrapé des coups de soleil partout sur le dos et derrière les jambes. Il ne peut pas redresser les genoux et il est obligé de marcher jambes pliées. Ça n'a pas arrangé son humeur.

Grosses bises,

Mandy

Monsieur,

Puis-je suggérer qu'à l'avenir, lorsque le soi-disant moniteur responsable de louer l'équipement de plongée au nom de votre compagnie informe les clients du risque de coups de soleil, il spécifie clairement que l'on peut attraper des coups de soleil aussi bien *dans* l'eau qu'à l'extérieur de l'eau ?

Salutations distinguées,

Harold Best

Compagnie Financière du Paradis
Vêtements de Sport du Paradis
Matériaux du Paradis
Fournitures pour Salons de Beauté et de Coiffure du Paradis
Boissons du Paradis
Marionnettes du Paradis
Chasse Sous-Marine du Paradis
Teinturier du Paradis
Service de Nettoyage et d'Entretien du Paradis
Parking du Paradis

Cher Pete,

Voilà ce que j'ai trouvé de mieux à Hawaii jusqu'ici. D'abord on te fait voir un film sur le bombardement de Pearl Harbour (ils écrivent le nom sans « u » ici, « Harbor ») par les Japonais. Un vieux documentaire, mais très intéressant. Ensuite tu prends un bateau de la marine pour aller visiter l'épave de l'*Arizona*. On peut voir les tourelles d'artillerie à travers l'eau. Ils appellent ça un cimetière de guerre et on n'a pas le droit de manger quoi que ce soit sur place.

Salut à toi,

Robert

Cher Jimmy,

Tu imagines un peu, un pub anglais à Hawaii ! De vraies poignées de tireuse, mais qui pompent hélas de la bière américaine, beaucoup d'air et pas de goût, et la bouteille de vingt-cinq centilitres de Guinness coûte deux livres. Enfin, on a un peu l'impression de se retrouver chez soi. Et, avec cette chaleur, on a une de ces soifs.

Santé,

Sidney

Bonjour les Garçons,

On s'amuse bien à Hawaii. On a été à un *luau*, c'est une espèce de barbecue hawaiien, et on a fait une balade en mer au coucher du soleil, et on a visité le Centre culturel polynésien (très

214

intéressant) et le parc des chutes de Waimea (arbres et oiseaux superbes) et Pearl Harbour (très triste). Votre père prend des kilomètres de film vidéo, comme vous pouvez l'imaginer. J'espère que vous n'oubliez pas de fermer la porte à clé tous les soirs — et, souvenez-vous, pas de parties.

On vous embrasse,

Papa et Maman

Cher Stuart,

C'est curieux, j'avais oublié que Pearl Harbour était à Hawaii. Visite très instructive. As-tu vu le film *Tora ! Tora !* ? Apparemment, il a fallu plus d'argent aux Américains pour faire ce film qu'aux Japonais pour bombarder le port. J'ai pensé que tu aimerais savoir que ces salauds de petits Nippons cassaient déjà les prix à cette époque.

Salut,

Brian

Chers Papa et Maman,

Très agréable séjour ici, à part quelques petits ennuis avec l'hôtel (Harold est en train d'écrire à la compagnie). Waikiki est plus bâti que nous l'avions imaginé, mais très joli. Plus propre que Marbella. Toilettes impeccables. Les enfants adorent l'eau.

Affectueusement,

Florence

Cher Stuart,

Dieu merci, il y a un fax dans cet hôtel. Je blaguais, tu sais, quand je disais que je voulais vendre nos surplus de tables de bronzage ici. Eh bien, tu me croiras si tu veux, mais quelqu'un veut les acheter. Ne me demande pas pourquoi. Je suppose qu'il doit y trouver quelques avantages fiscaux lui aussi. Ou peut-être qu'il va monter un cabinet de bronzage pour camoufler derrière un bordel, car le type m'a plutôt l'air louche. Un dénommé Louie Mosca. Je l'ai rencontré chez Danny le Polisson, un bar topless qui se trouve le long des docks — j'étais avec un compatriote, Sidney, on avait largué nos femmes et on s'était barrés pour passer

215

une soirée, enfin plutôt un après-midi, entre hommes. Je crevais d'envie de voir des nénés, pour tout te dire ; dans les journaux d'ici, on ne trouve pas la nana du jour en troisième page comme chez nous. Il était assis au bout de la passerelle, s'enfilait des canettes de bière et glissait des billets de dix dollars dans la culotte des filles comme s'il était à la veille de clamser. On s'est mis à parler et je lui ai dit ce que je faisais et que j'étais à Hawaii pour liquider le lot de tables de bronzage — curieusement, je ne voulais pas admettre devant lui que j'étais touriste, surtout pas dans un bouge pareil — et il m'a dit combien ? Ne pensant pas un instant qu'il parlait sérieusement, je lui ai indiqué un prix ridicule, transport compris, et il m'a serré la main sur-le-champ. Je crois que j'avais pas mal picolé moi aussi. Maintenant que je repense à toute cette histoire, on ne récupérerait même pas le coût du transport. Je t'en prie, envoie-nous donc un fax illico, en disant qu'on ne peut pas obtenir de licence d'exportation, afin que je puisse annuler le marché. Merci.

Bien à toi,

Brian

Chère Joanna,

Eh bien, j'ai découvert où il va tous les jours. Je l'ai suivi hier, sans qu'il s'en rende compte. J'avais mis des lunettes sombres et un grand chapeau à larges bords que j'avais acheté spécialement pour la circonstance. Il est descendu à la plage, jusqu'à un endroit où on loue des planches de surf. Il a rejoint deux types qu'il semblait connaître et ils ont tous chargé de grandes planches sur leurs épaules et sont entrés dans l'eau. Je les ai regardés de la plage avec un de ces télescopes à pièces. Les deux types s'en tiraient bien mieux que Russ. Lui semblait avoir du mal à se lancer, les vagues déferlaient à côté de lui, le laissant derrière à ramer avec ses mains frénétiquement, l'air idiot. Une fois, cependant, il a réussi à prendre une grosse vague et il a pu en fait tenir debout sur sa planche pendant quelques secondes ; j'ai vu sur son visage un grand sourire de triomphe et aussitôt il a basculé et est tombé dans l'eau en faisant un gros plouf. Pendant ces quelques secondes, j'ai presque oublié que c'est un salaud.

Je t'embrasse,

Cecily

Cher Greg,

Je viens de découvrir le surf ! Fantastique ! Mieux que le sexe ! J'ai rencontré deux types formidables, des Australiens, ils m'apprennent le surf.

Salut,

Russ

Le pourcentage de touristes qui résident à Waikiki et qui se rendent en excursion à l'une ou l'autre des îles voisines est en constante progression : 15 % en 1975, 22 % en 1980, 29 % en 1985, 36 % l'an dernier. Est-ce parce qu'Oahu, victime d'un développement à outrance, voit ses charmes disparaître de plus en plus, ou parce que les excursions organisées en direction des autres îles ont été soutenues par des campagnes commerciales et publicitaires efficaces ? On n'en sait rien.

Suis allé en excursion pour la journée à Kauai, faire, comme dit la publicité, « un petit tour au paradis ». Réveil à 5 heures 15. Le minibus est venu me chercher, ainsi que quelques autres touristes mal réveillés aux yeux rouges qui attendaient devant les hôtels de Waikiki, parmi eux Sue et Dee, les deux Anglaises qui ont pris l'habitude de réapparaître partout où je vais. J'ai dû signaler que j'allais à l'excursion, je suppose, et elles ont dû penser que c'était intéressant.

Transfert du minibus au car qui nous a emmenés vers l'aéroport d'Honolulu en se frayant péniblement un chemin dans les embouteillages du petit matin qui paralysaient déjà l'autoroute. A l'aéroport, le responsable de la visite nous donne les cartes d'embarquement et toutes les consignes. Kauai disparaît sous un voile de pluie lorsque nous nous en approchons. Sue a les articulations toutes blanches. Dee bâille d'impatience. Nous regardons à travers les hublots ruisselants l'aéroport noyé de pluie, inquiets de n'avoir pris que des shorts et des chaussures de sport. Kauai a été baptisée « l'Ile aux Jardins » par le bureau du tourisme

217

hawaiien, mais c'est un euphémisme pour dire qu'« il pleut beaucoup ». Quelque part au milieu de l'île, il y a le mont Waialeale, l'endroit le plus humide de la planète (12 mètres de précipitations par an).

Les membres de l'excursion sont alors divisés en petits groupes comme des bestiaux et chargés dans plusieurs minibus de la compagnie. Notre guide s'appelle Luke. Installé à son volant, il se présente au micro : « Mes amis m'appellent Lukey, vous êtes donc les groupies de Lukey », dit-il en gloussant. Sue rit. Dee grogne. Nous sortons de l'aéroport par des routes récemment goudronnées. Il tombe toujours des trombes d'eau. Les palmiers s'agitent furieusement d'un côté et de l'autre comme des essuie-glaces.

Nous nous arrêtons à plusieurs hôtels pour prendre d'autres passagers, et on commence la visite de l'île. Il faut rouler pendant des heures le long de routes très ennuyeuses avant d'arriver dans un lieu qui présente quelque intérêt : des chutes d'eau pas très impressionnantes, un canyon très grand mais très laid, une source jaillissant d'un rocher pour se jeter dans la mer. (Des cars entiers de touristes ont attendu en vain, appareils-photo prêts, que la source daigne faire ce qu'elle était censée faire, comme d'autres attendent que des rhinocéros s'accouplent.) Le clou de la visite, c'est la remontée de la rivière Wailua. C'est la seule rivière navigable d'Hawaii. A part ça, elle ne présente aucun intérêt et est dépourvue de tout pittoresque. Pourtant, toute une flottille de bateaux a été mise en place pour balader les touristes. Sur notre bateau, un groupe de musiciens hawaiiens plutôt blasés et des danseuses de *hula* essaient de nous divertir. Le terminus de la croisière est la Grotte aux Fougères, un site soi-disant historique pour la célébration des mariages, en tout cas un repaire bien connu de moustiques. Les musiciens ont chanté pour nous la « Chanson des mariés d'Hawaii », et à la fin on était censés embrasser son voisin. Je m'étais arrangé pour être à côté de Sue qui est la plus jolie des deux filles, mais au dernier moment elle a changé de place et c'est Dee que j'ai dû embrasser.

Le seul réel attrait de Kauai, c'est la côte. Nous avions constamment des petites échappées sur des plages superbes, très tentantes, surtout l'après-midi lorsque le soleil s'est enfin manifesté, mais jamais nous n'avons eu le droit de sortir du minibus pour les explorer parce que nous devions repartir aussitôt pour une autre satanée chute. Et Luke devenait tout de suite de mauvais poil si, arrivés à la chute, nous ne descendions pas tous pour la photographier. Toute cette excursion m'a fait repenser à l'opposition entre pèlerinage et paradis. *Le paradis des vacances est inévitablement transformé en site de pèlerinage sous l'impulsion irrésistible de l'industrie touristique.* Des sites ridicules ou totalement faux sont fabriqués et « étiquetés » (MacCannell, 1976) afin d'établir un itinéraire facile pour les touristes et bien pourvu en « services » (boutiques, restaurants, bateaux, divertissements, etc.). Dee a paru très impressionnée par cette théorie. J'étais assis à côté d'elle dans le minibus pendant la dernière partie du voyage. C'était la moindre des politesses après l'avoir embrassée. Sue est peut-être plus jolie, mais Dee est plus intelligente.

Mon très cher Des,

Je viens de rentrer d'une merveilleuse excursion à Kauai qu'on appelle l'Ile aux Jardins à cause de toutes les jolies fleurs qui y poussent à l'état sauvage. Il y a des chutes étonnantes. Cette source ne fonctionnait pas en fait quand on s'est arrêtés, peut-être que la marée était basse. L'événement du jour, c'est que Dee a finalement réussi à appâter notre ami Roger. Elle lui raconte tous les désastres qui lui sont arrivés en vacances et il les transcrit dans son petit calepin.

J'espère que ça marchera,

Sue

Chère Denise,

Je suis désolée de t'apprendre que ton père a eu une de ses crises hier et qu'on a dû l'envoyer d'urgence à l'hôpital. On l'a gardé pour la nuit en observation, mais les médecins ont dit qu'il pouvait rentrer à la maison aujourd'hui. Je dis « la maison » mais je veux dire l'hôtel ; je voudrais bien que ce soit la maison. J'ai pensé te téléphoner mais ça m'a paru inutile, tu es si loin. Je pense que tu devrais recevoir cette lettre juste avant notre retour, comme ça tu seras préparée si papa n'est pas en forme quand tu viendras nous chercher à l'aéroport. Bien sûr, je téléphonerai si quelque chose d'inattendu se produisait.

Je dis à tout le monde que c'est la chaleur qui a provoqué ce malaise, mais en fait c'est le choc qu'il a eu en apprenant quelque chose concernant Terry. Je ne sais pas comment te le dire, Denise, mais ton frère est un homo. Là, c'est dit. L'avais-tu deviné quand vous étiez plus jeunes ? Moi pas, je t'assure, mais il y a tellement de temps qu'il ne vit plus à la maison. Je savais qu'il y avait quelque chose de louche quand il est venu nous chercher à l'aéroport et que nous avons découvert que cette personne en question qui lui était si chère était en fait un homme, le fameux Tony. Il est vraiment très gentil, mais Sidney n'a pas pu supporter. Il a tout simplement refusé d'en parler.

Terry ne sait pas quoi faire pour nous faire plaisir, il nous balade partout dans une grosse voiture de location, nous offre des repas dans les meilleurs restaurants — je n'en mange pas la moitié —, on est allés partout, on a tout vu, Pearl Harbour, les danseuses de *hula*, et l'hôtel est magnifique. Sidney, lui, ne s'amusait pas du tout, il rendait très souvent visite à une espèce de pub, la Rose et la Couronne, qu'il a découvert dans la rue parallèle au front de mer, tu sais comment il est. Et, avant-hier soir, juste après le dîner, Terry a annoncé que Tony et lui allaient se marier. Apparemment, il y a un pasteur gay en dessous de chez nous qui veut bien les marier, célébrer une espèce de mariage en tout cas. Eh bien, ton père a pratiquement eu une attaque sous nos yeux. Il est devenu tout blanc puis tout rouge. Puis il est sorti sans dire un mot.

Je savais qu'il était allé à la Rose et la Couronne, alors, un peu plus tard, je suis sortie pour aller le chercher. Il était bien là, en effet, en train de boire avec un certain Brian Everthorpe, un type plutôt vulgaire que nous avons rencontré dans l'avion, il ne me plaît guère mais sa femme n'est pas désagréable. Ils m'ont fait boire un gin orange, et ensuite j'ai ramené Sidney à l'hôtel. Il n'arrêtait pas de marmonner tout bas. Qu'est-ce qu'on a fait pour mériter ça ? Je lui ai dit que nous n'avions rien fait de spécial, Terry est comme ça, un point c'est tout. Il a dit, tu sais ce qu'ils font, les hommes comme lui ? Et j'ai dit non, et je ne veux pas le savoir, ça ne me regarde pas, ni toi non plus, ai-je dit. Tu vas te rendre malade si tu continues comme ça. Ça n'a pas loupé : le lendemain matin, il avait une de ses crises et il fallait le conduire d'urgence à l'hôpital. Nous étions en route vers le Cimetière national du Pacifique quand c'est arrivé, le bus a fait un détour par l'hôpital le plus proche, un hôpital catholique, mais ils ont été très gentils. Terry est absolument bouleversé, bien sûr. Pour tout dire, ce ne sont pas les belles vacances dont nous avions rêvé. J'espère seulement que l'état de ton père va se maintenir jusqu'à notre retour à la maison.

Ta mère qui t'embrasse.

Cher Client de Travelwise,

J'espère, en tant que représentante de Travelwise Tours, que vous passez de bonnes vacances à Waikiki. Votre séjour sur cette belle île d'Oahu touche à sa fin et nous espérons avoir le plaisir de vous accueillir une autre fois à Hawaii.

Conformément aux règles de l'hospitalité traditionnelle d'Hawaii, Travelwise Tours, en collaboration avec les hôtels Wyatt, vous invite pour des cocktails et des *pupus* à 18 heures le mercredi 23 à l'hôtel du Wyatt Imperial sur l'avenue Kalakaua (Bar des Embruns, mezzanine).

Cette carte d'invitation vous donne droit à un cocktail gratuit et à une assiette de *pupus* par personne. Accès payant au bar. Il y aura aussi une brève présentation vidéo des autres séjours de vacances Travelwise sur les îles voisines, y compris le fabuleux complexe du Wyatt Haikoloa.

Aloha. Salutations distinguées,

Linda Hanama
Responsable du secteur d'Hawaii

Chère Mademoiselle Hanama,

Merci de votre invitation que nous acceptons avec plaisir. Puis-je faire remarquer, cependant, que nous n'avons reçu que trois cartes d'invitation et que nous sommes quatre ? Je vous saurais gré de nous adresser une carte supplémentaire pour éviter tout désagrément inutile à l'entrée.

Salutations distinguées,

Harold Best

Pierres Précieuses du Paradis
Croisière du Paradis
Plantes du Paradis
Producteurs de Disques du Paradis

Entrepreneurs de Maçonnerie du Paradis
Tapissier du Paradis
Compagnie de Puzzles du Paradis

Troisième partie

Ho'omàkaukau No Ka Moe A Kàne A Moe Wahine :
Apprendre à savoir dormir homme et femme. D'où préparation au sexe ; éducation sexuelle.

Ho'oponopono :
Rectifier ; mettre en ordre ; corriger ; rétablir et maintenir de bonnes relations entre membres de la famille et entre la famille et les puissances surnaturelles. Conseil de famille extraordinaire au cours duquel les relations étaient « rétablies » au moyen de la prière, de la discussion, de la confession, du repentir, de la réparation et du pardon mutuels.

— *Nànà I Ke Kumu (Regardez vers la source)*
Étude sur les pratiques culturelles, les idées et les croyances d'Hawaii, par Mary Kawena Pukui, E. W. Haertig, docteur en médecine, et Catherine A. Lee.

« Est-ce que tu crois en quelque chose, Bernard ? dit Ursula. Crois-tu à une vie dans l'au-delà ?

— Je ne sais pas.

— Allons, Bernard. J'attends une réponse simple à cette question simple. A quoi ça sert d'être professeur si tu ne peux pas me répondre ?

— Eh bien, les théologiens modernes ont tendance à être un peu évasifs à propos de l'au-delà, j'en ai bien peur. Même les catholiques.

— Vraiment ?

— Prends par exemple le livre de Kung, *Être chrétien*, un des classiques modernes. Tu ne trouveras rien dans l'index à « Au-delà » ou « Ciel ».

— Je ne vois pas à quoi sert la religion si le ciel n'existe pas, dit Ursula. Qu'est-ce qui pourrait nous pousser à être bon si on ne peut pas espérer quelque récompense ? Pourquoi alors ne pas faire le mal si on ne risque pas d'être puni au bout du compte ?

— On dit que la vertu est sa propre récompense, dit Bernard en souriant.

— Le diable m'emporte, rétorqua Ursula, qui, surprise du juron qui lui était venu spontanément aux lèvres, eut un petit rire rauque. Et l'enfer ? C'est passé de mode ça aussi ?

— Oui, dans une large mesure, et bon débarras, je dois dire.

— Et le purgatoire aussi, j'imagine ?

— Bizarrement, les théologiens modernes, même les non catholiques, acceptent mieux l'idée du purgatoire qui ne trouve pourtant que peu de fondements dans les Écritures. Certains voient des analogies entre le purgatoire et la notion de réincarnation dans les religions orientales qui sont très à la mode de nos jours, surtout le bouddhisme. On expie dans une vie les péchés commis dans une vie antérieure, tu comprends, jusqu'à ce qu'on atteigne le *nirvāna*.

— Qu'est-ce que c'est que ça ?

— Hum... En gros, ça veut dire la disparition du moi individuel, son assimilation dans l'esprit éternel de l'univers. C'est le fait d'échapper à la ronde de la transmigration et d'être livré au néant.

— Ça ne me dit rien de bon, tout ça, dit Ursula.

— Tu tiens vraiment à vivre éternellement ? » se risqua à demander Bernard pour la taquiner. Ces discussions théologiques, qui étaient devenues coutumières entre eux lors de ses visites à Makai Manor, constituaient un terrain glissant, compte tenu de l'état d'Ursula ; mais c'était toujours elle qui les provoquait et elle semblait prendre un malin plaisir à solliciter son savoir professionnel et à tester son scepticisme.

« Bien sûr, dit-elle. Comme tout le monde, non ? Pas toi ?

— Non, dit-il. Je serais ravi d'être débarrassé de mon moi encombrant.

— Tu penserais sans doute différemment si tu étais dans un endroit plus gai.

— Ah, un endroit. Voilà bien toute la difficulté, n'est-ce pas ? Se représenter le ciel comme un endroit. Un jardin. Une ville. Un joyeux terrain de chasse. Des lieux comme ça, bien réels.

— Autrefois, je m'imaginais toujours le ciel comme une immense cathédrale, avec Dieu le Père trônant au-dessus de l'autel et tout le monde prosterné pour l'adorer. C'est l'image qu'on nous a donnée au catéchisme à l'école. Ça avait l'air un peu ennuyeux, comme une grand-messe qui n'en finit pas. Bien sûr, les religieuses nous disaient que nous ne trouverions pas ça ennuyeux quand nous y serions. Elles semblaient très excitées par cette idée, ou du moins elles faisaient semblant.

— Il y a un théologien contemporain qui a suggéré que l'au-delà était une sorte de rêve où tous les hommes réalisaient leurs désirs. Si on a des désirs médiocres, on a droit à un ciel médiocre. Plus nos désirs sont nobles et plus notre ciel sera noble aussi.

— Elle me plaît bien, cette idée. Où a-t-il été chercher ça ?

— Je ne sais pas. Je crois qu'il l'a inventé, dit Bernard. C'est incroyable de voir avec quelle facilité tous les théologiens modernes qui ont rejeté les schémas de l'eschatologie orthodoxe en inventent de nouveaux tout aussi farfelus.

— Oh ! là ! là ! Tu en connais des mots à coucher dehors, Bernard. Qu'est-ce que c'est ce mot ? Escha... ?

— Eschatologie. Ce qui touche aux quatre fins dernières.

— La mort, le Jugement dernier, le ciel et l'enfer.

— Tu as bien appris ton catéchisme.

— Les religieuses nous rossaient si on ne le faisait pas, dit Ursula. Mais je crois que ce type-là a trouvé quelque chose d'important.

— C'est un peu élitiste, pourtant, tu ne trouves pas ? Un ciel où la populace boit de la bière et joue aux quilles, tandis que les gens instruits réclament, disons, des récitals à Mozart et des cours de dessin à Léonard de Vinci ? Ça ressemble trop à ce monde-ci où les uns ont droit au Moana et les autres au Waikiki Surfrider.

— Qu'est-ce que c'est le Waikiki Surfrider ?

— Oh, c'est l'hôtel où papa et moi étions censés descendre avec notre forfait-vacances. C'est une de ces énormes cages à lapins anonymes, à quelques centaines de mètres de la plage.

— Tu y es allé, alors ?

— Euh, oui, en effet, dit Bernard, un peu gêné. J'y suis allé pour voir si je ne pouvais pas me faire rembourser la chambre.

— Ça a marché ?

— Non.

— Ça ne me surprend pas... Et toi, si tu pouvais avoir le ciel de tes rêves, qu'est-ce que ce serait ?

— Je ne sais pas, dit Bernard. Je crois que j'aimerais pouvoir revivre ma vie. Ne pas décider à quinze ans de devenir prêtre, et voir ce qui arriverait ensuite.

— Tu aurais pu faire pas mal d'autres bêtises.

— Tout à fait, Ursula. Mais j'aurais pu avoir plus de chance, aussi. On ne peut pas savoir. Tout se tient. Je me souviens, il y a quelques années, je regardais un match de football à la télévision, l'Angleterre contre un autre pays. C'était un match important, apparemment — une coupe quelconque. Thomas, mon jeune vicaire, avait allumé le poste, alors j'ai regardé pour lui tenir compagnie. L'Angleterre a perdu le match à cause d'un penalty pendant la seconde mi-temps. Le pauvre Thomas s'arrachait les cheveux quand l'arbitre a sifflé la fin du match. "Si seulement nous n'avions pas encaissé ce penalty, disait-il, nous aurions fait match nul et nous nous serions retrouvés en finale." Je lui ai fait remarquer que cette assertion était fondée sur une erreur de logique — comme si on pouvait extraire le penalty de l'ensemble du match sans modifier tout le reste. En fait, bien sûr, si le penalty n'avait pas été accordé, le match aurait continué sans interruption ; chaque mouvement du ballon à partir de ce moment-là aurait été différent et c'est un autre match que nous aurions vu. L'Angleterre aurait pu gagner, ou perdre, sur un tout autre score. Je lui ai fait part de ces réflexions, mais ça n'a pas paru le consoler. "Il faut prendre en compte le cours du jeu, a-t-il dit. Vu le cours du jeu, nous méritions le match nul." »

Bernard se mit à rire en se souvenant de la scène, puis il se rendit compte qu'Ursula s'était endormie. Ça lui arrivait assez souvent, ces petits sommes en plein milieu d'une conversation, dûs à la fatigue plus qu'à l'ennui — du moins l'espérait-il.

Elle battit des paupières et rouvrit les yeux.

« Que disais-tu, Bernard ?

— Je disais que, dans la vie parfois, les choses arrivent contre le cours du jeu. Comme ma présence ici à Hawaii. »

Ursula gémit.

« Comme je regrette que tu ne sois pas venu plus tôt quand j'allais bien ! Et avant que le pays ne soit saccagé. Quand je suis arrivée ici dans les années soixante, c'était si beau, tu ne peux pas t'imaginer. Il n'y avait pratiquement pas d'hôtels en gratte-ciel à Waikiki, et je pouvais me rendre en ligne droite de mon appartement jusqu'à la plage. Maintenant, il y a un mur d'hôtels tout le long de la côte, et rien qu'un petit passage étroit par où on doit se faufiler pour atteindre la mer. Autrefois, j'allais me baigner tous les jours, avec une bande de petits vieux qui se retrouvaient toujours au même endroit. On utilisait les douches de la piscine du Sheriden, le personnel nous connaissait et fermait les yeux. Mais un jour, un homme nous a chassés, un type grossier, et ç'a été le début de la fin. Waikiki a cessé ce jour-là d'être un village. C'était devenu une ville. Toute cette foule, sur la plage et dans les rues. La saleté. Le crime. Même le climat ne semble plus être comme autrefois. Il fait trop chaud en été maintenant et on ne se sent pas bien. On dit que c'est à cause de toutes les constructions. C'est bien triste.

— Ne crois-tu pas, demanda Bernard, que Hawaii est un de ces endroits dont on dit toujours qu'ils étaient mieux autrefois ? J'imagine que les gens qui vivaient ici avant les jumbo-jets, avant que tu arrives toi-même, Ursula, se souviennent de ces temps anciens comme d'un âge d'or, de même que les gens qui vivaient ici du temps où l'on ne pouvait venir qu'en bateau à vapeur, et ainsi de suite, jusqu'aux Hawaïens qui vivaient ici avant que le capitaine Cook ne les découvre.

— Ouais, peut-être, répondit Ursula. Mais ça ne veut pas dire que les choses n'empirent pas.

— Non, dit Bernard en souriant. Tu as tout à fait raison.

— Je crois que tu as aimé être ici, est-ce que je me trompe ? Malgré l'accident de Jack et tout le reste. Tu n'as plus l'air d'être le même homme que quand tu es arrivé.

— C'est vrai ?

— Ouais, plus gai, et tu n'as plus cette mine de chien battu. » Bernard rougit. « Ç'a été un plaisir d'organiser les choses pour toi.

— Tu as fait des merveilles, dit Ursula, tendant son bras valide et lui serrant la main. Comment va Jack ? Quand est-ce que je vais le voir ?

— Le médecin trouve qu'il fait beaucoup de progrès. Il devrait pouvoir se lever bientôt.

— Comment va-t-on arriver à se voir ? Dès qu'il sera bien, il va vouloir rentrer chez lui. Pourquoi je ne louerais pas une ambulance pour aller lui rendre visite à Saint-Joseph ?

— J'avais pensé à ça, moi aussi. J'ai demandé à Enid d'essayer d'organiser quelque chose. »

Chaque patient de Makai Manor se voyait confié à une assistante sociale ; celle d'Ursula s'appelait Enid da Silva, une jeune femme calme et efficace. Elle prouva une fois de plus son efficacité : au moment où Bernard sortait du hall d'accueil, elle l'intercepta pour lui dire que tout était arrangé et qu'Ursula serait transportée à l'hôpital Saint-Joseph mercredi après-midi. Il la remercia et lui demanda de transmettre l'information à Ursula.

Il retourna à Waikiki par la route touristique de la côte. Loin en mer, juste en dessous de Diamond Head, des voiles triangulaires très colorées scintillaient au soleil comme des ailes de papillons. Comme il avait tout le temps avant son prochain rendez-vous, il s'arrêta dans un emplacement de parking au bord de la falaise et regarda les véliplanchistes qui s'en donnaient à cœur joie. Ils étaient très nombreux, peut-être parce que c'était dimanche, et ils offraient un fabuleux spectacle. Tendus et debout en équilibre, genoux pliés, dos arqués, les mains agrippées au T-bone en acier qui supportait leur voile gonflée, ils fonçaient vers la plage sous la crête des rouleaux et ensuite, pour ne pas s'échouer sur le rivage, ils pivotaient avec une incroyable dextérité, faisaient demi-tour et sautaient comme des saumons à travers l'écume des vagues déferlantes. Certains, comme par miracle, faisaient même des sauts périlleux sans perdre contact avec leur planche. Puis, utilisant leur voile, ils tiraient des bords vers la pleine mer pour attraper une nouvelle vague. Ils semblaient avoir découvert le secret du mouvement perpétuel. Aux yeux de Bernard, c'étaient de vrais dieux. L'adresse, la force et l'audace qu'exigeaient de telles prouesses dépassaient son entendement. Il se demanda si le Dr Gerson n'était pas parmi eux, cherchant à oublier les sinistres réalités du service des cancéreux dans le tourbillon de l'écume, le goût salé des embruns, l'éclat du soleil et de la mer. Pas difficile d'imaginer à quoi devait ressembler le ciel d'un véliplanchiste. Quand on arrive à faire ça, se dit Bernard, on doit vouloir le faire tout le temps, éternellement.

Il repartit vers la rue Kaolo et gara la voiture dans le parking souterrain, à l'emplacement réservé à l'appartement d'Ursula. Puis il se rendit à pied au Waikiki Surfrider, à quelques centaines de mètres de là. Il commençait à bien connaître les différents repères le long de sa route : le magasin de serviettes de bain, la boutique de souvenirs Wacko, la hutte *hula*, le kiosque à hot-dogs ouvert vingt-quatre heures sur vingt-quatre, la banque First Interstate, le magasin ABC. Ce dernier n'était pas un repère, à proprement parler. On retrouvait ces magasins ABC tous les cinquante mètres environ à Waikiki, et tous vendaient la même épicerie, les mêmes boissons et les mêmes accessoires de vacances — tongs, maillots de bain, nattes en paille, crèmes solaires et cartes postales. A l'intérieur, des touristes hébétés examinaient les marchandises comme s'ils espéraient trouver quelque chose qu'ils n'avaient pas trouvé dans les rayons du dernier ABC visité. On éprouvait toujours ce même manque et ce même désir imprécis dans la chaleur moite de Waikiki. Les visiteurs défilaient le long des avenues Kalakaua et Kuhio en un va-et-vient incessant avec leurs T-shirts fantaisie, leurs bermudas et leurs petites poches de marsupiaux ; le soleil brillait et les palmiers se balançaient au gré des alizés, les notes nasillardes des guitares hawaiiennes s'échappaient des boutiques, et les visages avaient l'air assez sereins, mais, dans les yeux de chacun, on semblait lire cette question à demi formulée : bon, tout cela est charmant, mais c'est tout ce qu'il y a ? C'est vraiment tout ?

Le hall d'entrée du Waikiki Surfrider était vaste, dépouillé et fonctionnel. Près de la porte étaient empilées tout un tas de valises attendant d'être distribuées ou emportées, et sur une banquette, tout près, étaient assis un vieil homme et une vieille femme qui ressemblaient eux-mêmes à des bagages abandonnés. Ils tournèrent vers Bernard un regard plein d'espoir en le voyant entrer ; le mari se releva et vint lui demander s'il était l'homme de la compagnie des Iles du Paradis. Bernard dit qu'il était désolé mais qu'il n'était pas leur homme. Il se dirigea vers la réception, présenta son coupon de chambre et demanda la clé du 1509. L'employé lui tendit sa clé en même temps qu'une enveloppe adressée à son père et à lui-même. Il l'ouvrit en attendant l'ascenseur et découvrit à l'intérieur un carton d'invitation à un cocktail offert par Travelwise le mercredi suivant.

L'hôtel était calme. C'était le creux de l'après-midi. Tout le monde était dehors — à la plage, dans la rue, ou en train de parcourir l'île en bus, en minibus ou en voiture de location. La seule personne avec lui dans l'ascenseur était une petite Japonaise de sept ans environ, une fillette très grave qui portait par-dessus son maillot de bain un T-shirt avec le slogan « SOURIEZ » imprimé dessus et qui descendit au dixième étage. Le couloir du quinzième étage était vide et silencieux, les portes des chambres, toutes identiques, fermées et impénétrables. Il ouvrit la porte du 1509, accrocha la pancarte DO NOT DISTURB à l'extérieur et entra.

La chambre était tout aussi fonctionnelle, aseptisée et impersonnelle que la salle des urgences de l'hôpital Saint-Joseph. Il y avait deux lits, quelques éléments à tiroirs et une garde-robe en mélamine, vernie et marbrée, un minibar, deux fauteuils, une table basse et un poste de télé fixé au mur. Il y avait une petite salle de bains sans fenêtre avec douche et W.-C. Bernard était convaincu que toutes les autres chambres du bâtiment se ressemblaient en tous points, jusqu'à la couleur de la moquette en nylon. L'hôtel était une véritable usine pour tourisme de masse. Aucune fioriture, aucune prétention à un service personnalisé, et, par conséquent, aucune indiscrétion. Certes, il avait suscité un peu la curiosité lorsqu'il s'était présenté, une semaine en retard, pour réclamer sa chambre, mais après avoir raconté toute une histoire à propos d'un accident qui l'avait retardé et après avoir présenté son coupon de réservation, le sous-directeur avait haussé les épaules et admis qu'il avait droit à sa chambre pour le restant de ses vacances.

Dans le courant de la matinée, d'invisibles mains anonymes venaient faire la chambre et réapprovisionner le minibar. Que pouvait bien penser la femme de chambre de ces occupants qui n'avaient apparemment ni habits ni bagages, qui utilisaient deux serviettes de bain mais un seul lit ? Difficile à imaginer, mais elle ne devait pas se plaindre d'avoir si peu à faire. Quoi qu'il en soit, elle laissait toujours la climatisation au maximum. Bernard la baissa pour être plus à l'aise et avoir moins de bruit, et il se déshabilla, suspendant ses vêtements dans la garde-robe vide. Il prit une douche et s'enveloppa dans une des grandes serviettes de bain comme dans une toge. Puis il ouvrit le minibar, sortit une demi-bouteille de Chardonnay de Californie et se versa un verre. Il reboucha la bouteille et la remit dans le réfrigérateur pour qu'elle reste fraîche. Il s'assit sur le lit, le dos contre la tête du lit, et se mit à déguster le vin, jetant un coup d'œil à sa montre de temps en temps. Bientôt, on frappa à la porte.

Il fit entrer Yolande et referma la porte bien vite derrière elle. Elle portait la même robe de coton rouge que la première fois qu'il l'avait vue. Elle sourit et l'embrassa sur la joue.

« Désolée, je suis en retard, Roxy avait besoin que je l'emmène quelque part.

— Ça ne fait rien, dit-il. Un verre de vin blanc ?

— Avec plaisir, dit Yolande. Je vais juste prendre une petite douche. »

Pendant qu'elle était dans la salle de bains, Bernard sortit la bouteille du minibar et versa un second verre de vin, le posant sur la table à côté du lit. Il alla à la fenêtre qui donnait sur le mur aveugle d'un autre hôtel et tira les épais rideaux doublés, les laissant bâiller un peu pour qu'il y ait assez de jour à l'intérieur de la pièce. Lorsque Yolande sortit de la salle de bains, il fut surpris de voir qu'elle était encore habillée.

« Tu ne t'es pas encore douchée ? demanda-t-il en lui tendant son verre.

— Si, dit-elle en lui adressant un sourire par-dessus le rebord de son verre. Mais aujourd'hui, c'est toi qui me déshabilles. »

Il était donc monté chez Yolande en pleine nuit pour déposer son journal et dès le lendemain elle était là à la porte de l'appartement d'Ursula, le journal sous le bras. Elle était arrivée sans prévenir par téléphone. « Oh, avait-il dit comme il ouvrait la porte. C'est vous.

— Ouais. Je vous ai rapporté votre cahier. Puis-je entrer ?

— Bien sûr. »

Il avait jeté un coup d'œil dans le couloir en la faisant rentrer, et il avait aperçu la tête de Mme Knoepflmacher qui se retirait à l'intérieur de son appartement comme une tortue dans sa carapace.

Yolande était au milieu de la pièce et regardait autour d'elle. « C'est très joli, dit-elle. Ça doit valoir une fortune dans ce quartier. »

Il expliqua qu'Ursula n'était pas propriétaire de l'appartement. « Elle pourrait sans doute se permettre de l'acheter maintenant, mais à quoi ça servirait ? J'ai prévenu le propriétaire qu'elle allait partir. Accepteriez-vous une tasse de thé ? »

Elle le suivit dans la kitchenette et s'assit à la table en formica qui servait pour le petit déjeuner. Il mit la bouilloire à chauffer et vint s'asseoir en face d'elle. Le journal était entre eux sur la table comme un agenda. Yolande avait été apparemment réveillée par le bruit de sa voiture lorsqu'il était arrivé chez elle. Elle avait entendu claquer la boîte à lettres et était allée voir. Elle avait rapporté le journal dans son lit et l'avait lu d'un trait.

« Et je l'ai relu ce matin. C'est l'histoire la plus triste que j'ai jamais entendue.

— Oh, je ne dirais pas ça, objecta-t-il.

— Je veux dire la partie anglaise, dit-elle. La partie sur Hawaii est plus drôle. J'ai adoré l'histoire des clés perdues. Et aussi toutes les choses me concernant... Elle sourit. C'est la partie la plus intéressante de toutes, bien sûr.

— Je n'avais aucune intention de vous faire lire tout ça quand je l'ai écrit.

— Je sais. C'est pour cette raison que ça paraît si vrai. Vous n'avez pas cherché à faire de l'épate. C'est totalement sincère. J'ai toujours su que vous étiez sincère. C'est bien ce que vous m'avez fait dire dans votre cahier, non ? » Elle tapota le carton bleu de la couverture.

« *"Bizarrement, j'ai tout de suite pensé que vous étiez un type honnête. Il n'en reste pas tant que ça."* » Elle rit de nouveau. « Quand on lit ça, on a l'impression d'être un personnage de roman. Ou de se voir dans un film de famille, alors qu'on ne savait pas qu'on vous filmait. Par exemple, la façon que vous avez de décrire mon arrivée dans le jardin du banian au Moana ; je regarde autour de moi et me dirige ensuite vers vous avec, comme vous dites, ma *"démarche sautillante d'athlète"*. Je ne m'étais jamais rendu compte que je sautillais en marchant, mais j'imagine que vous avez raison. Et je vais vous dire autre chose, ce passage à la fin quand on se promenait sous les arbres près du zoo...

— C'était stupide de ma part, dit Bernard. J'ai voulu vous

233

faire lire ça pour que vous compreniez pourquoi j'ai agi si bizarrement.

— Non, vous aviez raison, dit Yolande. Je voulais en effet que vous m'embrassiez.

— Oh ! soupira Bernard. Il baissa les yeux et regarda fixement ses mains. Mais la lune, vous m'avez dit que vous vouliez que je regarde la lune.

— Ce n'était qu'un prétexte pour vous toucher », dit Yolande qui avança sa main et la plaça sur l'une des mains de Bernard.

Il y eut un assez long silence, bientôt interrompu par les premiers sifflements asthmatiques de la bouilloire. Bernard regarda Yolande d'un air suppliant, elle sourit et le lâcha. Tandis qu'il éteignait le gaz, il était conscient qu'elle s'était relevée, et lorsqu'il se retourna, il la trouva plantée en face de lui, exactement comme il l'avait vue du fond de l'ambulance le premier matin à Waikiki, mais maintenant elle n'avait pas cet air soucieux et ses bras ne pendaient pas à ses côtés mais se tendaient vers lui. « Venez ici, Bernard, dit-elle, et donnez-moi ce baiser. »

Il avança un peu d'un pas hésitant ; elle lui prit la main et l'attira contre elle. Il sentit ses bras autour de ses épaules et ses doigts qui lui caressaient la nuque. Timidement, il la prit par la taille et elle plaqua son corps douillettement contre le sien. Il sentit la chaleur de sa poitrine sous la robe en coton à travers sa chemise fine. Il sentit son pénis se raidir. Ils s'embrassèrent.

« Là, ce n'était pas si terrible que ça ! murmura Yolande.

— Non, dit-il d'un ton rauque, c'était très bon.

— Vous aimeriez faire l'amour ? »

Il fit non de la tête.

« Pourquoi pas ?

— Vous savez pourquoi.

— Je pourrais faire votre éducation. Vous montrer comment faire. Je pourrais vous guérir, Bernard, j'en suis convaincue. » Elle prit les deux mains de Bernard et les serra bien fort.

« Pourquoi voulez-vous le faire ?

— Parce que je vous aime bien. Parce que j'ai de la peine pour vous. Me montrer votre journal, c'était comme un appel au secours.

— Ce n'était pas ce que je voulais dire. Je voulais que ce soit une sorte de... d'explication.

— C'était un appel au secours, et je peux vous aider. Faites-moi confiance. »

Il y eut de nouveau entre eux un long silence. Il baissa les yeux vers leurs mains réunies, conscient du regard intense qu'elle posait sur lui.

« Et j'ai aussi besoin de tendresse, dit-elle, d'une voix plus douce.

— D'accord », finit-il par dire.

C'était comme si toute sa vie il avait retenu son souffle, ou serré le poing, et que maintenant enfin il venait de décider de relâcher sa respiration, de se détendre, de se laisser aller, sans s'inquiéter des conséquences, et c'était un tel soulagement, un changement métabolique si violent, qu'il eut un instant d'étourdissement. Le sol se déroba sous ses pieds et il chancela un peu tandis que Yolande le serrait contre elle.

« Mais pas ici, dit-il.

— On ne peut pas non plus aller chez moi, Roxy va bientôt rentrer. Pourquoi pas ici ?

— Pas dans l'appartement d'Ursula. Je ne me sentirais pas à l'aise. Ça ne me paraîtrait pas correct. »

Yolande sembla comprendre ce scrupule. « Alors, il va falloir qu'on prenne une chambre dans un hôtel, dit-elle. Il ne devrait pas être trop difficile d'en trouver une à Waikiki, mais ça risque d'être cher.

— J'ai déjà une chambre d'hôtel », dit Bernard, se rappelant le coupon de réservation dans son Travelpak.

Ils se rendirent tout droit au Waikiki Surfrider, et Yolande attendit dans la cafétéria du sous-sol pendant qu'il négociait avec la direction. « Vous ne pensez pas, j'espère, que nous allons faire l'amour cet après-midi », dit-elle dès qu'ils se retrouvèrent seuls dans la chambre 1509, et elle rit beaucoup en voyant la grimace qu'il fit, une grimace de déception et de soulagement, tout à la fois, lui dit-elle, « comme dans la plaisanterie du Français dans votre journal.

— Si on ne le fait pas aujourd'hui, dit-il, on ne le fera sans doute jamais. La terrible audace d'un moment d'abandon n'est pas une chose qu'on renouvelle à souhait.

— La terrible quoi ?

— C'est un vers tiré d'un poème.

235

— Oubliez la poésie un moment, Bernard. Les poètes sont des romantiques. Soyons pratiques. Vous savez pourquoi vous n'y êtes pas arrivés tous les deux, Daphné et vous ? Eh bien, c'est en partie parce que vous vous êtes précipités. Vous avez essayé de passer sans transition d'une chasteté totale à une baise intégrale. Désolée, ce mot vous choque ?

— Oui, un peu.

— O.K., je ne l'utiliserai pas. La procédure normale en thérapie sexuelle est de conseiller à la personne ou au couple qui a des problèmes d'avancer doucement par étapes successives jusqu'à l'union finale. Même s'ils font l'amour depuis des années, on leur dit de reprendre les choses au début et de tout recommencer, comme s'ils n'avaient jamais fait l'amour avant. D'abord les baisers non érotiques et les attouchements, ensuite les massages sensuels, puis les caresses intimes, etc. L'idéal serait de prolonger l'expérience sur plusieurs semaines, mais, comme nous ne disposons pas de tout ce temps, nous allons progresser un peu tous les jours. O.K. ?

— Je crois que oui », dit Bernard.

Cet après-midi-là, ils se contentèrent donc de s'étendre sur le lit, tout habillés mais pieds nus, et se caressèrent le visage, les cheveux, les oreilles, s'embrassèrent gentiment, se palpèrent les paumes de la main, se massèrent mutuellement les pieds. Il se sentit très bête au début, mais Yolande le mit à l'aise en ne laissant paraître elle-même aucun signe de gêne.

Le second après-midi, après s'être tous les deux douchés, elle tira le lourd rideau opaque devant la fenêtre et, alors qu'ils se tenaient de chaque côté du lit enveloppés dans des serviettes, elle éteignit toutes les lumières à partir des interrupteurs de chevet pour que la pièce soit complètement obscure. « Je pense que le corps de la femme te fait peut-être un peu peur, Bernard, dit-elle. Je crois que tu devrais commencer par me toucher pour t'habituer. » Il entendit le bruit mat de la serviette qui tombait par terre, puis sentit une main qui le cherchait. Il explora donc son corps pour la première fois en tâtonnant comme un aveugle : les bras fermes et musclés, les douces protubérances de ses omoplates, la ligne souple et dentelée de sa colonne vertébrale, les rondeurs moelleuses de ses fesses, et la peau tendre et lisse à l'intérieur de ses cuisses. Lorsqu'elle se retourna sur le dos, il sentit ses seins retomber de chaque côté du thorax, son cœur battre régulièrement et la pointe de ses mamelons se durcir soudain ; il suivit en bas du ventre la petite boursouflure d'une vieille cicatrice d'appendicite et avança jusqu'à sa touffe de poils pubiens, doux et bouclés, et là elle arrêta gentiment sa main. Pour lui, elle était un peu comme un arbre : ses os formaient le tronc et les branches, et les formes arrondies de sa chair étaient comme des fruits mûrs sous ses mains. Lorsqu'elle lui demanda comment il se sentait, il ne put lui répondre que par quelques lignes de poésie, une fois de plus :

Je ne puis voir les fleurs qui sont à mes pieds
Ni l'encens délicieux suspendu aux branches.
Mais dans l'obscurité embaumée je devine
Chaque parfum dont ce mois clément dote
L'herbe, les fourrés et le fruitier sauvage...

Elle rit et dit qu'il était incorrigible. « Demain, nous garderons davantage de lumière, dit-elle. Demain, ce sera plus osé. Mais c'est à moi maintenant de découvrir ton corps.

— Il n'y a vraiment pas de quoi écrire un poème dessus, j'en ai bien peur.

— Il est O.K. Tension musculaire un peu réduite de ce côté-ci, dit-elle en lui pinçant l'abdomen. Tu fais de l'exercice ?

— Je marche beaucoup chez moi.

— La marche est un bon exercice, mais tu devrais faire quelque chose de plus énergique.

— Et toi, qu'est-ce que tu fais ? Tu n'as pas l'air d'avoir un gramme de graisse en trop.

— Je joue beaucoup au tennis. Lewis et moi, nous étions champions du double mixte au club des profs. Maintenant, je joue avec Roxy. »

Il aurait préféré qu'elle ne fasse pas allusion à Lewis et à Roxy. Ces noms lui rappelaient qu'elle avait une vie bien à elle, complexe et autonome, à l'extérieur de cette chambre et de ce lit. Mais le massage qu'elle lui faisait avec ses mains chassa peu à peu son angoisse. Doucement, méthodiquement, Yolande massa toutes les parties de son corps, à l'exception de ses parties intimes. C'était comme si elle sculptait son corps dans l'obscurité, lui faisant prendre conscience pour la première fois de ses contours et de ses limites. Il avait toujours traité son corps comme un paquet de vêtements minables mais utiles qu'il mettait le matin et enlevait le soir, ayant centré toute sa vie autour de son esprit. Maintenant, il se rendait compte qu'il vivait aussi dans cette étrange forme fourchue, cet amalgame imparfait de chair et d'os, de sang et de muscles, de viscères et de poumons. Pour la première fois depuis son enfance, il se sentait plein de vie du bout des doigts jusqu'à la pointe de ses orteils. Une fois même, elle effleura de la main son pénis en érection et murmura un mot d'excuse.

« Est-ce qu'on fait l'amour ? dit-il.

— Non, dit-elle, pas encore.

— Demain ?

— Non, pas demain. »

Le lendemain, ils laissèrent davantage de lumière pénétrer dans la chambre et partagèrent avant de commencer une demi-bouteille de vin blanc trouvée dans le minibar. Yolande était plus hardie et plus loquace. « Aujourd'hui, on va encore se contenter de se toucher, mais il n'y a plus de zones interdites, on peut se toucher où on veut, comme on veut, O.K. ? Et pas seulement avec les mains, on peut aussi utiliser la bouche et la langue. Veux-tu sucer mes seins ? Vas-y. C'est bon ? Bien, c'est très bon pour moi aussi. Puis-je te sucer ? Ne t'en fais pas, je vais serrer très fort comme ça pour que tu n'éjacules pas. D'accord. Détends-toi. C'était bon ? Parfait... Bien sûr que j'aime le faire. Sucer et lécher sont deux plaisirs primaires. Bien sûr, c'est facile de voir ce qui fait plaisir à un homme, mais avec les femmes c'est tout autre chose, tout est caché à l'intérieur et il faut savoir s'y reconnaître, alors lèche ton doigt et je vais te guider. »

Il était choqué, intrigué, il avait le souffle presque coupé de se voir précipité aussi vite dans cette licence de gestes et de paroles dénués de tabous. Mais il était euphorique, aussi. Il était au bord du plaisir. « Est-ce que nous allons faire l'amour aujourd'hui ? supplia-t-il.

— C'est ça, faire l'amour, Bernard, dit-elle. Je passe un merveilleux moment, et toi ?

— Oui, mais tu sais ce que je veux dire. »

« Est-ce que nous allons faire l'amour aujourd'hui ? demanda-t-il en déboutonnant sa robe rouge. Je veux dire, faire l'amour pour de bon.

— Non, pas aujourd'hui. Demain.

— Demain ? gémit-il. Que reste-t-il à faire, Grand Dieu, entre hier et demain ?

238

— Eh bien, ceci par exemple », dit-elle, enjambant sa robe qui avait glissé par terre. Elle portait un body en satin blanc, orné de dentelles.

Il ferma les yeux et secoua la tête.

« Yolande, Yolande...

— Qu'est-ce qu'il y a ? Est-ce que ça ne t'excite pas ?

— Bien sûr que si.

— Alors, aide-moi à l'enlever. »

Il écarta maladroitement les bretelles et elle dégagea ses bras. Le body retomba sur ses hanches, exposant ses seins. Il les embrassa tendrement et gémit :

« Yolande, Yolande, qu'est-ce que tu es en train de me faire ?

— Ton éducation sexuelle, si tu veux, Bernard, façon américaine. Tout s'apprend. Comment avoir du succès. Comment écrire un roman. Comment faire l'amour.

— Tu l'as déjà appris à quelqu'un ?

— Non. Ça n'aurait pas été moral.

— Moral ! (Il eut un petit rire hystérique.) Pourquoi est-ce moral avec moi ?

— Parce que tu n'es pas un client. Tu es un ami.

— Tu sembles bien experte.

— Pour tout te dire, Lewis a eu une crise d'impuissance il y a environ huit ans. On est allés consulter tous les deux un thérapeute. Ça a marché. »

Le sous-vêtement glissa par terre, et elle lui présenta son corps ferme, bien galbé et bronzé comme un nu de Gauguin, mis à part la marque plus claire d'un bikini autour de sa poitrine et de son bas-ventre. Il se mit à genoux et pressa son visage contre son ventre en caressant ses flancs. « Tu es si belle, dit-il.

— Hum, c'est bon, répondit-elle en lui massant le cuir chevelu du bout des doigts. C'est merveilleux de se retrouver dans les bras de quelqu'un.

— Y a-t-il eu un autre homme depuis que Lewis est parti ?

— Non, il n'y a eu personne. Quand je suis excitée, je me contente du vibrateur. Ça te choque ?

— Plus rien ne me choque. Parfois, je me dis que tu dois être une sorcière, une belle sorcière aux yeux noirs. Sinon, comment pourrais-je faire toutes ces choses sans mourir de honte et de gêne ? Et en plus avec la femme qui a failli tuer mon père.

— Si j'étais disciple de Freud, dit Yolande en le faisant se relever, je dirais volontiers que c'est un des éléments de ta fascination. Tu as été attiré par moi dès le début, n'est-ce pas, Bernard ?

— Oui, c'est vrai. Je t'ai revue si nettement en imagination après l'accident, avec ta robe rouge. Jamais je n'aurais songé qu'un jour je t'aiderais à l'enlever.

— Tu vois. La vie est pleine de surprises. Allonge-toi sur le ventre.

— Ça va dans le sens contraire du jeu.

— Quoi ? » Elle se mit à lui masser le cou et les épaules avec application et sensualité.

« Oh ! rien. C'est une petite phrase qui est venue dans la conversation en parlant avec Ursula aujourd'hui.

— De quoi parlez-vous tous les deux ?

— Aujourd'hui, nous avons parlé du ciel.

— Mais tu ne crois pas au ciel !

— Non, mais je connais bien le sujet. »

Yolande éclata de rire. « Tu n'es pas prof pour rien.

— Et toi, qu'en penses-tu ?

— Je crois que c'est à nous de faire notre ciel sur terre, dit Yolande. Et de satisfaire nos propres prières. Comme tu as fait quand tu as retrouvé tes clés sur la plage. Retourne-toi, tu veux ?

— Est-ce qu'on ne peut pas faire l'amour maintenant ? supplia-t-il.

— Voilà ce qu'on va faire aujourd'hui, dit Yolande. Tu vas t'exercer à me pénétrer sans avoir d'orgasme, tu comprends ? Si tu sens que tu vas jouir, il faut que tu me le dises, O.K. ? Bon, on sait au moins que tu n'as sûrement pas une de ces saletés de maladies sexuelles — à bien y réfléchir, tu dois être le mâle le plus sain de tout Honolulu. Tu pourrais vendre ton corps aux riches veuves du Royal Hawaiian à prix d'or. Au cas où tu aurais quelques inquiétudes, j'ai fait faire un test de dépistage le lendemain du jour où j'ai découvert que Lewis me trompait, et il était négatif...

— Je ne m'étais même pas posé la question, dit Bernard.

— Eh bien, tu aurais dû, et, juste par mesure de précaution, je vais te mettre une capote... O.K. ? Je vais me mettre à califourchon sur toi comme ça et te laisser pénétrer en moi doucement, comme ça, et on va rester ainsi une minute ou deux, parfaitement immobiles, O.K. ? Comment c'est ?

— Divin, dit-il.

— Et ça ? Tu le sens ?

— Seigneur, oui !

— J'ai un bon tonus musculaire, n'est-ce pas ? J'ai lu quelque part que les grand-mères hawaïennes enseignaient autrefois à leurs petites-filles ce petit exercice. Elles appelaient ça *amo amo*. Ça veut dire littéralement « clin d'œil ». Si je cause tant, c'est pour t'empêcher d'éjaculer...

— J'aime, j'aime.

— Quoi ?

— *Amo* veut dire "j'aime" en latin.

— Oh, c'est vrai ? Bon, maintenant, je vais faire doucement quelques mouvements de va-et-vient, comme ça, O.K. ? Ensuite je vais me soulever et te quitter.

— Non, dit Bernard, la retenant par les hanches.

— Et, dans quelques minutes, on recommencera.

— Non, dit Bernard, ne me quitte pas.

— Le principe, c'est que tu dois apprendre à contrôler ton érection.

— Ça fait trois jours que je contrôle mes érections, dit-il. Ce que je veux maintenant, c'est perdre le contrôle.

— Tu pourras très bien te donner du plaisir ensuite, dit Yolande. Je t'aiderai, si tu veux.

— Non, merci. Je n'ai pas perdu toute pudeur, tu sais. Il y a des limites que je ne franchis pas. Arrêtons ces leçons, Yolande. Faisons l'amour, je t'aime, Yolande.

— Je crois qu'on devrait en causer », dit-elle, essayant de se dégager. Mais il cambra le dos et la retint.

« Ne pars pas, dit-il en sanglotant, ne se contrôlant plus. Ne pars pas, ne pars pas, ne pars pas !

— O.K., O.K., O.K., oh ! » dit-elle en haletant.

Après cela, ils se recouvrirent d'un drap et dormirent, lovés l'un contre l'autre. Yolande le réveilla quand elle alluma la lampe de chevet. Il semblait faire noir dehors. « Seigneur ! s'exclamat-elle, scrutant sa montre, incrédule. Roxy va se demander où diable je suis. »

Elle passa un petit coup de fil à sa fille, assise toute nue au bord du lit. Lorsque Bernard se mit à lui caresser l'épaule, elle saisit sa main et la retint. Elle reposa le combiné et commença à s'habiller rapidement.

« Même heure demain ? » dit-il.

Elle lui adressa un drôle de petit sourire timide. « Le cours est terminé, Bernard. Félicitations. Tu as passé l'examen avec succès.

— Je croyais que j'avais échoué, dit-il. Je croyais que j'avais devancé le signal de départ.

— Tu as échoué au cours d'éducation sexuelle, mais tu as réussi à prendre confiance en toi.

— Je t'aime, Yolande.

— Es-tu sûr que tu ne confonds pas gratitude et amour ?

— Je ne suis sûr de rien, dit-il. Sauf que je veux te revoir.

— O.K. Demain après-midi, alors. »

Elle tendit son visage vers lui pour lui donner, comme d'habitude en le quittant, un baiser amical, mais il la prit dans ses bras et lui donna un long baiser passionné.

« Je ne savais pas avant aujourd'hui ce que "coucher avec quelqu'un" voulait dire vraiment, dit-il.

— C'est gentil, Bernard, mais il faut que je me dépêche. »

Selon le scénario habituel, Bernard attendit quelques minutes après le départ de Yolande pour quitter la pièce et descendre à son tour dans le hall. Il y avait là une foule de clients qui rentraient de leur excursion ou qui se préparaient à sortir pour la soirée. Il considéra avec attendrissement leurs tenues décontractées très colorées, leurs visages brûlés par le soleil et leur bavardage futile. Il glissa sa clé dans le fente prévue à cet effet, se faufila discrètement à travers la foule et se retrouva dans l'air doux du soir. Il reçut avec délice sur le visage quelques gouttes de pluie chaude. Jus de pamplemousse — c'était, d'après Sophie Knoepflmacher, le nom que donnaient les gens du pays à ces ondées passagères poussées par le vent. Il se laissa porter par la marée humaine sur le trottoir ; il flottait plus qu'il ne marchait. Il se sentait reposé, rafraîchi, régénéré. Il se sentait heureux et serein. Il avait faim.

Voyant qu'il se trouvait à deux pas du Paradis des Pâtes, il s'y rendit et alla s'asseoir à une table. Darlette lui apporta de l'eau glacée et lui demanda comment il allait ce soir. « Je vais bien », dit-il. Comprenant que l'adverbe ne reflétait qu'imparfaitement son état d'esprit, il ajouta : « Je plane. » C'était une expression favorite de Thomas.

« C'est super, dit Darlette, en faisant un grand sourire impersonnel. Ce soir on a un plat du jour ? Tagliatelles aux fruits de mer — crevettes, clams et effilé d'espadon à la crème ?

242

— Ça me va très bien », dit Bernard. Il mangea le tout avec délice. Il prit deux verres de vin blanc avec son repas et rentra à l'appartement en fredonnant l'air *J'aime Hawaii* que braillait encore le chanteur pommadé du spectacle de cabaret en plein air. Il se fredonnait encore intérieurement le même air en sortant de l'ascenseur. Mme Knoepflmacher devait être planquée quelque part à l'attendre, car elle surgit de son appartement comme il passait devant sa porte.

« Western Union a déposé un télégramme pour vous cet après-midi, dit-elle. J'ai dit au type qu'il pouvait me le laisser mais il l'a glissé sous votre porte.

— Oh, très bien, merci, dit Bernard.

— J'espère que ce n'est pas une mauvaise nouvelle, ajouta Mme Knoepflmacher.

— Moi aussi », dit Bernard.

L'enveloppe était juste derrière la porte de l'appartement. Bernard se pencha pour la ramasser.

« Vous l'avez ? » demanda Mme Knoepflmacher par-dessus son épaule, le faisant sursauter. Elle l'avait suivi en silence dans le vestibule.

« Oui, merci, madame Knoepflmacher, dit-il. Tout va bien, bonsoir. » Et il referma la porte.

Le télégramme disait : « ARRIVE HONOLULU LUNDI 21 VOL DL 157 A 20 H 20. PRIÈRE VENIR ME CHERCHER AÉROPORT. TESS. »

Bernard se laissa tomber dans un fauteuil et regarda, hébété, le bout de papier. Il sentit que l'état d'euphorie dans lequel il baignait était en train de se dissiper rapidement. La vie libre, indépendante et secrète qu'il menait depuis dix jours allait s'arrêter. Tess allait prendre la relève — auprès de son père, auprès d'Ursula, tout régenter dans l'appartement. Elle allait bousculer tout le monde, réprimander, donner des ordres, s'approprier la chambre d'Ursula et le faire dormir sur le divan qu'il devrait replier tout de suite le matin. Elle allait faire la vaisselle aussitôt après chaque repas, l'expédier dehors avec des listes de courses. Elle allait avoir des doutes s'il continuait à voir Yolande, serait scandalisée si elle découvrait leurs relations.

Il téléphona à Yolande et lui lut le télégramme.

« Est-ce une surprise ? demanda-t-elle.

— Une surprise totale. Tess dit toujours que ses charges de

243

famille ne lui permettent pas de faire ce genre de chose. » Il lui parla de Patrick.

« Peut-être qu'elle vient avec Patrick.

— Non, ils ne voyagent jamais en avion avec lui. Il est sujet à des crises.

— Pourquoi a-t-elle envoyé un télégramme ? Pourquoi n'a-t-elle pas tout simplement téléphoné ?

— Pour que je ne la dissuade pas de venir. Elle me met devant le fait accompli. C'est déjà lundi matin en Angleterre. Elle doit déjà être partie de chez elle.

— Et tu ne sais absolument pas pourquoi elle vient ?

— Je suppose qu'elle s'inquiète de papa... Elle lui a pourtant parlé au téléphone l'autre jour. (Une idée lui vint brusquement à l'esprit.) Il a dû lui parler de la fortune miraculeuse d'Ursula, c'est sûrement ça.

— Elle veut mettre la main sur l'argent d'Ursula ?

— Elle veut m'empêcher de mettre la main dessus, dit Bernard. Elle pense que je complote pour hériter de la fortune d'Ursula. Elle a toujours pensé ça.

— Je n'ai pas l'impression que vous vous entendiez bien tous les deux, dit Yolande.

— Hélas, non, j'en ai bien peur.

— Tu devrais arrêter de dire ça, Bernard.

— De dire quoi ?

— ''J'en ai bien peur''. »

M. Walsh fut ravi d'apprendre, le lendemain matin, que Tess allait arriver à Honolulu. « C'est formidable, dit-il. On va enfin avoir un peu d'animation ici. Elle va te les faire filer doux, c'est moi qui te le dis, les médecins et les infirmières. » Il s'obstinait à croire que le personnel médical de Saint-Joseph le gardait abusivement à l'hôpital pour soutirer le maximum d'argent de l'assurance.

« Tess va leur mettre les points sur les *i*. Elle va me faire sortir d'ici en quatrième vitesse. Elle va me ramener à la maison.

— Est-ce que tu lui as dit de venir te chercher ? demanda Bernard d'un ton accusateur.

— Non, je ne l'ai pas fait, répliqua M. Walsh d'un air hautain. Je n'aurais jamais pensé qu'elle pouvait s'échapper de chez elle, vu ce que ça coûte surtout. Mais Ursula la dédommagera, tu ne crois pas ? Elle peut se le permettre maintenant.

— Si Tess a besoin qu'on l'aide à payer son voyage, je suis sûr qu'Ursula le fera avec plaisir, dit Bernard. Mais personne ne lui a demandé de venir. Je n'en vois pas l'utilité.

— Dans des moments pareils, dit M. Walsh d'un ton pieux, les familles doivent se rassembler. Ce sera un réconfort pour Ursula de voir Tess. »

« Je serai heureuse de voir Tess, évidemment, dit Ursula. Mais, pour l'instant, je suis plus excitée à l'idée de revoir Jack mercredi prochain. Nerveuse aussi, maintenant que ça va se faire.

— Nerveuse ?

— Ça fait si longtemps. Et quand il me parle au téléphone, ce qui n'arrive pas souvent, il semble si froid, si distant.

— Tu connais papa. Il ne montre pas facilement ses émotions. Je suis comme lui, à vrai dire. C'est un trait de famille.

— Je sais. » Ursula se tut et sombra dans un silence mélancolique. Quand elle reprit la parole, ce fut pour revenir à leur conversation d'hier. « Cet homme qui a dit que le ciel était comme un rêve où chacun obtient ce qu'il désire... Est-ce qu'il pensait aussi au sexe ?

— Je ne sais pas, dit Bernard, interloqué. Je ne me souviens pas s'il en a parlé. Je ne vois pas pourquoi ça n'en ferait pas partie.

— Notre Seigneur a bien dit que le mariage n'existait pas au ciel, non ?

— Beaucoup de chrétiens ont trouvé cette parole un peu dure et ont essayé de la contourner, dit Bernard. Swedenborg, par exemple.

— Qui était-ce ?

— Un mystique suédois du XVIIIᵉ siècle. Il y a des quantités d'allusions dans ses livres à des noces célestes. Il pensait qu'on épousait au ciel sa véritable âme sœur et qu'on réalisait une sorte d'union sexuelle assez éthérée. Lui-même n'était pas marié, mais il lorgnait une certaine comtesse dont le mari allait, comme par hasard, être transformé en chat dans l'autre monde.

— En chat ?

— Oui, Swedenborg pensait que les âmes spirituellement sous-développées seraient des chats dans l'au-delà.

— Il n'était donc pas catholique, alors.

— Non, luthérien. Une secte a été fondée à partir de ses écrits, l'Église de la Nouvelle-Jérusalem. A bien y réfléchir, les protestants ont toujours mis davantage l'accent sur le sexe au ciel que les catholiques. Milton, par exemple. Charles Kingsley. Il y avait un théologien catholique au XVIe siècle, j'ai oublié son nom, qui pensait que l'on s'embrassait beaucoup au ciel. Il disait que les saints pouvaient échanger des baisers à distance, même s'ils étaient séparés par des milliers de kilomètres.

— Embrasser n'a jamais été mon problème, dit Ursula. J'ai toujours aimé les baisers et les câlineries. C'était l'autre truc que je ne supportais pas. »

Interrompu en plein milieu de sa docte tirade, Bernard se troubla et perdit son assurance. Il se tut, ne sachant que répondre.

« Je n'ai jamais satisfait Rick dans ce domaine. Je n'ai jamais pu me laisser aller. C'est ce qu'il a dit quand on s'est quittés.

— Je suis désolé, bredouilla Bernard.

— Je n'ai jamais pu me résoudre à toucher son... sa chose, tu vois. J'en étais incapable. (Elle parlait d'un ton traînant, l'air épuisé, les yeux fermés, comme quelqu'un qui se confesse.) Il m'obligeait à la tenir et alors une sorte de jus comme de la glaire giclait du petit trou au bout et se répandait dans ma main.

— Rick t'a obligée à faire ça ? murmura Bernard.

— Non, pas Rick. Sean. C'est pour ça que je n'ai jamais pu toucher Rick de cette façon. »

Bernard se rappela la photographie à moitié déchirée des trois enfants assis dans le champ, les deux plus jeunes biglant vers l'appareil et l'aîné des garçons arborant un grand sourire derrière eux, les mains dans les poches. Une pensée atroce lui vint soudain à l'esprit. « Ursula, dit-il, est-ce que papa... est-ce qu'il a quelquefois ?

— Non, dit Ursula. Mais Jack était au courant. »

« La chose s'est passée, semble-t-il, un été où la famille vivait encore en Irlande, dit Bernard à Yolande un peu plus tard. Ils habitaient à l'époque les faubourgs de Cork. C'étaient les vacances scolaires. Il y avait quelqu'un dans la famille qui était sur le point de mourir et ma grand-mère était souvent absente de la maison pour aller aider. Mon grand-père était au travail toute la journée. Les enfants étaient livrés à eux-mêmes. Sean était l'aîné, il devait avoir seize ans, pense Ursula. Elle avait sept ans, et papa à peu près douze. Sean a profité de la situation. Il a emmené Ursula faire des promenades, lui a donné des bonbons, l'a traitée comme sa chouchoute. Au début, elle était flattée. La première fois qu'il s'est exhibé devant elle, il a fait comme si c'était une plaisanterie. Puis c'est devenu une habitude, un secret entre eux. Lorsqu'il a commencé à se masturber, elle a compris que c'était mal, mais elle était trop effrayée pour faire quoi que ce soit.

— Est-ce qu'il lui a fait quelque chose — l'a-t-il sexuellement agressée, je veux dire ?

— Non, rien, elle est catégorique là-dessus. Mais il lui a laissé un profond dégoût du sexe qu'elle n'a jamais pu surmonter. Ça a gâché son mariage, dit-elle. Ça l'a découragée de se remarier. Elle a beaucoup flirté, a eu beaucoup d'admirateurs, dit-elle, mais dès qu'ils devenaient entreprenants, elle se dérobait.

— C'est une bien triste histoire, dit Yolande. Encore plus triste que la tienne.

— La mienne n'est plus triste », dit-il tendrement, tout en caressant sa hanche nue, lisse comme une dune. Ils étaient allongés sur le lit de la chambre 1509 ; ils avaient fait l'amour dès qu'ils s'étaient retrouvés, fébrilement, passionnément cette fois, comme des amants, s'était dit Bernard, et non comme un élève avec son maître. (Même si Yolande avait trouvé le moyen de lui dire qu'il avait adopté la position du missionnaire ; « qu'est-ce qui pourrait être plus approprié ? » avait-elle lancé d'un ton taquin.)

« Mais je suis d'accord avec toi, dit-il avec toute la ferveur naïve du néophyte récemment initié aux choses du sexe. En fait, qu'est-ce qu'un pénis, qu'est-ce qu'un peu de sperme ? (Il souleva son membre gluant et détumescent et le laissa retomber sur sa cuisse.) Et comment une chose pareille peut-elle briser la vie d'une femme ?

— L'acte physique n'est pas nécessairement important chez l'enfant en cas d'abus sexuel. C'est la peur, la honte qui laissent des marques.

— Tu as raison, dit Bernard. Ursula n'a pas vu le problème par rapport à Sean, elle était convaincue que c'était elle qui était en état de péché mortel ; et comme elle n'a jamais pu se décider à en parler en confession, elle a vécu pendant des années dans la peur de mourir subitement, persuadée qu'elle irait tout droit en enfer.

— Est-ce qu'elle en a parlé à Sean plus tard dans sa vie ?

— Jamais. Et puis après, il a été tué à la guerre, canonisé par la famille, et elle ne pouvait plus en parler. Elle n'en a jamais parlé à qui que ce soit avant aujourd'hui, tu te rends compte ? C'est sans doute pour ça qu'elle tenait tant à ce que papa vienne ici et qu'elle a tant insisté auprès de moi pour le faire venir. Elle voulait exorciser le souvenir, se débarrasser du fantôme de Sean en évoquant la chose avec papa. Mais maintenant que le moment est venu, elle tremble de peur, et je la comprends. Je ne sais pas comment il va prendre ça. Et pour comble de malchance, voilà Tess qui débarque et qui va encore compliquer les choses.

— Que voulait dire Ursula quand elle a dit que ton père "était au courant" ?

— Un jour, apparemment, il les a surpris en flagrant délit. Sean avait l'habitude de l'emmener dans une vieille cabane au fond du jardin. Papa y est allé un jour pour chercher quelque chose, et ils ne l'ont pas entendu venir. Elle se souvient qu'il est entré en trombe, s'est arrêté soudain sur le seuil de la porte, a souri et ouvert la bouche pour parler, mais son sourire s'est figé quand il a compris ce qu'ils faisaient. Puis il a tourné sur ses talons et est ressorti en courant sans dire un mot. Sean s'est reboutonné en toute hâte. Il a dit à Ursula — elle se souvient encore de ses paroles — : "Ne t'inquiète pas de Jack, il ne mouchardera pas." Et il ne l'a pas fait. Il n'a jamais rien dit à personne. Au début, Ursula s'est sentie soulagée car elle avait une peur panique que leurs parents découvrent la vérité. Mais, plus tard, quand elle est devenue grande, elle en a voulu à Jack. Il aurait pu mettre fin à tout ça, dit-elle, simplement en menaçant Sean de tout raconter.

— Tu veux dire que ça a continué après ça ?

— Oui. Les choses ont continué pendant tout l'été, et papa le savait. Ursula lui en veut beaucoup.

— Ça ne m'étonne pas.

— Elle exige des excuses. Elle veut qu'il demande pardon. Je ne suis pas sûr qu'elle obtiendra gain de cause.

— Tu vas devoir les aider, dit Yolande.

— Que veux-tu dire ?

— Il va falloir que tu organises tout. Que tu prépares ton père. Que tu t'arranges pour qu'ils soient seuls au bon moment.

— Je me vois mal parler de ça avec papa. De toute façon, Tess ne me le permettrait pas. Elle va sûrement vouloir s'en mêler.

— Il faudra que tu obtiennes sa collaboration.

— Tu ne connais pas Tess.

— Eh bien, je ne vais pas tarder à la connaître, n'est-ce pas ? »

Il se redressa sur un coude et la dévisagea. « Tu veux dire que tu aimerais la rencontrer ?

— Eh bien, tu n'avais tout de même pas l'intention de me mettre dans un placard, j'espère ?

— Non... dit-il, bien sûr que non. » Mais son expression le trahit.

« Je pense pourtant que si ! dit Yolande en le taquinant. Je crois que tu voulais garder le silence sur ma personne, sur la petite gonzesse que tu rencontres l'après-midi pour baiser en cachette. » Elle le pinça si fort qu'il poussa un cri.

« Ne sois pas idiote, Yolande, dit-il en rougissant.

— As-tu dit à quelqu'un que tu me voyais ? A ta tante ? A ton père ?

— Eh bien, non. L'as-tu dit à Roxy ?

— Elle sait que je te vois. Elle ne sait pas que nous couchons ensemble, mais pourquoi faudrait-il qu'elle le sache ? »

Bernard réfléchit. « Tu as raison, comme toujours, dit-il. J'ai eu peur de leur dire. Viens déjeuner avec Tess et moi demain. »

2

Tandis qu'il se dirigeait vers les arrivées à l'aéroport d'Honolulu, Bernard passa devant une enfilade de boutiques, une demi-douzaine de kiosques avec parkings réservés qui vendaient des *leis*. Instinctivement, il s'arrêta et acheta une guirlande de fleurs jaunes très parfumées qui, selon la marchande, une grosse Hawaiienne joviale au sourire édenté, s'appelaient des *ilima*. Il attendit à l'intérieur du terminal près des tapis roulants à bagages à côté d'autres personnes portant des *leis*, étonné à la pensée que douze jours auparavant seulement son père et lui avaient atterri ici, suant à grosses gouttes dans leurs lourds vêtements anglais rugueux. Il n'avait plus vraiment l'impression d'être la même personne, et pas seulement à cause du short qu'il portait. Cette impression se trouva renforcée lorsque Tess apparut et examina la foule qui attendait, sans le repérer de toute évidence. Elle avait l'air d'avoir très chaud dans sa veste et sa jupe de coton toutes froissées, et elle se traînait lamentablement, un imperméable sur le bras. Il se faufila à travers la foule et l'appela. « Tess ! *Aloha* ! » Il lui jeta le *lei* par-dessus la tête mais celui-ci s'accrocha à ses cheveux raides, et elle eut du mal à s'en dépêtrer.

« Qu'est-ce que c'est que ça ? dit-elle de mauvaise humeur, comme si elle se croyait victime d'une farce.

— Ça s'appelle un *lei*. C'est une coutume locale.

— C'est plutôt scandaleux de traiter les fleurs comme ça, dit-elle en examinant le collier de fleurs. Mais je dois reconnaître qu'elles sentent bon. Tu as coupé ta barbe, Bernard. Tu fais plus jeune comme ça. Je ne te reconnaissais pas. Comment va papa ?

— Il va bien et a hâte de te voir. Comment s'est passé le voyage ?

— Je pensais ne jamais arriver. Si j'avais su ce que c'était, je ne serais sans doute pas venue.

— Dis-moi, pourquoi es-tu venue, Tess ? demanda-t-il.

— Je te le dirai plus tard », répondit-elle.

« Je suis venue pour souffler un peu, dit Tess, à la grande

surprise de Bernard. Je suis venue pour fuir la maison, fuir Frank et la famille. Pour me donner un peu de bon temps, pour une fois. M'asseoir sur la plage, près d'une piscine, sans avoir à penser au prochain repas. J'espère que tu ne comptes pas sur moi pour tenir l'appartement pendant que je suis ici ?

— Non, non, dit-il. On peut manger dehors. C'est ce que je fais très souvent. »

Ils étaient assis sur le balcon de l'appartement d'Ursula qui dominait la petite piscine rectangulaire, un saphir brillant serti dans le patio obscur. Tess l'avait beaucoup surpris en manifestant son désir d'utiliser la piscine dès qu'elle avait débarqué dans l'appartement. Elle avait batifolé dans l'eau comme un marsouin heureux, poussant des soupirs béats et des petits cris de plaisir. Après, pendant qu'elle se douchait, il avait préparé du thé. Elle l'avait rejoint sur le balcon, drapée dans le peignoir à fleurs en soie qui appartenait à Ursula, puis avait déclaré qu'elle se sentait une autre femme. « Bien sûr, je voulais vérifier par moi-même que papa allait bien, dit-elle. Ça a été le prétexte. Mais ce n'était pas pour ça que je voulais venir. Ni même pour voir Ursula. C'était pour me faire plaisir.

— Et Patrick ? demanda Bernard.

— Frank n'a qu'à s'occuper de lui, dit Tess d'un ton cassant. Moi, je le fais bien depuis seize ans. »

Bernard crut comprendre qu'il y avait quelques tensions entre Tess et son mari, et elle ne tarda pas à lui débiter toute l'histoire.

« Il a une petite amie, tu te rends compte ? Frank ! Seigneur, quand il était jeune, il était si timide que c'était à peine s'il osait regarder une femme droit dans les yeux. Maintenant, il se prend pour un grand héros romantique, version *Brève rencontre* mais en mieux. C'est une personne qu'il a rencontrée par le biais de la paroisse — du joli, tu ne trouves pas ? Bien sûr, Frank a toujours été pour la participation des laïcs à l'apostolat. Président du conseil paroissial. Organisateur de la collecte paroissiale. Éminent chevalier de Saint-Colomban. Absent deux ou trois soirs par semaine pour s'occuper des affaires de la paroisse. Je trouvais que je n'avais pas à me plaindre, que c'était pour la bonne cause, même si ça me compliquait l'existence, car je devais assumer seule la garde de Patrick ces soirs-là en plus de mes demi-journées. Je connais la fille, une institutrice stupide à face de lune, beaucoup plus jeune que lui — je suppose que c'est un peu ce qui l'attire, ça et ses grands yeux de chouette qui le regardent béats d'admiration. Elle est venue faire du baby-sitting quelquefois pour nous, tu vois, avant que je ne découvre ce qui se passait. Je trouvais que c'était plutôt amusant de la voir le poursuivre de ses grands yeux languissants. Ils se sont rencontrés par le biais de la collecte paroissiale — elle s'est portée volontaire pour faire du porte-à-porte, et elle a fait les tournées avec lui, pour voir comment ça se passait. Il dit qu'ils n'ont pas couché ensemble, et je veux bien le croire, il n'a pas assez de cran pour ça, mais je sais qu'il l'embrasse, parce que je l'ai lu dans la lettre. J'ai trouvé une lettre dans la veste de Frank que je portais au nettoyage — c'est d'un banal à faire peur, tu ne trouves pas ? Une lettre d'amour tendre à croquer. Il prétend qu'elle a eu une vie difficile — mais n'est-ce pas le sort de tout le monde, après tout ? Un foyer brisé, des parents divorcés, c'est une convertie, elle est devenue catholique à la suite d'une histoire d'amour qui a mal tourné — un cœur solitaire, en somme, qui avait simplement besoin d'une épaule pour épancher son chagrin. Et Frank a mordu à l'hameçon, il a bel et bien avalé l'appât. Après leurs tournées apostoliques, ils allaient dans un pub et elle lui racontait tous ses ennuis. Depuis le début des vacances scolaires, elle se rend, paraît-il, dans la Cité pour le rencontrer à l'heure du déjeuner. Il jure ses grands dieux que c'est en toute innocence, qu'il a seulement pitié d'elle, mais il ne veut pas rompre. Il dit qu'il a peur qu'elle fasse un geste insensé. Pourquoi, me suis-je dit alors, ne ferais-je pas moi aussi quelque chose d'insensé ? Je suis sortie et j'ai été me réserver une place sur l'avion d'Honolulu. Il a fallu qu'il voie le billet pour le croire — avec retour open, par-dessus le marché, et à un prix qui l'a fait pâlir. Il a dit : "Et Patrick ? Tu ne peux pas me le laisser comme ça. Il faut que j'aille au travail tous les jours." Je lui ai dit : "Il va bien falloir que tu te débrouilles, moi, ça fait seize ans que je me débrouille. Je suis sûre que Bryony te donnera un coup de main." C'est comme ça qu'elle s'appelle, Bryony.

— Je suis désolé, dit Bernard lorsqu'elle sembla vouloir s'arrêter ou marquer une pause. Ce sont des situations bien pénibles.

— Ce qui m'excède, dit Tess, c'est que pendant toutes ces années de vie commune il n'a jamais eu pour moi la moindre pitié. Nos relations ont toujours été cordiales, joviales, terre à terre. Pratiques. Raisonnables. On faisait de notre mieux avec Patrick et les autres enfants. Le sexe entre nous a toujours été un acte purement physique accompli en silence dans le noir — on n'en a d'ailleurs pas tellement abusé ces temps derniers. Et maintenant, quand il parle d'elle, il a les yeux pleins de larmes. De larmes, je dis bien ! (Tess parut étouffer un sanglot mais ce n'était peut-être en fait qu'un petit rire de dérision — il n'aurait su le dire car elle avait le visage dans l'ombre.) Je lui ai dit : "Tu n'as jamais eu pour moi le quart de la compassion que tu as pour cette fille." Il a dit que je paraissais si forte que je ne semblais pas avoir besoin de sa compassion.

— C'est si difficile de savoir ce que ressentent vraiment les autres, dit Bernard. Ce qu'ils veulent vraiment, ce qu'ils désirent. C'est déjà assez difficile comme ça quand il s'agit de soi. »

Tess se moucha avec un kleenex. « Il fait drôlement chaud dans ce pays, même le soir », dit-elle d'une voix différente, apaisée. Elle se leva et alla s'appuyer à la rampe du balcon. « Il y a deux personnes qui nous font de grands signes là-bas, ils te connaissent ? »

Bernard regarda et vit l'étrange couple du premier soir, tous les deux en grande tenue cette fois, un verre à la main. Ils avaient l'air parfaitement normaux. Il se demanda s'il n'avait pas été victime d'une hallucination lorsqu'il avait cru voir la femme se déshabiller devant lui.

« Non, dit-il. Je crois que j'ai attiré leur attention un soir où j'avais enfilé ce peignoir. Tu ferais bien de te rasseoir.

— Inutile de dire que je tiens à ce que papa ne sache rien de tout ça.

— Si c'est ce que tu veux. Mais est-ce bien une bonne idée ?

— Que veux-tu dire ? Pourquoi l'inquiéter avec mes problèmes conjugaux, surtout en ce moment où il n'est pas bien ?

— Papa va plutôt mieux. D'après son médecin traitant, il s'est remis de façon spectaculaire. Il marche déjà avec un déambulateur dix minutes par jour.

— Je ne veux pas lui faire de peine inutilement.

— Ça a toujours été la même chose dans la famille, tu ne trouves pas ? Surtout ne pas faire de peine à papa. Ni à maman. Surtout ne rien dire de désagréable à qui que ce soit. Faire comme si tout allait bien. Je ne suis pas sûr que ce soit la bonne solution. Les choses que l'on refoule finissent toujours par s'envenimer.

— Où veux-tu en venir, Bernard ? » dit Tess.

Il finit par lui parler d'Ursula et de ses deux frères, de cet été

253

en Irlande il y a longtemps, et par lui expliquer que c'était pour cette raison, croyait-il, qu'Ursula avait tant voulu voir leur père avant de mourir. Tess resta quelques instants silencieuse après ce récit. Puis elle poussa un long soupir, un sifflement presque. « L'oncle Sean. Je ne l'ai jamais connu, bien sûr, mais tout le monde dans la famille a toujours parlé de lui comme s'il était le centre du monde. Ils disaient tous que c'était un homme merveilleux.

— Peut-être que c'était un homme merveilleux, dit Bernard. Mais, adolescent, il était très perturbé et Ursula en a souffert.

— Ça va tuer papa si on déballe tout ça maintenant.

— Ne crois pas ça, dit Bernard. Il est solide comme un roc. Et puis, ce n'est pas comme si c'était lui qui avait abusé d'Ursula.

— Non, mais il était de connivence. Il mourrait de honte s'il apprenait que nous le savons.

— Oui, ce n'est pas simple, j'en conviens. Mais je ne sais pas si Ursula peut s'en tirer toute seule. Il faut que je demande à Yolande ce qu'elle en pense. » Il avait laissé échapper le nom malgré lui.

« Qui est Yolande ?

— Une de mes amies. J'aimerais que tu la rencontres. On pourrait déjeuner avec elle demain.

— Tu veux dire quelqu'un que tu as rencontré ici, à Hawaii ? Qui est-elle ? »

Bernard ne put réprimer un petit rire nerveux. « Eh bien, en fait, c'est la femme qui conduisait la voiture...

— La voiture ? Tu veux dire la voiture qui a renversé papa ? Tu es devenu l'ami d'une femme qui a failli le tuer ?

— Je crois que je suis amoureux d'elle, en fait, dit Bernard.

— Amoureux ? (Tess eut un petit rire strident.) Eh, les hommes, qu'est-ce qui vous prend, tout à coup ? C'est l'andropause, quelque chose qu'on a mis dans l'eau ou quoi ?

— Je ne crois pas que ça puisse venir de l'eau, dit Bernard. Frank étant en Angleterre et moi à Hawaii. »

Tess dormit jusqu'à ce qu'il la réveille le lendemain matin à dix heures, et, après le petit déjeuner, il la conduisit à l'hôpital Saint-Joseph. Leur père s'exerçait avec le déambulateur lorsqu'ils arrivèrent, avançant à petits pas lents et hésitants au milieu de la chambre sous l'œil vigilant d'un physiothérapeute. Tess fondit en larmes en l'embrassant. Lorsqu'elle eut retrouvé ses esprits, la première chose qu'elle dit fut : « Tes cheveux ont besoin d'être coupés, papa.

— On peut arranger ça, ajouta le physiothérapeute. Il y a un coiffeur qui vient à l'hôpital.

— Non, dit Tess. C'est toujours moi qui lui coupe les cheveux. Si vous pouviez m'apporter des ciseaux et quelque chose pour mettre autour de ses épaules, je vais le faire tout de suite. »

On lui apporta donc des ciseaux et une sorte de pèlerine en papier jetable qui s'attachait dans le dos ; on tira le rideau autour du lit et Tess se mit à couper les cheveux de son père. L'opération eut apparemment pour effet de les calmer tous les deux.

Quelques minutes plus tard, Bernard les laissa ensemble et alla s'asseoir devant l'entrée de l'hôpital, sur un banc en pierre à l'ombre. Un taxi s'arrêta et déposa deux personnes qu'il reconnut comme étant Sidney, le cardiaque, et sa femme Lilian. Lorsque Bernard les salua, ils le regardèrent d'un air troublé et inquiet. Alors il leur rappela qui il était.

« Oh, oui, je me souviens de vous, dit Lilian. Vous aviez votre père avec vous. Comment trouve-t-il Hawaii ? »

Bernard leur parla de l'accident et eut droit à toute leur commisération.

« Sidney a passé un mauvais moment lui aussi, n'est-ce pas, mon amour ? dit Lilian.

— Je vais très bien, dit Sidney sans conviction.

— Il a eu une crise.

— Angine, l'interrompit-il.

— Il a fallu l'emmener bien vite à l'hôpital, dit Lilian. C'est pour ça qu'on est ici. On revient pour un contrôle. Comment avez-vous trouvé vos vacances, à part ça ?

— Je ne suis pas tout à fait en vacances, dit Bernard. On est venus voir la sœur de mon père. Elle habite ici.

— Vraiment ? Je ne crois pas qu'on pourrait supporter cette chaleur tous les jours de notre vie, pas vrai Sidney ? Mais c'est une question d'habitude, n'est-ce pas ? Mon fils, Terry — c'est lui qui nous paie ces vacances —, a élu domicile en Australie et il s'y trouve dans son élément. Il va à la plage tous les jours faire du surf. Il y est d'ailleurs en ce moment, avec son ami, Tony. M. Everthorpe — vous vous souvenez de lui dans l'avion ? —, il veut les prendre en vidéo. Terry voulait nous conduire ici avec sa voiture de location, mais j'ai dit non, va faire du surf, Terry, et

255

laisse M. Everthorpe vous filmer, on prendra un taxi. Est-ce que votre tatate se plaît ici ?

— Elle s'y plaisait beaucoup autrefois. Malheureusement, elle n'est pas bien en ce moment. Elle est dans une maison de repos.

— Un malheur n'arrive jamais seul, comme on dit ! » lança Lilian. Elle s'écarta peu à peu de Bernard, tirant son mari par la manche, comme si les déboires familiaux de Bernard pouvaient être contagieux.

« Vous allez à la réception demain soir ? lui demanda Sidney.

— La réception ?

— La réception offerte par Travelwise.

— Oh, ça. Peut-être. J'ai eu l'invitation.

— Viens, Sidney, on va être en retard pour ton rendez-vous, dit Lilian.

— Je ne voudrais surtout pas vous retarder, dit Bernard. J'espère que tout ira bien.

— J'ai surtout peur qu'on nous dise qu'il ne peut pas voyager jeudi, dit Lilian. J'ai hâte de rentrer à Croydon. »

Trois quarts d'heure plus tard, environ, Bernard revint dans la chambre. Tess et son père étaient en grande conversation, leurs deux têtes penchées l'une contre l'autre, parlant à voix basse pour ne pas être entendus de l'autre occupant de la chambre, un homme âgé nommé Winterspoon qui se remettait de la pose d'une prothèse à la hanche.

« Il est temps de partir, Tess, dit Bernard. On a rendez-vous avec quelqu'un pour déjeuner, papa.

— Papa prétend qu'il n'a jamais entendu parler de ton amie, dit Tess avec un petit sourire malicieux.

— Non, je n'ai pas eu le temps de lui parler d'elle, dit Bernard, regrettant de ne plus avoir de barbe pour dissimuler la rougeur qui lui montait aux joues. Elle s'appelle Yolande Miller, papa. C'est elle qui conduisait la voiture. Tu te souviens de cette femme en robe rouge qui s'est penchée sur toi dans la rue ?

— Pas du tout, bougonna le vieil homme. Je ne me souviens de rien après le choc avec la voiture. Je comprends pourquoi tu n'as pas voulu poursuivre cette femme en justice.

— J'avais pris cette décision bien avant de devenir son ami, papa. Ce n'était pas de sa faute. La preuve, la police n'a pas engagé de poursuites. »

M. Walsh renifla.

« Naturellement, Yolande a été complètement chavirée. Elle aimerait bien venir te voir, si tu acceptais.

— Il y a assez de femmes comme ça à me rendre visite, merci, dit M. Walsh. Cette Sophie de malheur qui ne rate pas un jour. A propos, tu ne pourrais pas me dénicher par là un petit catéchisme ? Elle n'arrête pas de me pomper sur la doctrine catholique, et j'aimerais être sûr que je lui donne bien les bonnes réponses. Je ne voudrais pas lui raconter trop d'hérésies.

— Je vais voir ce que je peux faire, dit Bernard.

— Qui est Sophie ? demanda Tess.

— Je l'appelle par son petit nom parce que je n'arrive pas à prononcer son nom de famille », dit M. Walsh pour se justifier.

Bernard expliqua qui était Sophie Knoepflmacher.

« Eh bien, les copains, vous n'avez pas perdu de temps, dit Tess. On dirait que vous avez réussi à vous dégoter des petites amies tous les deux. »

Bernard partit d'un grand rire mais évita de croiser le regard de son père.

« Alors, demain, c'est le grand jour, papa, dit-il.

— Quel grand jour ?

— Ursula va venir te voir.

— Ah ! oui. (L'idée n'avait pas l'air de l'émouvoir outre mesure.) J'espère qu'elle n'a pas l'intention de rester trop longtemps. Je suis vite fatigué.

— Elle est très malade, papa, il faut que tu te prépares à ça. Et elle attend beaucoup de cette rencontre. Ça ne va pas être facile, ni pour toi ni pour elle. Essaie seulement d'être gentil avec elle.

— Gentil avec elle ? Pourquoi ne serais-je pas gentil avec elle ? dit le vieil homme en se rebiffant.

— Je veux dire, sois patient, sois compréhensif. Sois aimable.

— Je n'ai pas besoin que tu me dises comment je dois agir avec ma propre sœur », dit M. Walsh. Mais il posa quelques questions sur les détails pratiques de cette visite, et Bernard sentit qu'il était au moins parvenu à faire comprendre au vieil homme l'importance que cette visite avait pour Ursula. Quand ils le quittèrent, il était tout songeur.

Yolande avait réservé une table dans un restaurant thaïlandais à quelques centaines de mètres au nord du canal Ala Wai. Ce quartier, comme presque tous les quartiers d'Honolulu en dehors de Waikiki et du centre ville, avait quelque chose de pégreux et de bohème, et le restaurant, de l'extérieur, n'avait rien d'engageant : c'était un ensemble de cabanes en bois disposées en L, avec un toit en tôle ondulée et d'affreux climatiseurs qui dépassaient des murs. Mais à l'intérieur, c'était une oasis de fraîcheur, avec une fontaine qui gazouillait, des tentures orientales, des ventilateurs au plafond et des paravents en bambou. La clientèle ne semblait pas être composée de touristes.

Yolande les attendait à une petite table dans un coin. Les deux femmes se toisèrent avec circonspection lorsque Bernard les présenta. Yolande exprima ses regrets à propos de l'accident, et Tess répliqua sèchement qu'elle avait compris que Yolande n'y était pour rien. Tess n'avait encore jamais mangé de nourriture thaïlandaise et elle parut irritée ou intimidée par toutes les connaissances de Yolande sur le sujet. « Commandez pour moi tous les deux, dit-elle en refermant le menu. La nourriture exotique n'est pas mon fort. »

Le visage de Yolande se rembrunit. « Oh, je suis désolée. Si j'avais su, je n'aurais pas suggéré ce restaurant. »

Cette petite escarmouche ne fit qu'aggraver les inquiétudes de Bernard qui se demandait s'il avait été bien raisonnable d'organiser cette rencontre entre les deux femmes. Mais après qu'ils eurent commandé, Tess demanda où étaient les toilettes des dames et Yolande l'accompagna. Leur absence dura assez longtemps pour que Bernard ait le temps de boire presque toute une bière thaïlandaise, et il supposa que, dans l'intervalle, elles avaient dû échanger quelques confidences, se tester mutuellement et s'apprécier finalement, car lorsqu'elles revinrent à la table, elles semblaient plus détendues et plus à l'aise l'une avec l'autre. Le déjeuner fut curieusement très réussi. Tess trouva la nourriture délicieuse. La conversation, dans laquelle Bernard n'eut qu'un rôle mineur, tourna surtout autour de l'éducation des enfants. Yolande amena adroitement Tess à parler des problèmes de Patrick, sujet dont elle ne se lassait jamais.

Ils se séparèrent dans le parking du restaurant, car Bernard devait emmener Tess voir Ursula. Il embrassa Yolande sur la joue avec une désinvolture un peu feinte, très gêné par le regard moqueur de Tess qu'il sentait peser sur lui, et elle lui murmura à l'oreille : « Ta sœur est O.K., je l'aime bien. » Elle monta dans sa Toyota blanche toute rouillée et partit en un bruit de ferraille.

« Eh bien, je dois avouer que tu as meilleur goût que Frank, dit Tess comme ils se dirigeaient vers la voiture. Je me demande pourtant ce qu'elle peut bien aimer en toi, Bernard.

— Ce doit être mon corps d'athlète », dit-il. Tess éclata de rire mais lui glissa un petit regard curieux, se demandant manifestement s'il plaisantait vraiment.

Ils se rendirent au Makai Manor par la route du bord de mer, et Bernard arrêta la voiture au point de vue près de Diamond Head pour lui faire admirer les véliplanchistes. Il y en avait bien moins que pendant le week-end, et Tess ne les regarda que d'un œil distrait, visiblement peu intéressée. Elle semblait avoir quelque chose d'autre en tête.

« Est-ce qu'Ursula t'a un peu parlé de son testament ? » demanda-t-elle lorsqu'ils furent de retour dans la voiture.

« Non, dit Bernard. Enfin, pas depuis qu'elle s'est retrouvée avec tout cet argent. Avant, elle avait parlé en effet de laisser quelque chose à quelqu'un, peut-être à moi, pour que l'on se souvienne d'elle. Je l'avais persuadée de dépenser tout ce qu'elle avait pour vivre le restant de ses jours aussi confortablement que possible.

— C'était très désintéressé de ta part, Bernard, dit Tess. Et maintenant qu'elle est riche, elle va sûrement te récompenser en te léguant sa fortune. Bon, tu le mérites, je suppose. Et Dieu sait si tu as bien besoin de cet argent. Mais je suis obligée de dire que je ne trouve pas ça normal. L'argent devrait aller à papa, puis, en temps utile, à nous quatre, à toi, à moi, à Brendan et à Dympna, et pas nécessairement en proportion égale. Après tout, peux-tu me dire ce que Brendan et Dympna ont fait pour papa et pour Ursula ? Et tous les deux sont déjà assez à l'aise comme ça. »

Bernard marmonna quelque chose de peu compromettant.

« Mais après ce que tu m'as dit hier soir, je ne vois pas comment Ursula pourrait laisser son argent à papa, pas tout, en tout cas. Je vais être franche avec toi, Bernard — j'ai bien réfléchi à ce que tu as dit hier soir, et je crois que tu as raison, alors voici ma contribution à la *glasnost* du clan Walsh : je veux une part honnête de cet argent pour Patrick, et même une part plus qu'honnête. En ce moment, on peut s'en tirer, plus ou moins. Il va tous les jours du trimestre en taxi à son école spécialisée. Mais il ne pourra pas rester à la maison indéfiniment. Il a besoin qu'on s'occupe de lui physiquement, et je ne vais pas pouvoir continuer à le faire très longtemps, avec ou sans Frank. Il va devoir aller un jour ou l'autre dans un établissement de soins, et les meilleurs de ces établissements sont privés. Si nous pouvions mettre en place une sorte de fonds de dépôt, ça changerait tout...

— Je comprends tes sentiments, dit Bernard. Mais, honnêtement, Tess, c'est l'affaire d'Ursula. Je n'ai aucune idée de ce qu'elle compte faire de son argent.

— Mais tu pourrais l'influencer. Tu gères ses affaires pour elle actuellement, n'est-ce pas ?

— Pas à ce point-là, non. (Il se tut pour réfléchir.) Si nous avions eu cette conversation il y a deux semaines, je t'aurais dit : Tu peux prendre tout l'argent d'Ursula, si ça ne tient qu'à moi, et que grand bien te fasse. Mais, depuis, j'ai rencontré Yolande. Je n'ai rien à lui offrir pour l'instant. Pas de maison, pas d'économies. Je n'ai même pas de réel emploi. Un héritage confortable me serait bien utile, et je ne te cache pas que l'idée m'est venue à l'esprit.

— Tu veux dire que tu as l'intention de l'épouser ?

— Si elle veut de moi, oui. Mais je ne connais pas très bien ses sentiments à mon égard, en fait. Je n'ai pas osé discuter avec elle de l'avenir de nos relations de peur qu'elle dise qu'elles n'en ont pas.

— J'ai cru comprendre qu'elle est en train de divorcer.

— Oui. »

Tess secoua lentement la tête. « Tu as fait du chemin depuis l'époque où tu étais premier thuriféraire à Notre-Dame-du-Perpétuel-Secours, Bernard.

— Oui, dit-il. En effet. »

Enid da Silva les attendait dans le hall d'entrée de Makai Manor lorsqu'ils entrèrent ; elle qui avait un visage si serein d'habitude avait un grand pli en travers du front. « Oh, monsieur Walsh, j'ai essayé de vous appeler toute la matinée. Mme Riddell ne va pas très bien, j'ai bien peur. Elle a vomi un peu de sang ce matin et ça l'a bouleversée. Le Dr Gerson est passé la voir. Il a demandé que vous l'appeliez. Mme Riddell craint qu'il lui interdise de rendre visite à son frère demain. Elle est très agitée. Voici le numéro. »

Bernard téléphona tout de suite à Gerson. « Elle a eu une petite hémorragie, dit-il. Je n'ai pas jugé utile de la ramener à l'hôpital. Elle n'a pas perdu beaucoup de sang. Mais ce n'est pas bon signe.

— Peut-elle se rendre en ambulance à Honolulu demain ? » Bernard expliqua le plan qu'ils avaient mis en place et l'importance que revêtait l'événement pour Ursula.

« Votre père ne pourrait-il pas plutôt venir la voir ?

— Je pourrais demander au Dr Figuera, mais j'en doute fort. On vient tout juste de l'autoriser à quitter le lit quelques minutes chaque jour.

— Vous avez probablement raison. (Gerson réfléchit un moment.) En principe, je devrais dire non. Il faudrait qu'elle se repose demain. Mais, d'après ce que vous me dites, elle va s'inquiéter si elle ne voit pas son frère, exact ?

— En effet, dit Bernard.

— Alors, on ferait aussi bien de la laisser y aller et d'en accepter le risque. »

Ce fut le premier sujet qu'Ursula aborda dès qu'elle eut accueilli Tess. Bernard vit dans les yeux de sa sœur à quel point elle était choquée de voir Ursula si amaigrie ; il avait dû lui-même s'y habituer, pensa-t-il, bien qu'aujourd'hui elle parût particulièrement frêle et livide, ne soulevant qu'avec peine sa tête de l'oreiller pour recevoir le baiser de Tess.

« Pas très bien, chuchota-t-elle lorsqu'il lui demanda comment elle allait. J'ai craché un peu de sang ce matin. On a fait venir le Dr Gerson. J'ai grand peur qu'on ne me laisse pas aller voir Jack demain.

— Tout est réglé, Ursula, dit Bernard. Je viens de vérifier avec le Dr Gerson, et il dit que tu peux y aller.

— Dieu merci, soupira Ursula. Je ne crois pas que j'aurais pu supporter de repousser ça. » Elle tendit son bras valide pour serrer la main de Tess. « Maintenant je peux me détendre et profiter de ta présence ici, Tess. C'est merveilleux. La dernière fois que je t'ai vue, tu avais des nattes et ta petite robe d'écolière.

— Tu n'aurais pas dû rester loin de nous si longtemps, tante Ursula, dit Tess, laissant sa main dans celle d'Ursula. Tu aurais dû rentrer à la maison avant que...

— Avant qu'il soit trop tard ? Ouais, bien sûr que j'aurais dû. Mais je n'étais pas sûre d'être la bienvenue. Ma dernière visite n'a pas été un vrai succès. En fait, elle s'est terminée par une dispute épouvantable entre moi, votre mère et Jack. Je ne me souviens pas maintenant comment tout a commencé ; une brouille sans importance, un problème d'eau chaude ou je ne sais quoi. Oui, c'est ça, j'avais utilisé toute l'eau chaude du réservoir sans le faire exprès — j'étais déjà américanisée à l'époque, tu comprends, l'eau chaude à volonté, ça allait de soi pour moi, mais dans votre maison de Brickley, l'eau était chauffée par un système compliqué...

— Un chauffe-eau à charbon, dans la cuisine, dit Tess. Il n'a jamais bien marché. On a fini par faire installer un chauffe-eau électrique.

— Enfin, toujours est-il que je prenais un bain tous les matins, parce que j'avais l'habitude de prendre un bain ou une douche tous les jours, et qu'il n'y avait pas de douche dans votre salle de bains... Monica insinuait bien de temps en temps qu'elle trouvait cette pratique excessive — vous autres, vous n'aviez droit qu'à un bain par semaine. J'ai fait semblant de ne pas comprendre à quoi elle faisait allusion, et j'imagine qu'elle a ressassé ça et a commencé à m'en vouloir de plus en plus, jusqu'à ce jour fatal où, par accident, j'ai fait déborder la baignoire, et toute cette eau chaude si précieuse s'est déversée par le trop-plein dans votre jardin, et après mon bain il n'en restait plus pour la lessive. C'était jour de lessive. Cette fois, c'en était trop pour Monica. Elle a littéralement explosé. Je ne la blâme pas, maintenant que j'y repense. Elle avait beaucoup de mal à joindre les deux bouts à l'époque, et j'ai dû lui paraître une invitée capricieuse et indélicate. Mais la scène a été horrible entre nous, et on s'est dit des choses impardonnables l'une et l'autre. Jack n'a rien fait pour calmer le jeu quand il est rentré du travail. Il n'a même fait qu'aggraver les choses. Je suis partie dès le lendemain matin, une semaine plus tôt que prévu, et je ne suis jamais revenue. Trop fière pour m'excuser, j'imagine. C'est triste tout de même de penser qu'à cause de quelques litres d'eau chaude une famille peut rester séparée une vie entière. »

Épuisée par ce long récit, Ursula ferma les yeux.

« Bien sûr, ce n'était pas seulement l'eau chaude, Ursula ! fit remarquer Bernard gentiment. Il y avait d'autres choses qui vous divisaient. D'autres vieilles rancœurs. Par exemple, ces choses dont tu m'as parlé hier entre toi, papa et l'oncle Sean, quand vous étiez petits. »

Ursula acquiesça.

« On se demandait — j'en ai parlé à Tess, j'espère que ça ne te fait rien... »

Ursula fit non de la tête.

« On se demandait si tu avais l'intention d'en parler à papa demain. »

Ursula rouvrit les yeux.

« Tu penses que je ne devrais pas ?

— Je pense que tu en as tout à fait le droit. Mais ne sois pas trop dure avec lui.

— C'est un vieil homme, tante Ursula, dit Tess, et ça s'est passé il y a si longtemps.

— Pour moi, c'est comme si ça s'était passé hier, dit Ursula. Je sens encore ces odeurs qui traînaient dans notre vieille cabane au fond du jardin : l'essence de térébenthine, le grésil et la pisse de chat. Ça me revient comme un cauchemar. Et Sean qui me sourit d'un air cynique en montrant toutes ses dents. Il m'est difficile de pardonner à Sean, vous comprenez, puisqu'il n'est plus là pour que je lui en parle, pas plus que je ne peux demander à Monica de me pardonner d'avoir gaspillé l'eau du bain. J'ai attendu trop longtemps. Ils sont morts tous les deux. Mais je sens que si je peux en parler à Jack, si je peux lui dire à quel point cet été à Cork m'a marquée, à quel point j'en ai souffert plus tard dans ma vie, et si je sens qu'il comprend et qu'il accepte une part de responsabilité, alors je me sentirai libérée de ce souvenir une fois pour toutes. Je pourrai mourir en paix. »

Sans dire un mot, Tess donna une petite tape sur la main fragile d'Ursula en signe de sympathie.

« Bien sûr, il n'est pas impossible qu'il ait tout oublié, tout gommé de sa mémoire, dit Bernard.

— Je ne crois pas », rectifia Ursula. Et, se rappelant toutes les réticences que son père avait manifestées depuis le début à l'idée de se retrouver avec Ursula, Bernard se dit qu'elle avait raison.

« Il y a encore une chose, ajouta Ursula tandis qu'ils se préparaient à partir. Je crois que je devrais recevoir les derniers sacrements.

— C'est une bonne idée, dit Tess. Sauf qu'on ne dit plus les derniers sacrements ni l'extrême-onction mais l'onction des malades.

— Peu importe comment on dit, je crois que j'en ai besoin, dit Ursula sèchement.

— Je vais en parler au père Luke à Saint-Joseph, dit Bernard. Je suis sûr qu'il ne demandera pas mieux que de venir ici.

— Peut-être qu'il pourrait venir demain après-midi à l'hôpital, dit Tess. Quand on sera tous ensemble, en famille.

— Ça me ferait très plaisir », dit Ursula. Bernard téléphona donc immédiatement à l'aumônerie de Saint-Joseph et arrangea tout.

« Grand Dieu, Bernard, dit Tess lorsqu'ils eurent quitté Makai Manor, elle est dans un état lamentable. Elle n'a plus que les os et la peau.

— Oui. J'imagine que j'ai dû m'y habituer. C'est une terrible maladie.

— Oh, misère de vie ! dit Tess, hochant la tête. Toute cette souffrance mentale, toute cette souffrance physique... » Sa phrase resta en suspens, inachevée. « J'ai envie de me baigner, dit-elle brusquement, redressant le dos et tendant le visage vers le soleil. J'ai envie de me baigner dans la mer. »

Ils revinrent à l'appartement pour se mettre en tenue de bain, puis Bernard prit la route en direction du parc de la plage Kapiolani. Il raconta à Tess l'histoire des clés perdues puis retrouvées tandis qu'ils se déshabillaient. Elle n'était pas très élégante avec ses hanches épaisses dans son maillot de bain noir tout simple, mais c'était une nageuse puissante et gracieuse, et il eut de la peine à la suivre lorsqu'elle fonça vers le large. Lorsqu'ils furent à une centaine de mètres du rivage, elle se retourna sur le dos et se mit à battre des pieds avec volupté.

« L'eau est incroyablement chaude, s'écria-t-elle lorsqu'il arriva à sa hauteur, haletant et soufflant tout ce qu'il savait. On pourrait y rester toute la journée sans avoir froid.

— Pas comme à Hastings, hein ? dit-il. Tu te souviens comme tes doigts bleuissaient ?

— Et comme tu claquais des dents, dit-elle en riant. Je n'avais jamais entendu claquer des dents comme ça avant, je ne l'ai jamais entendu depuis.

— Et quelle misère c'était de marcher pieds nus sur les galets.

— Et d'enlever son maillot de bain mouillé et de mettre sa petite culotte en se cachant sous une serviette infiniment trop petite, en équilibre sur un pied, sur une pente de galets glissants... »

Il y avait longtemps qu'il ne s'était pas senti si à l'aise avec Tess. Le terme de « petite culotte », qui sonnait à la fois familier et légèrement coquin, semblait évoquer une sorte de bonheur folâtre et insouciant qu'il associait à l'enfance, bien qu'il ne se rappelât pas avoir entendu Tess l'utiliser devant lui. Pendant qu'ils étaient allongés sur le sable en train de se sécher au soleil après le bain, il lui fit part de sa réflexion.

« Non, bien sûr, j'aurais reçu une bonne taloche si je l'avais fait, tu ne crois pas ? Papa et maman étaient très stricts avec Dympna et moi pour tout ce qui te concernait. Il fallait qu'on soit d'une modestie exemplaire, par crainte de te faire perdre ta vocation.

— Vraiment ?

— Bien sûr. Les mots "soutien-gorge" et "petite culotte" étaient classés comme des mots dégoûtants. Quand par hasard tu débarquais dans la cuisine pendant qu'on lavait ou repassait nos sous-vêtements, on les faisait bien vite disparaître pour que ça ne t'échauffe pas les sens. Et pour ce qui est des serviettes périodiques... eh bien, je suis presque persuadée que tu n'as pas su quand on a commencé à avoir nos règles, est-ce que je me trompe ?

— Non, dit Bernard. Jamais avant cette minute je n'y avais songé.

— Tu étais destiné à la prêtrise dès ton plus jeune âge, Bernard. Je voyais presque l'auréole te pousser autour de la tête, comme des anneaux de Saturne. Tu avais une vie très privilégiée à la maison.

— Vraiment ?

— Tu veux dire que tu ne te souviens pas ? On ne te demandait jamais de faire la vaisselle parce que tu étais censé avoir plus de devoirs que n'importe qui, ou des devoirs en tout cas plus importants. Tu avais toujours droit à la meilleure tranche du rôti le dimanche.

— Ne sois pas idiote.

— C'est pourtant vrai. Et quand tu avais besoin de nouveaux habits ou de nouvelles chaussures, ça te tombait du ciel sans que tu aies rien à réclamer. Tandis que nous... Regarde cet orteil. (Elle leva la jambe et lui montra la déformation qu'elle avait à la pliure de son gros orteil.) C'est à force de porter des chaussures trop petites, pendant trop longtemps.

— Mais c'est affreux ! Tu me mets vraiment très mal à l'aise.

— Ce n'était pas de ta faute mais celle de papa et de maman. Ils passaient leur temps à dresser des écrans entre la réalité et toi.

— "Ils vous baisent, votre père et votre mère/ Sans le vouloir, mais ils le font."

— Je te demande pardon ! Tess s'assit et le mitrailla des yeux

— C'est un poème. De Philip Larkin.

— Joli vocabulaire, pour un poète.

— "Ils vous refilent tous leurs défauts/ Et vous en fourguent quelques autres par-dessus le marché." »

Tess ricana et poussa un soupir. « Pauvre papa. Pauvre maman.

— Pauvre Ursula, dit Bernard. Pauvre Sean.

— Pauvre Sean ?

— Oui. Sean a droit aussi à notre pitié. Qui sait ce qui l'a amené à agir comme il l'a fait ? Qui sait les remords qu'il a pu éprouver par la suite ? »

Lorsqu'ils revinrent à l'appartement pour se doucher et se changer, Bernard proposa qu'ils aillent manger quelque part, mais Tess, sentant soudain les effets du décalage horaire, déclina l'offre. Elle dénicha dans le réfrigérateur quelques œufs et du fromage qu'il avait achetés au magasin ABC du coin et se mit finalement à préparer pour tous les deux une omelette au fromage qu'ils mangèrent avec une salade de chou laissée par Sophie Knoepflmacher quelques jours auparavant.

Pendant qu'ils mangeaient, Frank téléphona d'Angleterre. Bernard fit le geste de se retirer de la pièce mais Tess lui fit signe de rester où il était. Elle répondit aux questions de Frank avec brièveté et froideur. Oui, elle était bien arrivée. Oui, elle avait vu papa qui se remettait très bien. Oui, elle avait vu Ursula qui allait plutôt mal. Il faisait très chaud et il y avait beaucoup de soleil. Elle s'était déjà baignée deux fois, une fois dans une piscine et une autre fois dans la mer. Non, elle ne savait pas quand elle allait rentrer. Elle lui demanda de transmettre son affection aux enfants. Au revoir, Frank.

« Comment se débrouille-t-il ? demanda Bernard lorsqu'elle raccrocha.

— Il paraît... Tess chercha ses mots. Mortifié. Et pas une seule allusion à Bryony. » Tess alla se coucher aussitôt après le souper. Bernard téléphona à Yolande et lui demanda de venir le retrouver au Waikiki Surfrider. Elle répondit qu'elle était obligée de rester à la maison pour s'assurer que Roxy rentrerait bien avant dix heures et demie, comme elle avait promis. Bernard consulta sa montre. Il était 8 heures 20.

« Rien que pour une heure, supplia-t-il.

— Rien que pour une heure ! Pour qui tu me prends, pour une call-girl ?

— Ce n'est pas pour ça, dit-il. J'ai à te parler. »

Mais ce fut aussi pour « ça », en l'occurrence.

« Alors, de quoi veux-tu parler, Bernard ? dit-elle après.

— Pourquoi faut-il que tu m'appelles toujours "Bernard" ?

— Comment veux-tu que je t'appelle ? dit-elle, étonnée. "Bernie" ? »

Il eut un petit rire nerveux.

« Non, je n'aimerais pas du tout. Mais les amants se disent "mon chéri", ou "mon trésor", ou quelque chose comme ça, non ? Et on dit aussi souvent...

— Mon amour ?

— Oui, c'est cela. Appelle-moi "mon amour".

— J'appelais déjà ainsi Lewis. Je me sentirais mariée à toi.

— Rien ne me ferait davantage plaisir. J'aimerais être marié à toi, Yolande.

— Oh ? Comment, ou plutôt où pensais-tu faire ça ?

— C'est de cela que je voulais te parler. Mais que dis-tu du principe ?

— Du principe ? Je trouve que c'est l'idée la plus stupide que j'aie entendue de ma vie. Je te connais depuis moins de quinze jours. Je suis embringuée dans une procédure de divorce longue et compliquée. J'ai une fille de seize ans scolarisée à Hawaii, et un travail qui, même s'il n'est pas le top niveau dans la profession psychiatrique, me satisfait pleinement. Toi, si je comprends bien, tu n'as qu'un visa de touriste et un travail en Angleterre qui t'attend, sans parler de ton père convalescent que tu dois ramener chez lui.

— Bien sûr, on ne pourrait pas se marier tout de suite, dit-il. Mais je pourrais demander un visa d'immigration en Angleterre, revenir à Hawaii et essayer de trouver du travail ici. Dans l'enseignement. Ou quelque chose dans le tourisme.

— Seigneur Jésus, surtout pas ! dit Yolande. Si je me décidais à t'épouser, ce serait pour quitter Hawaii.

— Je suis sérieux, Yolande.

— Moi aussi. »

Il se souleva un peu du lit en appui sur ses coudes pour mieux voir son visage dans la chambre peu éclairée.

« Tu veux dire que tu serais disposée à m'épouser ?

— Je veux dire que je suis sérieuse quand je parle de quitter Hawaii.

— Oh ! dit Bernard.

— N'aie pas l'air si dépité. (Elle sourit et tendit la main pour lui caresser le visage.) Je t'aime bien, tu sais, Bernard. Je ne sais pas si je veux t'épouser — je ne sais pas si je veux me remarier. Mais j'aimerais qu'on continue à se voir.

— Comment ? Où ?

— Je viendrai passer Noël avec toi — qu'est-ce que tu en dis pour commencer ? Lewis pourra très bien prendre les gosses.

— Noël ? » Bernard songea avec effroi à Rummidge à la fin décembre, et au collège Saint-Jean pendant les vacances de Noël : un service réduit au réfectoire, des étudiants africains cafardeux qui errent dans les couloirs mal éclairés, sa petite chambre-bureau exiguë, avec son petit lit de célibataire.

« Ouais. Sais-tu que je n'ai passé que quelques jours en Angleterre, à Londres un été ?

— Je ne suis pas sûr que tu aimeras l'hiver anglais.

— Pourquoi, comment c'est ?

— Les jours sont très courts. Il ne fait pas clair avant huit heures du matin et il fait déjà noir à quatre heures de l'après-midi. Il y a beaucoup de nuages. Parfois, on passe des jours sans voir le soleil.

— Ça me paraît formidable, dit Yolande. J'en ai ma claque de ce foutu soleil. On tirera les rideaux et on mettra des bûches dans la cheminée.

— Je n'ai pas de cheminée, j'en ai bien peur, dit Bernard. En fait, je n'ai qu'une petite chambre au collège avec un radiateur électrique à une seule rampe et un petit réchaud à gaz. On serait obligés d'aller vivre dans un hôtel quelque part.

— Ce serait formidable. Un de ces hôtels de campagne où on peut passer un Noël anglais traditionnel. J'en ai vu dans des publicités.

— Tu serais obligée de payer, j'en ai peur.

— Pas de problème. Tu as recommencé à dire "j'en ai peur". Tu tiens vraiment à ce que je vienne ?

— Bien sûr que j'y tiens. Mais je ne voudrais pas que tu sois déçue, c'est tout. A vrai dire, je n'ai pas assez d'argent pour m'occuper de toi décemment. Et je n'en aurai jamais, sauf...

— Sauf quoi ?

— Eh bien, pour être franc, sauf si j'hérite d'Ursula.

— Ça risque d'arriver, non ? Après tout, c'est toi qui as découvert l'argent IBM.

— Elle a bien parlé de me laisser quelque chose, mais c'était avant. Maintenant qu'il y a tant d'argent, c'est devenu moins sûr. J'ai le sentiment que la famille se rapproche d'Ursula. Les vieilles blessures se cicatrisent. On se parle enfin avec sincérité. Je ne veux pas que le testament d'Ursula suscite des rancœurs et vienne tout gâcher. Tu sais comment ça se passe dans les familles. Papa est son plus proche parent. Et maintenant, Tess veut que je persuade Ursula de créer un fonds de dépôt au profit de Patrick.

— Ne le fais pas, Bernard, dit Yolande avec véhémence. Surtout ne fais pas ça. Ne t'écrase pas comme un paillasson. Laisse à Ursula le soin de décider elle-même ce qu'elle veut faire de son argent. Si elle veut le donner à Patrick, très bien. Si elle veut le donner à ton père, très bien. Si elle veut le donner pour la recherche contre le cancer, c'est très bien aussi. Mais si elle veut te le donner à toi, accepte. C'est à elle de choisir. Patrick s'en tirera. Tess s'en tirera. C'est une battante. Elle m'a raconté comment elle a quitté son mari... Frank, c'est bien ça ? Frank a de toute évidence utilisé cet enfant handicapé comme un boulet depuis des années pour la garder prisonnière à la maison. Il fallait qu'elle s'affranchisse et elle l'a fait. Ça demandait du cran. Je lui tire mon chapeau. Mais, d'un autre côté, il y a Frank ! Pourquoi a-t-il cette aventure avec cette petite institutrice ? Peut-être que Tess ne lui a pas assez donné. Elle est obsédée par ce gosse. Elle se battrait contre le monde entier pour protéger les intérêts de son gosse. Elle t'écrasera sous ses pieds si tu la laisses faire. Et si tu penses en m'écoutant qu'il y a quelque ressemblance entre sa situation maritale et la mienne, sache que ça ne m'a pas échappé. »

Le lendemain, après avoir déjeuné ensemble assez tôt, Tess prit un taxi pour se rendre à Saint-Joseph et Bernard partit à Makai Manor en voiture. L'arrangement était le suivant : Bernard devait laisser sa voiture là-bas et accompagner Ursula à l'hôpital dans l'ambulance de location, pendant que Tess tiendrait compagnie à leur père. Ce n'était pas une ambulance aussi bien équipée que celle dans laquelle Bernard avait accompagné son père jusqu'à Saint-Joseph le jour de l'accident, mais plutôt une sorte de fourgonnette destinée au transport des malades en fauteuil roulant, avec un monte-charge électrique à l'arrière. Ursula était excitée et nerveuse. On lui avait fait un shampooing et une mise en plis le matin ; son visage livide et flétri était abondamment poudré et ses lèvres soulignées de rouge : l'intention était louable mais le résultat avait quelque chose de macabre. Elle portait un *muumuu* en soie bleu et vert et son bras était soutenu par une écharpe propre. Un chapelet d'ambre et d'argent était passé autour de ses doigts décharnés.

« Il appartenait à ma mère, dit-elle. Elle me l'a donné quand je suis partie de la maison pour épouser Rick. Pour elle, c'était je crois une sorte de laisse qui devait un jour me ramener au bercail. Elle avait une dévotion sans bornes pour la Sainte Vierge, comme ta propre mère, Bernard. J'ai pensé que Jack aimerait l'avoir. »

Bernard demanda si elle ne voulait pas garder le chapelet pour elle.

« Je veux donner quelque chose à Jack, quelque chose qui lui rappellera cette journée lorsqu'il rentrera en Angleterre. Je n'ai trouvé rien d'autre à lui donner. De toute façon, je n'en aurai plus besoin bien longtemps.

— Tu dis des bêtises, dit Bernard avec une gaieté forcée. Tu as l'air infiniment mieux aujourd'hui.

— Eh bien, c'est tellement bon pour une fois d'être sortie de Makai Manor, même si on y est très bien. Je trouve la mer si belle. Elle me manque. »

A cet instant précis, ils roulaient sur la route de corniche près de Diamond Head. Bernard lui demanda si elle aimerait s'arrêter quelque part pour admirer le paysage.

« Peut-être en revenant, dit Ursula. Je ne veux pas faire attendre Jack. » Ses doigts emmêlaient et démêlaient nerveusement le chapelet. « Où va-t-on le retrouver ? Est-ce qu'il a une chambre individuelle ?

— Non, il partage sa chambre avec un autre homme. Mais il y a une agréable petite terrasse à l'extérieur où les malades peuvent se promener ou s'asseoir à l'ombre. J'ai pensé qu'on pourrait y aller. Ce sera plus intime. »

Lorsqu'ils arrivèrent à Saint-Joseph, le chauffeur fit descendre

Ursula qu'on avait attachée à son fauteuil roulant et la poussa le long de la rampe jusqu'à l'ascenseur de l'hôpital. Lorsqu'ils furent arrivés à l'étage, Bernard demanda à l'homme de les attendre en bas et poussa lui-même le fauteuil roulant. Il se rendit d'abord à la chambre de son père, mais le lit était vide. M. Winterspoon quitta un instant des yeux sa télévision miniature pour dire que M. Walsh et sa fille étaient sortis sur la terrasse. Bernard poussa le fauteuil roulant le long du couloir, franchit les portes battantes qui menaient dehors et tourna à l'angle : ils étaient là tous les deux, au bout de la terrasse. M. Walsh était assis lui aussi dans un fauteuil roulant, et Tess, penchée sur lui, lui enveloppait les genoux dans sa robe de chambre.

« Jack ! » dit Ursula d'une voix rauque, trop faible pour qu'il entende, mais il avait dû sentir sa présence car il se retourna brusquement et dit quelque chose à Tess. Elle sourit, fit un geste de la main et se mit à pousser le fauteuil roulant vers Bernard et Ursula si bien qu'ils faillirent entrer en collision lorsqu'ils se retrouvèrent au milieu de la terrasse dans une explosion de rires, de larmes et d'exclamations. M. Walsh avait de toute évidence décidé d'adopter une attitude résolument joviale pour ne pas se laisser gagner par l'émotion ambiante.

« Hé, là ! s'exclama-t-il tandis que les deux fauteuils roulants convergeaient l'un vers l'autre. Pas si vite ! Je ne veux pas avoir un autre accident de la route.

— Jack ! Jack ! C'est merveilleux de te voir enfin », s'écria Ursula, penchée au-dessus des roues entremêlées de leurs deux fauteuils roulants, saisissant son frère par le bras et l'embrassant sur la joue.

« Pour moi aussi, Ursula. Mais on doit ressembler à des pantins de carnaval tous les deux, dans nos machines roulantes !

— Tu as vraiment très bonne mine, Jack. Comment va ta hanche ?

— Elle se remet bien, à ce qu'on me dit. Quant à savoir si je serai le même bonhomme après, ça, c'est autre chose. Et toi, comment tu vas, ma chère sœur ? »

Ursula haussa les épaules. « Tu peux le constater par toi-même, dit-elle.

— Ouais, tu es vraiment maigre. Je suis désolé que tu sois malade, Ursula. Ne pleure pas, ne pleure pas. » Il avait pris la main osseuse de sa sœur dans la sienne et la tapotait avec nervosité.

Bernard et Tess poussèrent les fauteuils roulants dans un coin tranquille et ombragé de la terrasse, une terrasse pavée qui ressemblait à un cloître, recouverte d'une floraison de plantes grimpantes qui couraient sur des treillis. L'endroit avait comme avantage pour M. Walsh qu'il pouvait fumer, et il sortit aussitôt un paquet de Pall Mall, en offrant à tout le monde. « Pas d'amateurs ? dit-il. Eh bien, je vais me forcer, pour empêcher les mouches de venir sur vous. »

On parla d'abord avec animation du voyage d'Ursula en ambulance, de ce que pensait M. Walsh de l'hôpital Saint-Joseph, de la vue que l'on avait de la terrasse et d'autres platitudes du même genre, puis il y eut un moment de silence.

« N'est-ce pas ridicule ! soupira Ursula. On a tant de choses à se dire qu'on ne sait pas par où commencer.

— On va vous laisser un moment tranquilles tous les deux, dit Bernard.

— Ce n'est pas la peine, dit M. Walsh. Vous ne nous dérangez pas — n'est-ce pas, Ursula ? »

Ursula murmura quelques paroles assez neutres. Tess appuya cependant la proposition de Bernard, et ils s'éloignèrent, laissant les deux vieillards face à face dans leurs fauteuils roulants. M. Walsh les regarda partir comme s'il se sentait un peu piégé.

Bernard et Tess allèrent au bout de la terrasse et, appuyés à la balustrade, regardèrent, par-delà les toits des maisons de banlieue qui miroitaient dans la chaleur, l'autoroute avec ses files ininterrompues de voitures, et, au loin dans la brume, l'étendue plate de la zone industrielle qui entourait le port d'Honolulu. Un jumbo-jet, pas plus gros qu'un jouet d'enfant, s'éleva lentement dans le ciel et fit une boucle au-dessus de l'océan avant de mettre cap à l'est.

« Eh bien, dit Bernard. On a réussi. On a fini par les réunir tous les deux.

— C'est gentil de dire "on", Bernard, dit Tess. C'est toi qui as tout organisé.

— Peu importe, je suis très content que tu sois ici.

— Comme tu le sais, ma première réaction a été de penser que c'était une idée folle d'emmener papa jusqu'ici pour voir Ursula, et quand j'ai appris qu'il s'était fait renverser, j'ai pensé que c'était un jugement du ciel contre moi parce que j'avais changé d'avis », dit Tess, avec l'air décidé de quelqu'un qui veut vider son sac.

« Mais maintenant que je suis ici, sachant ce que je sais de leurs relations passées, je pense que tu as eu raison. Ç'aurait été affreux pour Ursula de mourir seule, sans se réconcilier, à des milliers de kilomètres de son pays. »

Bernard acquiesça. « Je crois que ç'aurait tourmenté papa pendant ses vieux jours. Au moment de se retrouver lui-même face à la mort.

— Ne dis pas ça, dit Tess, croisant les bras et rentrant les épaules. Je ne veux pas penser à la mort de papa.

— On dit que c'est à la mort du dernier de ses parents qu'on accepte enfin l'idée de sa propre mort, dit Bernard. Je me demande si c'est bien vrai. Accepter la mort, être prêt à mourir à n'importe quel moment, sans que cette acceptation ne vienne gâcher notre appétit de vivre — c'est, je pense, l'épreuve la plus difficile de toutes. »

Ils se turent pendant quelques instants. Puis Tess reprit : « Quand maman est morte, je t'ai dit quelque chose d'impardonnable à l'enterrement, Bernard.

— Tu es pardonnée.

— Je t'ai rendu responsable de la mort de maman. Je n'aurais pas dû. C'était très mal de ma part.

— Oublions ça, dit-il. Tu étais bouleversée. Nous étions tous bouleversés. Je n'aurais pas dû partir comme ça. On aurait dû causer. Dans maintes circonstances, on aurait dû causer bien davantage. »

Tess se tourna et lui donna un rapide baiser sur la joue. « Eh bien, eux aussi, ils semblent avoir pas mal de choses à se dire », dit-elle en montrant par-dessus son épaule Jack et Ursula en grande conversation.

Ils se promenèrent sans but précis sur le site de l'hôpital, un immense parking pour l'essentiel, puis ils passèrent voir le père Luke. Il leur montra la chapelle, une pièce fraîche et agréable avec des vitraux modernes qui projetaient sur les murs blancs et le mobilier de bois ciré une mosaïque de couleurs. « J'ai pensé que, comme votre tante est en fauteuil roulant, on pourrait lui administrer le sacrement ici, dit-il. Bien sûr, le malade est généralement dans son lit, mais dans ce cas-ci... Après l'onction, est-ce que vous avez tous l'intention de communier avec Mme Riddell ?

— Oui, dit Tess.

— Non, dit Bernard.

— Je pourrais vous donner la bénédiction, si vous voulez, dit le prêtre. J'invite toujours les gens qui, pour une raison ou pour une autre, un divorce par exemple, ne peuvent pas communier pendant la messe à venir à l'autel pour une bénédiction. »

Bernard hésita puis accepta. Il commençait à être mieux disposé envers le père Luke qui avait fait tout son possible pour les aider.

Lorsqu'ils revinrent sur la terrasse, ils retrouvèrent M. Walsh, pensif, qui fumait en regardant la mer par-dessus la balustrade, et Ursula endormie dans son fauteuil roulant.

« Il y a longtemps qu'elle dort ? » demanda Bernard, surpris, craignant qu'elle ait dormi pendant toute leur absence.

« Depuis cinq minutes environ, dit son père. Elle s'est assoupie brusquement pendant que je lui disais quelque chose.

— Ça lui arrive de temps en temps, dit Bernard. Elle est très faible, la pauvre.

— Vous avez bien causé avant, papa ? demanda Tess.

— Oui, dit-il. On avait des tas de choses à se dire.

— Ça, c'est sûr », ajouta Ursula. Elle n'avait pas conscience, apparemment, de s'être endormie.

En revenant vers Makai Manor, Bernard demanda au chauffeur de s'arrêter dans le parking en haut de la côte près de Diamond Head et de descendre le fauteuil roulant d'Ursula. Il la poussa alors contre le parapet pour qu'elle puisse contempler l'étendue bleu émeraude de la mer et la douzaine de véliplanchistes qui filaient à la surface de l'eau.

« Quelle merveilleuse journée j'ai passée, dit-elle. Je me sens apaisée. Si je mourais maintenant, ce serait avec joie.

— Ne sois pas idiote, Ursula, dit-il. Tu es encore pleine de vie.

— Non, je suis sincère. Je sais que ce sentiment ne va pas durer longtemps. Je sais que je vais retrouver mes peurs et ma déprime ce soir comme d'habitude. Mais pour le moment... J'ai lu dans une revue l'autre jour que les anciens Hawaïens croyaient que, quand on mourait, l'âme se jetait d'une haute falaise et plongeait dans la mer de l'éternité. Ils avaient un mot pour ça, je ne me souviens plus lequel, mais ça veut dire : ''le tremplin''. Tu penses que cet endroit pourrait être un de ces endroits ?

— C'est très possible, dit Bernard.

— J'ai le sentiment très bizarre que si je me jetais par-dessus le bord de cette falaise maintenant, je n'éprouverais ni douleur, ni terreur. Mon corps m'abandonnerait comme un vieux vêtement et retomberait doucement sur la plage, et mon âme monterait vers le ciel.

— D'accord, mais n'essaie pas, dit Bernard en plaisantant. Tous ces gens seraient, je pense, très choqués. » Il désigna les touristes qui étaient autour d'eux et mitraillaient dans tous les sens avec leurs appareils photo et leurs caméras.

« Je me sens si étrangement... légère, dit Ursula. C'est sans doute parce que je me suis libérée d'un poids auprès de Jack. Libérée d'un poids, c'est bien l'expression qui convient. C'est exactement ce qu'on ressent.

— Alors, vous avez parlé de Sean ?

— Oui. Jack se souvenait de cet été-là, bien sûr. Peut-être pas aussi clairement que moi, mais dès que j'ai évoqué cette vieille cabane au fond de notre jardin de Cork, j'ai vu sur son visage qu'il savait ce que j'allais dire. Il a dit qu'à l'époque il mourait de peur de dénoncer Sean à nos parents, parce que Sean s'était livré à de sales petits jeux avec lui aussi, quelques années avant, et il craignait que cette vieille histoire ne ressorte et qu'on reçoive tous une bonne raclée. Peut-être qu'il avait raison. C'était un homme redoutable, notre père, quand il était en colère, je t'assure. Jack a dit qu'il pensait honnêtement que j'étais trop jeune pour savoir ce que faisait Sean, trop jeune pour être perturbée, et il a pensé qu'avec le temps j'allais oublier. Il a paru sincèrement choqué quand je lui ai dit que ça avait gâché mon mariage et pratiquement aussi ma vie. Il n'arrêtait pas de dire : "Je suis désolé, Ursula, je suis désolé." Je crois qu'il l'est en effet. C'est peut-être pour ça qu'il a demandé au père Luke de le confesser cet après-midi avant de communier. La cérémonie de l'onction a été bien jolie, tu n'as pas trouvé ? Certaines paroles sont si belles, j'aimerais pouvoir me les rappeler.

— Moi je peux, probablement, dit Bernard. Je les ai dites assez souvent. *"Puisse le Seigneur, par cette onction sacrée et sa douce miséricorde, te pardonner tous les péchés que tu as commis avec les yeux."* Et ainsi de suite avec le nez, la bouche, les mains et les pieds.

— Par curiosité, j'aimerais bien savoir comment on peut pécher avec le nez ? »

Bernard éclata de rire. « Oh, c'était un de nos casse-tête favoris en théologie morale quand j'étais étudiant.

— Et quelle était la réponse ?

— Les manuels laissaient entendre que trop respirer des parfums et des fleurs pouvait être un péché. Ça ne paraissait pas très convaincant. Et on suggérait sournoisement que l'on pouvait être incité à la luxure par les odeurs corporelles, mais on n'approfondissait pas trop la question au séminaire, pour d'évidentes raisons. » Il avait en mémoire une image précise et il se revit à genoux aux pieds de Yolande, le visage enfoui au creux de son sexe, respirant des odeurs d'air salin, comme sur une plage à marée basse.

« Ce n'était pas vraiment à ça que je pensais, en fait, dit-elle. Il y a eu une lecture...

— L'épître de Saint-Jacques. *Y a-t-il quelqu'un de malade parmi vous ?*

— Oui, c'est ça. Tu te souviens des paroles ?

— *S'il y a une malade parmi vous, qu'elle fasse venir les anciens de l'Église pour qu'ils prient pour elle, et avec l'huile lui fassent l'onction au nom du Seigneur ; et cet acte de foi sauvera la femme malade, et le Seigneur la fera se lever ; et si elle a péché, elle sera pardonnée. Alors, confessez-vous les uns les autres et priez les uns pour les autres afin que vous puissiez guérir.* »

— C'est cela. Quel dommage que tu ne sois plus prêtre, Bernard, tu prononces si bien toutes ces paroles. Est-ce que le père Luke a dit ''la femme'' en lisant cet après-midi ?

— Non, dit Bernard. J'ai changé le texte pour toi. »

Ursula était épuisée lorsqu'ils arrivèrent à Makai Manor. « Épuisée mais contente », dit-elle lorsqu'elle se retrouva dans son lit. Elle tendit la main pour serrer celle de Bernard. « Mon petit Bernard ! Merci, merci, merci !

— Je ferais mieux de te laisser pour que tu te reposes, dit-il.

— Oui », dit-elle, mais elle ne lâcha pas sa main.

« Je viendrai demain.

— Je sais. Je me suis habituée à tes visites. Je redoute le jour où tu vas franchir cette porte pour la dernière fois. Et que je saurai que tu ne reviendras pas le lendemain, parce que tu seras dans un avion en route vers l'Angleterre.

— Je ne sais pas encore quand je vais partir, dit-il, il n'y a pas lieu de t'inquiéter pour ça. Tout dépend de la guérison de papa.

— Il m'a dit qu'on allait l'autoriser à quitter l'hôpital la semaine prochaine.

— Tess pourrait peut-être le ramener à la maison. Je pourrais rester encore quelques jours.

— Tu es très gentil, Bernard. Mais il faudra bien que tu partes, un jour ou l'autre. Tu as ton travail qui t'attend.

— Oui, reconnut-il. Il va y avoir bientôt un stage de préparation au collège pour des étudiants africains et asiatiques. J'ai dit que je m'en chargerais. C'est une sorte d'initiation à la vie anglaise, poursuivit-il, espérant faire oublier à Ursula ses idées mélancoliques. Il faut leur montrer comment on allume un réchaud à gaz, comment on mange du hareng fumé, les emmener chez Marks and Spencer pour acheter des vêtements d'hiver. »

Ursula eut un petit sourire triste. « J'espère seulement que je ne vivrai pas trop longtemps après ton départ.

— Il ne faut pas dire ça, Ursula. C'est bouleversant pour moi comme pour toi.

— Désolée. J'essaie seulement de me mettre dans la tête qu'il va falloir me passer de toi. Pendant ces deux dernières semaines, j'ai été comblée de t'avoir près de moi, et aussi de voir Jack et Teresa. Quand vous allez reprendre l'avion tous les trois, je vais me sentir affreusement seule.

— Qui sait, je reviendrai peut-être à Hawaii. »

Ursula secoua la tête. « C'est trop loin, Bernard. Tu ne peux pas sauter dans un avion comme ça et aller jusqu'à l'autre bout du monde simplement parce que je me sens seule.

— Il y a toujours le téléphone, dit-il.

— Oui, il y a toujours le téléphone, dit Ursula sèchement.

— Et il y a toujours Sophie Knoepflmacher, ajouta-t-il en plaisantant. Je suis sûr qu'elle sera contente de te rendre visite quand papa sera parti. »

Ursula fit la grimace.

« Il y a quelqu'un d'autre qui habite à Honolulu, dit-il. Quelqu'un qui serait ravi de venir te voir, je le sais — et que tu aimerais bien, ça aussi je le sais. » Anticipant sur l'avenir, il eut soudain une vision très claire de Yolande, une Yolande en robe rouge entrant dans la chambre de son pas athlétique, balançant ses bras bronzés de joueuse de tennis, toute rayonnante de santé et d'énergie, et souriant à Ursula en avançant une chaise près du lit pour lui parler. Elles parleraient de lui, pensa-t-il naïvement. « Je l'amènerai demain pour que tu la rencontres. Elle s'appelle Yolande Miller. Elle conduisait la voiture qui a renversé papa — ou plus exactement contre laquelle il s'est jeté. C'est comme ça qu'on s'est rencontrés. On est devenus de bons amis depuis. D'excellents amis, en fait. » Il rougit. « Tu te souviens quand tu m'as demandé d'aller prendre un cocktail au Moana pour fêter la découverte de tes actions IBM ? Eh bien, je ne te l'ai pas dit sur le moment, mais j'ai invité Yolande. » Sans rentrer trop dans les détails, il lui fit comprendre qu'ils s'étaient beaucoup vus depuis.

« Eh bien, Bernard, tu es un petit cachottier ! dit Ursula, follement amusée. Alors, comme ça, tu as une autre raison de revenir à Hawaii, pas seulement pour revoir ta pauvre vieille tante.

— Absolument, dit Bernard. Le seul problème, c'est le prix du voyage.

— Je te paierai ton billet chaque fois que tu voudras venir, dit Ursula. De toute façon, c'est à toi que je laisse tout mon argent.

— Oh, je ne ferais pas ça, dit Bernard.

— Pourquoi pas ? Qui le mérite mieux que toi ? Qui en a besoin plus que toi ?

— Patrick, dit Bernard. Le fils de Tess est complètement sans ressources. »

3

D'accord avec Yolande — et même fortement encouragé par elle —, Bernard avait pensé consacrer sa soirée à divertir Tess. Il se proposait d'abord de l'emmener au cocktail de Travelwise au Wyatt Imperial, et d'y rester tant qu'il y aurait un peu d'ambiance, puis d'aller dîner quelque part — Yolande avait suggéré un restaurant aménagé en jardin hawaiien avec des bassins de poissons rouges et des musiciens donnant la sérénade, juste à la sortie de Waikiki. Cependant, lorsqu'il rentra à l'appartement, un peu avant six heures, il trouva Tess allongée sur le balcon dans le peignoir de soie fleuri ; elle venait de se baigner dans la piscine. Elle dit qu'elle ne voulait pas sortir pendant les prochaines heures, au cas où Frank téléphonerait. C'était le petit matin en Angleterre, et elle pensait qu'il téléphonerait peut-être avant de quitter la maison pour aller au travail comme il avait fait la veille. Bernard sentit que l'attitude de Tess à l'égard de Frank s'était bien assouplie, à la suite des événements de l'après-midi, peut-être. Elle avait l'air paisible et méditatif d'une communiante pieuse qui revient de la sainte table. Il lui rapporta brièvement ce qu'Ursula lui avait dit de sa conversation avec leur père, et Tess parut satisfaite. Ils avaient bien travaillé aujourd'hui, dit-elle. Elle l'encouragea vivement à aller au cocktail, et, bien qu'il n'eût aucune envie d'y aller, il accepta. Il avait l'impression qu'elle voulait être seule. Et il se reprochait aussi un peu de n'avoir pas répondu à l'invitation de Roger Sheldrake et de ne pas être allé boire un verre avec lui au Wyatt Imperial — Sheldrake allait sûrement être au cocktail. Il fut convenu qu'il reviendrait plus tard pour voir si Frank avait téléphoné et lui demander ce qu'elle comptait faire pour le dîner.

Le Wyatt Imperial avait été construit à une échelle digne de Babylone. Il était constitué de deux hautes tours, reliées par un atrium qui contenait une galerie marchande, des restaurants et des cafés, une chute d'eau de trente mètres, des palmeraies, et une vaste scène de théâtre d'où provenait non pas l'habituelle musique nasillarde de guitare hawaiienne mais les airs entraînants d'un orchestre bavarois dont les musiciens, habillés en culotte de cuir et en chaussettes montantes, jouaient pour divertir les flâneurs et les clients assis aux tables des cafés. Le Wyatt Imperial, au rez-de-chaussée, n'avait pas du tout l'air d'un hôtel, et, sans la moquette, Bernard se serait cru encore dans la rue ou dans un jardin public. Après avoir flâné pendant quelques minutes, étourdi par le vacarme des yodels et la musique d'accordéon des musiciens bavarois au teint curieusement mat, Bernard trouva un ascenseur qui l'emmena vers la réception sur la mezzanine, et là on lui indiqua le Bar des Embruns.

Le décor marin du Bar des Embruns avait quelque chose d'excessif : filets de pêche tendus sur le crépi blanc des murs, hublots en guise de fenêtres, et appliques en forme de feux de navigation. Linda Hanama, qui avait envoyé les invitations, attendait à l'entrée ; elle accueillit Bernard avec un grand sourire et cocha son nom sur sa liste. C'était elle, il la reconnaissait bien, qui avait assuré l'accueil à l'aéroport le premier soir ; entre-temps, elle avait semble-t-il été promue au rang de responsable locale. Elle lui présenta un jeune homme en costume de soie noire, mince et obséquieux, de type chinois, Michael Ming, le directeur des public-relations de l'hôtel. Il serra la main de Bernard et lui tendit un grand verre débordant de fruits, de glaçons, de babioles en plastique et aussi de punch aux fruits qui sentait le rhum. « Bienvenue. Voilà un Mai Tai. Servez-vous de *pupus*. » Il montra une table couverte d'amuse-gueules.

Il n'y avait qu'une vingtaine de personnes présentes, mais le niveau des décibels était très élevé. La première personne qu'il reconnut fut le jeune homme aux bretelles rouges. Ce qui attira l'attention de Bernard ce soir-là, pourtant, ce fut le gros pansement blanc qui lui entourait la tête. Il avait aussi un *lei* autour du cou et tenait par la taille Cecily qui portait une robe blanche sans bretelles et une guirlande identique à la sienne. Ils semblaient tous les deux très émus et heureux, et tous les regards, apparemment, convergeaient vers eux et aussi vers un couple de jeunes gens aux larges épaules, à la moustache duveteuse et bien taillée qui avaient aussi pour Bernard un petit air familier. Un photographe, un professionnel apparemment, prenait des photos au flash de ces quatre personnes, et Brian Everthorpe avait son caméscope braqué sur eux.

« Vous vous êtes finalement décidé à venir ! »

Bernard sentit une main sur son bras et, se retournant, vit Sidney et Lilian Brooks qui lui souriaient.

« J'ai voulu faire une petite apparition, dit Bernard. Qu'est-ce qu'il s'est fait à la tête, ce jeune homme ?

— Vous ne savez pas ? Vous n'en avez pas entendu parler ? Vous n'avez pas vu le journal local ce matin ? » s'exclamèrent-ils tous les deux en même temps en se coupant la parole, tant ils avaient hâte de lui raconter l'histoire. Il s'avéra que le jour précédent — « c'est à peu près au moment où on causait avec vous à l'hôpital que ça a dû se passer — Sidney va bien, entre parenthèses, il peut prendre l'avion » — le jeune homme s'était assommé lui-même en recevant sa planche sur la tête, et le fils des Brooks, Terry, et son ami australien, Tony, l'avaient sauvé de la noyade, le traînant hors de l'eau, couvert de sang et inconscient, puis l'avaient déposé aux pieds de sa Cecily folle d'angoisse qui lui avait fait du bouche-à-bouche. Brian Everthorpe, qui se trouvait là, avait enregistré tout le drame en vidéo. « Il va le projeter quand ce truc-là sera fini », dit Sidney, montrant du pouce un grand téléviseur sur support mobile. Bernard se rendit compte soudain que si la salle était si bruyante, c'était en partie à cause du commentaire en voix off d'un film vidéo, vraisemblablement la présentation annoncée sur l'invitation.

« Le *Wyatt Haikoloa*, disait un Américain, d'une voix suave et traînante de baryton, *la nouvelle station sur la Grande Ile, là où tous vos rêves les plus fous deviendront réalité...* » Bernard aperçut, entre les têtes de Sidney et de Lilian, une succession d'images violemment colorées : un escalier et une enfilade de colonnes en marbre massif surgissant d'un lagon, des oiseaux tropicaux traversant majestueusement un hall d'hôtel, des ponts en cordes suspendus au-dessus de piscines, des trains monorails serpentant entre des palmiers. On aurait dit un décor monté par un réalisateur d'épopées hollywoodiennes qui se demandait encore s'il allait tourner une suite pour *Ben Hur*, *Tarzan* ou *Métropolis*.

« Terry et Tony le connaissaient, vous comprenez, dit Lilian. Ils le voyaient à la plage tous les jours, car il essayait d'apprendre le surf.

— Ils lui ont donné quelques tuyaux, vous comprenez, dit Sidney. Il y a un coup à prendre, c'est comme pour tout.

— Ils ignoraient pourtant qu'il faisait partie du même voyage organisé que nous, dit Lilian.

— Tenez, dit Sidney. Jetez un coup d'œil à ça. C'est le journal de ce matin. » Il sortit de son portefeuille une coupure de journal pliée et la tendit à Bernard.

Il y avait, juste en dessous d'une photographie souillée des deux jeunes moustachus qui souriaient au photographe et du gros titre, « DEUX AS DU SURF AUSTRALIENS A LA RESCOUSSE D'UN BRITANNIQUE », un bref résumé de l'accident.

> « Terry Brooks et son copain Tony Freeman, de Sydney, Australie, ont sauvé la vie à un novice du surf, Russell Harvey, un Anglais de Londres qui se noyait au large de la plage de Waikiki, mardi matin. Russ, vingt-huit ans, est en voyage de noces à Honolulu avec sa blonde épouse Cecily, qui l'observait dans un télescope à pièces lorsque sa planche lui est retombée sur la tête. "J'étais horrifiée, a-t-elle dit plus tard. J'ai vu la planche voler et Russ disparaître sous une grosse vague, et quand il a réapparu, il était couché sur le ventre à la surface de l'eau. Sa planche flottait à côté de lui. J'ai été complètement prise de panique et je me suis mise à courir vers la mer en criant à l'aide, mais il était naturellement trop loin pour que quelqu'un sur la plage puisse aller jusqu'à lui. Dieu merci, ces deux jeunes Australiens l'ont aperçu et l'ont sorti de l'eau. Ils l'ont ramené sur une de leurs planches. Je crois qu'ils méritent une médaille." »

« Émouvant, dit Bernard en rendant la coupure à Sidney. Vous devez être fiers de votre fils.

— C'est bien naturel, dit Sidney. Ce n'est pas à la portée de n'importe qui, je veux dire, de faire face à une urgence de la sorte, non ? »

« *Plus qu'un hôtel, c'est une station en soi. Plus qu'une station, c'est un style de vie. Si vaste que, dès que vous vous serez présenté au bureau d'accueil, on vous conduira à votre chambre en monorail ou en péniche...* »

Bernard aperçut les quatre membres de la famille Best : ils étaient assis le long du mur et mangeaient des *pupus* dans des assiettes en carton posées en équilibre sur leurs genoux, tout en jetant des regards furtifs vers la vidéo. Il salua d'un petit geste de la main la petite fille aux taches de son qui lui répondit par un sourire timide. « Non, bien sûr, dit-il à Sidney. Et je suis ravi de voir que les jeunes mariés se sont réconciliés. Ils semblaient être un peu en froid dans l'avion à l'aller.

— Pas seulement en froid, dit Lilian. Mais, apparemment, l'accident a raccommodé les choses entre eux. Cecily dit qu'elle a découvert qu'elle l'aimait vraiment quand elle a cru qu'il était perdu.

— Ils se sont remariés cet après-midi, dit Sidney.

— Vraiment ? dit Bernard. C'est permis ?

— Ça s'appelle un renouvellement de vœux, dit Linda Hanama qui passait par là avec un plateau de *pupus*. Il y a une chapelle à l'autre bout de Kalakaua qui offre un forfait exceptionnel, avec la chanson des mariés d'Hawaii chantée par d'authentiques artistes locaux. C'est très populaire parmi les vieux couples qui refont un voyage de noces. Je ne crois pas qu'on ait jamais eu de jeunes mariés qui en ont fait la demande avant, mais Russ et Cecily ont décidé que ce sauvetage miraculeux méritait une célébration spéciale.

— Un autre Mai Tai ? (Michael Ming revenait avec un pichet.)

— Pourrais-je avoir la même chose, mais sans jus de fruits ? dit Sidney.

— Désolé, les boissons gratuites sont préparées à l'avance.

— Je croyais que nous n'avions droit qu'à un seul verre, dit Lilian, tendant son verre.

— Pour tout vous dire, on a vu trop grand, mais qu'importe, c'est une occasion vraiment unique. » Michael Ming se retourna pour s'adresser au photographe qui se dirigeait vers la porte. « Ne nous oubliez pas dans l'article. » L'homme hocha la tête. « Excellente publicité pour la compagnie, dit Michael Ming d'un air suffisant. La petite touche humaine. Il n'y a rien de tel. Avez-vous tous vu la vidéo ? C'est quelque chose. J'ai dit à M. Sheldrake qu'il fallait qu'il la voie. » Michael Ming prononça le nom de Sheldrake d'un ton onctueux à souhait.

« *Le Wyatt Haikoloa couvre vingt-cinq hectares, possède deux golfs, quatre piscines, huit restaurants et dix courts de tennis... »*

Bernard repéra le crâne chauve de Sheldrake — il regardait la télévision avec Sue et Dee — et se fraya un chemin dans leur direction, s'arrêtant au passage pour saluer les Best. « Tu as bien aimé tes vacances ? » dit-il gentiment à la petite fille aux taches de son. Elle rougit et baissa les yeux. « C'était pas mal », murmura-t-elle.

« On sera quand même contents de rentrer à la maison, dit Mme Best.

— C'est le meilleur moment des vacances, je le dis toujours, dit son mari. Je ne plaisante pas. » Il se permit pour une fois un grand sourire qui découvrit ses dents et ses gencives. « Quand vous poussez la porte d'entrée, que vous ramassez vos lettres, branchez la bouilloire pour le thé, et allez voir dehors comment se porte le jardin. Et vous vous dites alors, eh bien, voilà une chose de réglée jusqu'à l'année prochaine.

— C'est faire, semble-t-il, beaucoup de chemin pour avoir le plaisir de rentrer chez soi », dit Bernard.

M. Best haussa les épaules. « Florence avait vu une émission à la télé sur Hawaii.

— Vous comprenez, on a fait tous les circuits habituels, l'Espagne, la Grèce, Majorque, dit Mme Best. On est allés en Floride une année. Et puis, on a eu une rentrée d'argent, alors on a pensé essayer quelque chose de plus aventureux cette année.

— Pas tant d'argent que ça, dit M. Best. N'allez pas croire qu'on est riches.

— Non, non, dit Bernard.

— Hawaii m'attirait beaucoup, dit Mme Best. Mais les choses sont toujours différentes à la télévision, vous ne trouvez pas ? Comme cette vidéo. Je suis presque sûre que ce n'est pas du tout comme ça en réalité. »

Ils regardèrent tous l'écran.

« *Allongez-vous au soleil sur les plages de sable étincelantes, batifolez au milieu des chutes d'eau et des fontaines ou laissez-vous porter par le courant d'une rivière sinueuse...* »

« On aurait mieux fait d'aller là-bas plutôt que de venir à Waikiki, dit le jeune garçon. Ç'a l'air très chouette.

— Ouais, dit la petite fille. Ça ressemble à Center Parc. »

Bernard demanda ce qu'était Center Parc et la petite fille, soudain loquace, lui expliqua que c'était un village de vacances au milieu de la forêt de Sherwood. Elle y était allée l'été dernier avec la famille de son amie Gail. On vivait dans une petite cabane dans les bois, et les voitures n'étaient pas autorisées, tout le monde roulait à bicyclette. Il y avait une énorme piscine couverte au milieu, avec des chutes d'eau et une machine à faire des vagues.

des palmiers et une rivière comme dans une jungle. Ça s'appelait le Paradis tropical.

« Vous devriez parler à cet homme là-bas, dit Bernard, montrant du doigt Roger Sheldrake. Il écrit un livre sur les paradis tropicaux. Je vais vous présenter, si vous voulez.

— Non merci, j'aime autant pas, dit M. Best. Son sourire avait disparu.

— Non, on ne veut pas être dans un livre », dit Mme Best.

Bernard leur souhaita un bon voyage de retour et rejoignit Roger Sheldrake qui était planté devant la télévision, entouré de Sue et de Dee, manifestement plus près de Dee cependant. « Salut, mon vieux, dit Sheldrake. Vous connaissez ces deux jeunes dames ? »

Bernard lui rappela que c'était lui qui les lui avait présentées. Sue demanda des nouvelles de M. Walsh, et Dee le gratifia d'un sourire que l'on aurait presque pu qualifier de chaleureux.

« Désolé de n'avoir pu passer vous voir plus tôt, dit Bernard, mais j'ai été assez occupé. Comment avez-vous trouvé votre séjour ici ?

— Service fabuleux, dit Sheldrake. Je le recommande vivement. Voici leur toute dernière folie. Il montra l'écran de télé. Avec ça, ils se sont endettés de trois cents millions de dollars. »

« *Venez admirer les quinze cents mètres du promenade-musée bordés de vieux trésors artistiques appartenant aux cultures orientale et polynésienne. Flânez le long des sentiers dallés avec pour seuls compagnons des oiseaux tropicaux au plumage éclatant...* »

« On a dû leur rogner les ailes, dit Dee.

— Oh, tais-toi, Dee ! C'est quand même très joli !

— C'est ce qu'on appelle un complexe hôtelier d'évasion, dit Sheldrake. Très apprécié des grandes compagnies qui veulent récompenser leurs meilleurs directeurs et leurs meilleurs vendeurs. Des vacances de motivation, comme on dit. Les épouses sont invitées, elles aussi.

— Eh bien, merci pour la motivation », dit Brian Everthorpe qui se tenait tout près et qui, pour cette plaisanterie, reçut de sa femme un petit coup de poing taquin. Elle était resplendissante dans sa robe de cocktail pourpre à volants taillée dans une sorte de tissu brillant. Quant à lui, il portait une chemise hawaïenne avec des palmiers bleus sur fond rose, et il fumait un cigare vert.

« *Une station balnéaire complète offrant tout un choix de*

services allant de l'aérobic à des cours de méditation, en passant par l'aromathérapie... Dînez dans l'intimité sur votre propre lanai au son apaisant des vagues qui caressent le rivage, ou essayez les menus de nos huit restaurants pour gourmets... »

« Peu m'importe le nom, dit Sue d'un air songeur. Ça me paraît le paradis. »

« Et vous pouvez participer à toutes sortes d'excursions et d'activités de rêve : le Pique-Nique de Rêve à Lauhala Point, au sommet d'une falaise accessible uniquement en hélicoptère... la Croisière de Rêve jusqu'à la Plage Solitaire au Coucher du Soleil... Le Ranch de Rêve de Kalua, avec d'authentiques cow-boys "Paniolo"... le Safari de la Grande Ile : chassez le sanglier sauvage de Russie, le mouflon et le mouton de Corse, le faisan, la dinde sauvage, selon la saison... »

« Le mouton ? demanda Dee. Il a bien dit "chassez le mouton" ?

— Il s'agit de moutons sauvages, dit Michael Ming en remplissant leurs verres avec son pichet. On s'est rendu compte qu'à force de brouter librement, ils détruisaient l'environnement. Mais si vous êtes objecteur de conscience et refusez de tuer les animaux, vous pouvez simplement les photographier. Un autre Mai Tai, M. Sheldrake ? Ou puis-je aller vous chercher quelque chose au bar ?

— Non, ce truc-là me va très bien, dit Roger Sheldrake en tendant son verre.

— Moi, je veux bien prendre quelque chose au bar », dit Brian Everthorpe, mais Michael Ming ne semblait pas l'avoir entendu.

« Et notre attraction la plus populaire — la Rencontre avec les Dauphins. »

« Oh, c'est incroyable ! » dit Linda Hanama. Ils regardèrent, subjugués, les vacanciers en maillots de bain qui fraternisaient avec des dauphins domestiqués dans le lagon de la station : ils leur chatouillaient le menton, les caressaient derrière les yeux et faisaient des galipettes dans l'eau avec eux. Un jeune garçon s'accrocha à une nageoire dorsale et se laissa traîner dans l'eau, riant à gorge déployée.

« Tous à califourchon sur un dauphin,
Accrochés à une nageoire,

Ces innocents revivent leur mort,
Leurs blessures ouvertes à nouveau. »

Bernard, à sa surprise et à la consternation générale, s'entendit réciter ces vers. Il en était, certes, à son troisième Mai Tai, et il crut comprendre qu'il était un peu ivre.

« Vous avez dit quelque chose, mon vieux ? demanda Sheldrake.

— C'est un poème de W. B. Yeats, dit Bernard. "Nouvelles pour l'oracle de Delphes". Dans la mythologie néoplatonique, vous savez, les âmes des morts étaient transportées à dos de dauphins jusqu'aux îles Fortunées. Cela pourrait vous faire une petite annotation utile pour votre livre.

— Oh, j'ai réorienté ma thèse, dans une certaine mesure, dit Sheldrake. J'ai découvert que mon modèle de départ, le paradis, finissait inévitablement par être supplanté par l'autre modèle, le pèlerinage, en raison des impératifs économiques liés à l'industrie du tourisme. C'est une sorte d'approche marxiste, je suppose. Un marxisme post-marxiste, bien sûr.

— Bien sûr, murmura Bernard.

— Prenez une île, n'importe quelle île. Prenez Oahu, par exemple. Regardez la carte. Que voyez-vous, neuf fois sur dix ? Une route côtière qui l'encercle. Qu'est-ce que c'est ? C'est tout simplement un tapis roulant destiné à transporter les gens d'un piège à touristes à un autre, un groupe en chassant un autre. La même chose s'applique aux croisières, aux vols charters...

— Juste à temps, dit Brian Everthorpe.

— Je vous demande pardon ? dit Sheldrake, quelque peu mécontent d'avoir été interrompu en plein milieu de sa démonstration.

— Ça me fait penser à ce qu'on appelle la technique du "juste à temps" dans l'industrie, dit Brian Everthorpe. Chaque opération sur la chaîne est programmée par une carte indiquant à l'ouvrier le moment exact où il va devoir exécuter la tâche demandée. Ça évite les étranglements.

— C'est très intéressant, dit Sheldrake, sortant son calepin et son crayon à bille. Pouvez-vous me donner une référence ?

— On doit cette invention à un certain Dr Ono, un Jap, bien sûr. Il travaillait pour Toyota. D'où la blague : "Oh non, par pitié, pas une autre voiture japonaise." » Brian Everthorpe pouffa de rire, fier de sa petite plaisanterie, et il brandit une cassette vidéo. « Maintenant que la vidéo de l'hôtel semble être terminée, vous allez avoir le plaisir, bande de petits veinards, de voir un film de famille que je vais vous passer ; vous feriez peut-être bien de prendre des chaises et de vous installer confortablement.

— Oh, Seigneur ! murmura Dee à voix basse.

— Je n'ai pas eu le temps de couper le film comme il faut, ni d'ajouter la musique d'ambiance, dit Brian Everthorpe, tandis que les invités se rassemblaient avec plus ou moins d'empressement. C'est ce qu'on appelle une première prise, alors soyez indulgents. Ça s'intitule provisoirement : *Les Everthorpe au paradis*.

— Allons, qu'est-ce que tu attends, Bri », dit Beryl, ramenant les volants de sa robe sous ses fesses en s'asseyant.

Le film débuta par un plan sur deux adolescents et une femme âgée qui disaient au revoir du porche d'une maison, une maison pseudo-jacobéenne aux fenêtres treillissées et à garage intégré. « Nos garçons et ma mère », expliqua Beryl. Il y eut ensuite un gros plan statique assez long sur un panneau « Aéroport des Midlands de l'Est », et ensuite une séquence saccadée, sur un fond sonore strident insupportable, où l'on voyait Beryl, avec sa robe jaune et rouge et ses bracelets en or, escalader les marches raides d'un escalier mobile et se préparer à entrer dans la cabine d'un avion à hélices. Elle s'arrêta brusquement en haut des marches et se retourna en un grand geste théâtral pour saluer la caméra : les passagers derrière se télescopèrent et ceux de dessous se retrouvèrent le nez dans l'arrière-train de leur voisin. Une orange descendit les marches en rebondissant jusque sur le tarmac. Vint ensuite une image floue et penchée de la banlieue ouest de Londres vue à travers le hublot de l'avion, puis un plan panoramique sur le hall des départs bondé du terminal 4 à Heathrow. La caméra fit un zoom sur deux employés vêtus de l'uniforme Travelwise, l'un grand et raide, la trentaine, l'autre mince et plus jeune, grimaçant devant la caméra. En reconnaissant ces deux personnages, les spectateurs, qui s'ennuyaient jusque-là, se redressèrent et commencèrent à s'intéresser au spectacle.

« Oh, je me souviens de lui, s'exclama Sue. Le plus vieux. Il était sympa.

— Le plus jeune ne l'était guère, dit Cecily. Et il avait d'affreuses pellicules. »

Le décor de la scène suivante montrait l'un de ces interminables couloirs de Heathrow où l'on voyait les voyageurs de dos avancer en un flot compact vers les portes numérotées. Un petit véhicule, semblable à un trolley de golf, apparut à mi-distance, venant en sens inverse, et soudain, au milieu des cris et des rires de toute la compagnie, Bernard eut la surprise de se voir sur l'écran, avec sa barbe et son air sombre, assis à côté de son père qui riait et saluait comme un pantin sur le siège arrière du buggy. Ils occupèrent tout l'écran pendant quelques instants, puis ils sortirent du champ de la caméra. C'était une apparition extraordinaire et déconcertante, comme un fragment de rêve interrompu, ou comme un instant de sa vie que l'on revoit au moment de se noyer. Il avait l'air tellement grave et déprimé ! Ses habits étaient si lamentables et comme elle était moche, sa barbe, et bien peu convaincante aussi !

Ils réapparurent, son père et lui, au milieu d'autres touristes Travelwise qui les saluaient avec des éclats de rire, des applaudissements et des hourras, puis assis dans la salle d'attente près de la porte, puis dans la file d'attente pour aller aux toilettes dans l'avion de Los Angeles, et encore à l'aéroport d'Honolulu, pendant la remise des *leis*. « Hé ! dit Linda Hanama. C'est super. Vous pourriez m'en faire une copie ? On pourrait s'en servir pour la formation du personnel. »

Vint ensuite une séquence exclusivement everthorpienne, une séquence un peu gênante où l'on voyait Beryl sortant de son lit à l'hôtel dans une chemise de nuit diaphane. Des huées et des sifflets fusèrent dans les rangs des spectateurs. Beryl allongea le bras et bourra le dos de son mari de coups de poing.

« Tu ne m'avais jamais dit que cette chemise de nuit était si transparente, dit-elle.

— Hé, Brian, tu te lances dans l'industrie du porno maintenant ? demanda Sidney.

— A vrai dire, j'ai vu pire sur le canal porno de notre hôtel, dit Russ Harvey. Infiniment pire.

— Mais tu ne regarderas plus ça, maintenant, n'est-ce pas, mon chéri ? dit Cecily, avec une pointe de reproche dans la voix.

— Bien sûr que non, mon trésor. » Russ pinça la taille de sa femme et l'embrassa sur le bout du nez.

Sur l'écran, Beryl passait un négligé et se dirigeait d'un pas nonchalant vers le balcon, bâillant avec affectation. Le ronronnement de la circulation qui entrait par la porte-fenêtre ouverte fut soudain troublé par le gémissement perçant d'une sirène d'ambu-

lance. On entendit la voix de Brian Everthorpe crier : « Coupez ! »
Beryl arrêta net de se pavaner, se retourna et regarda la caméra en
fronçant les sourcils. Puis on la vit de nouveau se mettre au lit et
reprendre toute la scène du réveil.

« J'ai dû refaire toute la scène à cause de l'ambulance, dit
Brian Everthorpe. J'enlèverai la première prise de vue dans le film
définitif, bien sûr.

— C'était quel jour ? demanda Bernard.

— Le premier matin. » Bernard sentit ses cheveux se dresser
sur sa nuque.

Il y eut un reportage exhaustif sur les festivités du *Luau* de
Sunset Beach, avec des danseuses de *hula* et des cracheurs de feu
qui s'exhibaient avec entrain sur une scène devant une foule
immense de gens assis les uns à côté des autres en d'interminables
files. Vint ensuite un plan un peu brouillé où l'on reconnaissait
sans peine Bernard qui donnait une poignée de main à Sue devant
le Waikiki Coconut Grove, la nuit.

« Hé là, hé là ! dit Sidney, donnant un coup de coude à
Bernard. Vous êtes un petit cachottier.

— Vous ne saviez pas qu'on vous espionnait, hein ? dit Brian
Everthorpe.

— Ne faites pas attention, Bernard, dit Sue. Il me raccompa-
gnait tout simplement chez moi, expliqua-t-elle à l'assistance,
comme un vrai gentleman. » Elle fit un geste désinvolte de la main,
oubliant qu'elle tenait un verre, et renversa du Mai Tai sur sa
robe. « Oh ! Ça ne fait rien, on rentre demain. »

Le film redevint parfaitement ennuyeux : on suivit les Everthorpe dans leurs pérégrinations autour d'Oahu. Comme c'était
toujours Brian qui utilisait la caméra, Beryl était réquisitionnée
pour donner à la plupart des séquences la petite touche humaine :
elle posait devant des plages, des bâtiments et des palmiers,
minaudant devant l'objectif ou fixant l'horizon d'un air béat.
Comme si elle avait deviné l'impatience de l'auditoire, Beryl
demanda à Brian d'« activer un peu les choses » ; à contrecœur, il
appuya sur la touche de la télécommande pour accélérer le
déroulement de l'image. Le film devint tout de suite plus drôle. A
Pearl Harbour, une vedette de la marine fonça vers l'*Arizona* aussi
vite qu'un lance-torpilles et dégorgea son lot de touristes qui, en
quelques secondes, envahirent tout le Mémorial avant d'être happés
de nouveau par le bateau et redéposés brusquement sur le rivage.

A Sea Life Park, des épaulards percèrent la surface du bassin à la vitesse de missiles Polaris. La côte d'Oahu et ses montagnes volcaniques plissées défilèrent en un éclair, toutes brouillées. Le Centre culturel polynésien explosa en une frénésie d'activités ethniques : tissage, sculptures sur bois, danses de guerre, descentes en canoë, défilés costumés, musique et représentations théâtrales.

A la scène suivante, on se retrouva sur une plage de sable, et Brian Everthorpe remit le magnétoscope à la vitesse normale. Il avait manifestement confié son caméscope à une tierce personne pour cette séquence, car on les voyait, lui et Beryl, en maillot de bain, allongés tous les deux au bord de l'eau. Sur l'image, Everthorpe lança un petit coup d'œil en direction du caméscope, roula sur le côté et s'allongea sur sa femme. Des exclamations et des sifflements jaillirent de plus belle parmi les spectateurs.

« Ça ne vous rappelle pas quelque chose ? leur demanda-t-il, tandis qu'une vague déferlait sur le sable et venait recouvrir les deux Everthorpe enlacés.

— Burt Lancaster et Deborah Kerr, dit une voix avec un accent australien dans le fond de la salle. *Tant qu'il y aura des hommes.*

— Gagné ! dit Brian. Et c'est sur cette plage qu'ils ont tourné cette scène. »

> *Ventre, épaule, fesses*
> *Luisent comme des poissons*
> *dans l'eau ; nymphes et satyres*
> *Copulent dans l'écume,*

murmura Bernard.

« Que disiez-vous, mon vieux ? » dit Sheldrake.

Bernard ne savait pas pourquoi Sheldrake avait adopté en s'adressant à lui ce ton légèrement condescendant, à moins que ce ne fût à cause de la présence de l'obséquieux Michael Ming, ou de celle de Dee qui le regardait avec admiration chaque fois qu'il ouvrait la bouche.

« C'est le même poème, dit Bernard. "Nouvelles pour l'oracle de Delphes".

— Il me semble un peu grossier, votre poème, dit Dee.

— Les néoplatoniciens pensaient qu'il n'y avait pas de sexe au paradis, dit Bernard. Yeats estimait qu'il avait une nouvelle pour eux. » Il se dit soudain qu'il aurait dû citer ces vers à Ursula ; mais, à bien y réfléchir, c'eût été un peu déplacé.

« Baiser sur la plage, hein ? dit Brian Everthorpe. Un passe-temps très surfait, à mon avis.

— Qu'est-ce que tu en sais ? demanda Beryl.

— N'importe quel ingénieur te dira que le sable est très mauvais pour les parties mobiles », dit Brian Everthorpe, s'écartant brusquement pour se mettre hors d'atteinte de Beryl.

Sur un ordre du pater familias, toute la famille Best se leva et sortit de la pièce à la file indienne.

« Oh, ne partez pas maintenant ! cria Brian Everthorpe. Le meilleur passage arrive tout de suite. Les Australos à la rescousse. Le jeune marié qui se noyait rendu à son épouse. »

La petite Best resta un peu à la traîne et regarda l'écran d'un air frustré.

« Viens, Amanda, ne traîne pas comme ça. »

Amanda fit la grimace dans le dos de son père et, voyant que Bernard l'observait, rougit. Bernard sourit et fit un geste de la main, triste de les voir partir et s'exclure à tout jamais de la grande fête de la vie.

A la scène suivante, on se retrouva sur la plage de Waikiki, avec en arrière-plan le fameux sommet tronqué de Diamond Head, et l'on eut droit à de longs plans sur Terry, Tony et Russ qui faisaient du surf. Les Australiens étaient adroits et fascinants à regarder. Russ se débrouillait assez bien tant qu'il était à genoux sur sa planche, mais il avait tendance à perdre l'équilibre dès qu'il essayait de se relever.

Le spectacle fut alors troublé par un petit conciliabule qui se déroulait près de la porte de la salle où quelqu'un disait : « Non, je n'ai pas d'invitation. Nous sommes des amis de M. Sheldrake, l'un de vos invités », et l'on entendit Michael Ming répondre : « Oh, entrez, entrez, tous les amis de M. Sheldrake sont les bienvenus. »

Roger Sheldrake dit : « Ah, très bien, ils sont venus », et il se précipita vers la porte pour aller serrer la main aux nouveaux venus. Sur l'écran de télé, les images devinrent incohérentes tandis que l'objectif du caméscope se baladait frénétiquement entre la plage, le ciel et la mer.

« Le caméscope a tremblé un peu ici, malheureusement, dit Brian Everthorpe. Je courais, vous comprenez ? »

Roger Sheldrake fit entrer ses invités, un homme d'âge mûr et une jeune femme, et les fit s'asseoir juste devant Bernard. « Très heureux que ayez pu venir. Dee, je te présente Lewis Miller, le type dont je t'ai parlé.

— Salut, dit l'homme. Et voici Ellie.

— Salut », dit Ellie sans conviction.

On se serra la main. Voyant que Bernard regardait avec curiosité les nouveaux arrivants, Sheldrake l'inclut dans les présentations. « Lewis est un ancien copain de congrès, expliqua Sheldrake. Je l'ai rencontré par hasard ce matin à la bibliothèque universitaire. J'avais totalement oublié qu'il enseignait ici. Attendez, je vais aller vous chercher un verre à tous les deux. Je crois qu'on appelle ça du Mai Tai.

— Seigneur, surtout pas, dit Ellie. Je prendrai un Martini-vodka.

— Bourbon on the rocks, s'il te plaît, Roger », dit Lewis Miller.

L'image sur l'écran de télé avait cessé de se balader dans tous les sens. Il y eut un gros plan sur Cecily qui criait et gesticulait au bord de l'eau, des images de gens qui couraient affolés sur la plage, et quelques plans panoramiques où l'on voyait des têtes et des planches de surf qui dansaient sur l'eau au loin. C'était une scène dramatique, mais l'attention de Bernard était distraite et revenait sans cesse vers les nouveaux venus. Lewis Miller ne ressemblait pas, curieusement, au personnage, grand, élégant et athlétique, qu'il avait imaginé ; il était étrangement petit et fluet, avec des cheveux gris un peu jaunâtres ramenés sur le crâne pour dissimuler une plaque de calvitie, un menton très allongé qui lui donnait un air un peu lugubre. Sa compagne le dépassait de quelques centimètres ; c'était une jeune femme élégante, hautaine, avec de longs cheveux roux foncé, tressés en une grosse natte qui retombait sur son sein.

« Ça paraît très excitant, dit Lewis Miller. Qu'est-ce qui se passe ? » Russ Harvey se pencha vers eux pour expliquer. « C'est moi ; Terry et Tony sont ici en train de me sortir de l'eau. Et ça, c'est Cecily, ma femme, qui me fait le bouche-à-bouche. Elle ne voulait pas laisser qui que ce soit me toucher, la chère âme.

— J'ai appris à le faire dans un cours de secourisme, dit Cecily. J'ai été chez les guides. J'ai mon brevet.

— La première chose que j'ai vue en reprenant connaissance, c'était Cess penchée sur moi, qui essayait de m'embrasser.

— Génial, dit Lewis Miller. Ça vaut un feuilleton, tu ne trouves pas, Ellie ?

— Pourrais-je l'avoir, ce Martini-vodka ? dit Ellie ne s'adressant à personne en particulier.

— Ça vient ! s'écria Roger Sheldrake, se frayant un chemin avec un plateau de boissons. Qui veut un autre Mai Tai ?

— Et ensuite, j'ai vomi, dit Russ.

— Seigneur, que c'est vulgaire ! marmonna Ellie, détournant les yeux de l'écran.

— Je regrette beaucoup de n'avoir pas appris plus tôt que tu étais à Honolulu, Roger, dit Lewis Miller. Tu aurais pu venir parler à mes étudiants de troisième cycle.

— Vous êtes anthropologue, vous aussi, alors ? lui demanda Dee.

— Non, climatologue. Roger et moi, on s'est rencontrés à un colloque interdisciplinaire sur le tourisme. »

Quelqu'un tira sur la manche de Bernard. C'était Michael Ming. « Excusez-moi, dit-il en un petit sifflement, vous n'avez pas l'impression, en écoutant cette conversation, que ce type (il pointa le menton vers Sheldrake) est professeur d'université ?

— Il l'est en effet, dit Bernard. Pourquoi, qu'est-ce qui ne va pas ?

— Il n'est pas dans mes habitudes, vous comprenez, de faire monter gracieusement du champagne et des fruits tous les jours à des professeurs d'université, dit Michael Ming. Ni d'envoyer une limousine les chercher à l'aéroport. Ni de faire renouveler tous les soirs les fleurs de leur chambre. Je croyais qu'il était journaliste. » Il s'éloigna en chancelant comme un homme qui a reçu sur la tête une chaussette pleine de sable mouillé.

« Lewis est très fort en études d'impact, expliquait Sheldrake à Dee. Il a écrit un article célèbre prouvant que la température moyenne d'Honolulu a augmenté de 1,5° entre 1960 et 1980, à cause de tous les arbres qu'on a abattus pour faire place à des parkings.

— Puis Joni Mitchell a mis les paroles en musique, dit Lewis Miller en blaguant.

— Oh, je connais cette chanson », dit Sue. Elle claqua des doigts et se mit à chanter :

« *Ils bétonnèrent le paradis pour en faire un parking...* »

« Super ! s'écria Lilian Brooks, en frappant dans ses mains. Quelle jolie voix !

— Le béton réverbère la chaleur du soleil, comme vous savez. Le feuillage l'absorbe. »

« *Emportèrent tous les arbres pour en faire un musée,*
Et chacun dut payer un dollar et demi pour les admirer... »

Sue ferma les yeux, se balança au rythme de la chanson et finit par tomber de son siège. Elle s'affala par terre et prit tout le monde à témoin en se tordant de rire.

« Tu as bu un peu trop de Mai Tai », lui reprocha Dee en l'aidant à se relever.

« Hé, là, vous voulez bien vous taire un peu ? dit Russ. Je veux entendre ça. »

Sur l'écran, Cecily et lui, habillés comme ce soir, se tenaient debout, mains jointes, devant un Hawaiien tout souriant qui portait un costume blanc.

« *Voulez-vous, Russell Harvey...* » disait-il.

« Ils se sont mariés à Hawaii ? murmura Lewis Miller.

— Non, ils ont seulement renouvelé leur feu, dit Sue.

— Leurs vœux, dit Dee. Les Everthorpe, eux, au moins, n'ont pas besoin de renouveler leur feu. »

Sue se mit à hurler de rire — était-ce à cause du mot d'esprit de Dee ou de sa propre erreur ? — et bascula de sa chaise une seconde fois.

Ellie vida son verre et se leva. « Il faut que je m'en aille maintenant, dit-elle. Tu viens, Lewis ?

— Oh, mais vous venez juste d'arriver ! protesta Sheldrake. Prenez un autre verre. Goûtez le Mai Tai.

— Je l'ai déjà fait, dit Ellie. Un verre m'a suffi. Lewis ?

— Roger repart demain, Ellie, dit Lewis d'un ton enjôleur. On a des tas de choses à se dire.

— Je pensais qu'on aurait pu aller dîner quelque part, tous les quatre, dit Sheldrake. Vous deux, Dee et moi.

— Et voilà la fameuse chanson des mariés d'Hawaii ! » dit Brian Everthorpe. Trois vieux Hawaiiens, tous habillés en chemises aloha assorties, apparurent sur l'écran, grattant leurs ukélélés et chantant lamentablement de leurs voix nasillardes.

Sue s'assit près de Bernard. « On doit embrasser son voisin ou sa voisine à la fin », lui confia-t-elle.

« Je suis désolée, mais j'ai du travail qui m'attend, dit Ellie. Je te verrai plus tard, Lewis. » Elle renvoya sa tresse par-dessus son épaule d'un coup de tête, comme une lionne qui balance sa queue, et quitta la pièce d'un air hautain.

« Désolé pour tout ça, Roger », dit Lewis Miller. Il prit un Mai Tai qui traînait sur un plateau et tira tristement sur sa paille. « Nous nous sommes disputés, Ellie et moi, avant de venir ici. Les choses ne vont pas très bien entre nous en ce moment.

— Vous avez hâte de rentrer chez vous ? dit Sue en s'adressant à Bernard.

— En fait, je ne repars pas tout de suite, dit Bernard. Mon père est encore à l'hôpital. Mais je dois vous avouer que je ne suis pas très pressé de rentrer à Rummidge.

— Rummidge ! L'entreprise de Brian est à Rummidge », s'exclama Beryl Everthorpe.

D'un geste extrêmement rapide, et sans bouger des mains apparemment, Brian Everthorpe produisit une carte de visite. « Tables de bronzage Riviera, dit-il. Si vous voulez une petite ristourne, faites-moi signe.

— Quel quartier de Rummidge ? demanda Beryl à Bernard, et il dut répondre à la question tout en essayant d'écouter ce que disait Lewis Miller.

— Je crois qu'elle s'apprête à me larguer, disait-il, et, pour tout te dire, Roger, ce sera un soulagement. Mes gosses me manquent. La maison me manque. Même ma femme me manque.

— On devrait échanger nos adresses, vous ne croyez pas ? dit Beryl. Pourriez-vous nous prêter du papier et un crayon ? demanda-t-elle à Linda Hanama qui s'approchait d'eux à ce moment-là.

— Bien sûr. (Linda détacha une feuille blanche de son bloc-notes.) Je venais vous dire qu'on vous demande, monsieur Everthorpe. Il y a quelqu'un à l'accueil qui veut vous voir. Un certain M. Mosca ? »

Brian Everthorpe devint tout pâle sous son hâle un peu rougeaud et appuya sur la touche arrêt du magnétoscope. Sue poussa un petit cri, déçue de voir disparaître les chanteurs hawaiiens sur l'écran.

« Il est grand temps de partir, ma chérie. » Brian éjecta prestement sa cassette du magnétoscope.

« Oh, mais on n'a même pas échangé nos adresses, dit Beryl.

— Et ce n'est pas maintenant qu'on va le faire », dit Brian Everthorpe, arrachant des mains de Bernard sa carte de visite.

« Bonne nuit à tous. » Il sortit précipitamment de la salle en poussant Beryl qui protestait vivement.

« Il faut que je parte, moi aussi, dit Bernard, se relevant tant bien que mal. Les réjouissances sont maintenant terminées.

— Vous n'allez tout de même pas partir sans nous embrasser ? demanda Sue, et il s'exécuta. Si je n'avais pas Des, vous me plairiez bien, Bernard, dit-elle. Souhaitez de ma part un prompt rétablissement à votre papa. »

Bernard se retrouva dans le vestibule du Waikiki Surfrider, ne sachant pas très bien par quel miracle il était arrivé là. Il alla à la réception et prit sa clé. L'employé lui remit une enveloppe contenant une carte imprimée du directeur de l'hôtel, lequel espérait qu'il avait apprécié son séjour à l'hôtel et lui rappelait que la chambre devait être libérée avant midi.

« Si je voulais rester une autre année, auriez-vous une chambre ? demanda Bernard.

— Une année, monsieur ?

— Excusez-moi, je voulais dire une semaine. » Bernard secoua la tête et se donna un coup de poing sur le crâne. L'employé consulta son ordinateur et confirma qu'on pouvait le garder une autre semaine.

Dans la chambre 1509, Bernard enleva ses chaussures et s'assit sur le lit. Il éteignit toutes les lumières à partir des interrupteurs de chevet mais garda allumée la lampe au-dessus du téléphone. Il fit le numéro de l'appartement d'Ursula.

« Où étais-tu ? dit Tess.

— Désolé, j'avais perdu la notion de l'heure. Quelle heure est-il ? Il jeta un coup d'œil à sa montre. Seigneur Jésus ! huit heures et demie.

— Tu as l'air un peu éméché, dis-moi ?

— Un peu, en effet. Ils n'ont pas lésiné sur le Mai Tai.

— J'ai mangé quand j'ai vu que tu ne venais pas. Je me suis fait une omelette.

— Seigneur, je suis absolument désolé, Tess. Ça fait deux soirs de suite que tu manges de l'omelette.

« — Ça ne fait rien. Je ne voulais pas sortir, de toute façon. Je fais mes valises.

— Tu fais tes valises ? Pourquoi ça ?

— Je reprends l'avion demain. J'ai une place réservée sur le vol de 8 heures 40 demain matin. Tu peux me conduire à l'aéroport ?

— Bien sûr. Mais tu viens tout juste d'arriver !

— Je sais, mais... On me réclame à la maison.

— Frank a donc téléphoné ?

— Oui. Il a largué Bryony. Patrick n'arrête pas de le réveiller en plein milieu de la nuit pour lui demander où je suis.

— Ça me déçoit beaucoup. Je pensais qu'on allait pouvoir faire un peu de tourisme ensemble pendant quelques jours. Voir Pearl Harbour. Faire de la plongée sous-marine. J'ai dans mon portefeuille tout un paquet de coupons de réduction pour toutes sortes de choses.

— C'est gentil de ta part, Bernard, mais il faut que je rentre avant que Patrick fasse une crise. Il va falloir que tu assures seul le rapatriement de papa. J'ai parlé à son médecin à l'hôpital cet après-midi, après votre départ. Il pense que papa devrait pouvoir voyager dans à peu près une semaine. (Elle se mit alors à lui prodiguer un tas de conseils pour le voyage de retour, mais soudain elle s'interrompit.) Je ne sais pas pourquoi on discute de ça au téléphone. Mais au fait, où es-tu ?

— Je me suis arrêté quelque part en rentrant. Je ne serai pas long. »

Il raccrocha et fit le numéro de Yolande.

« Salut, dit-elle. Comment s'est passée ta journée ?

— Je ne sais pas par où commencer.

— Comment ont été les retrouvailles ?

— Très arrosées.

— *Très arrosées* ? Tu veux dire qu'on vous a permis de boire de l'alcool à Saint-Joseph ?

— Oh, tu voulais parler de papa et d'Ursula ? Ça s'est très bien passé. Désolé, j'ai l'esprit plutôt embrouillé. J'arrive d'un cocktail, et je pensais que tu faisais allusion à cela — un cocktail pour tous les membres du groupe Travelwise. Ils repartent demain. Probablement par le même avion que Tess, maintenant que j'y pense.

— Tess rentre en Angleterre demain ?

— Oui. (Il lui donna un bref résumé des raisons invoquées par Tess.)

— C'est sa vie, après tout, dit Yolande. Personnellement, je pense qu'elle en fait son deuil, de sa vie. Mais Ursula et ton père se sont bien entendus ?

— Oui. Ça a été la grande réconciliation, le grand pardon. Ursula est satisfaite. Je lui ai dit que tu irais lui rendre visite à Makai Manor après mon départ. J'espère que j'ai eu raison ?

— Bien sûr, ce sera un plaisir.

— Et je lui ai dit qu'elle devrait laisser son argent au fils de Tess, à Patrick. »

Il y eut un moment de silence à l'autre bout de la ligne. Puis Yolande dit : « Pourquoi as-tu fait ça ?

— Je sais, tu m'avais conseillé de ne pas le faire. Mais, je ne sais comment dire : la journée avait été si extraordinaire, et j'étais si fier de moi d'avoir pu réunir papa et Ursula qu'il m'a paru important de ne pas en tirer un avantage matériel pour moi. C'est probablement très stupide de ma part.

— C'est probablement pour ça que je t'aime, Bernard, dit Yolande en poussant un soupir.

— Dans ce cas, je suis content de l'avoir fait, dit Bernard. Oh, à propos, j'ai fait la connaissance de ton mari ce soir.

— *Quoi ?* Tu as rencontré Lewis ? Comment ? Où ?

— Au cocktail. Il avait été invité par un type qui s'appelle Sheldrake.

— Je n'en reviens pas. Tu lui as parlé ?

— Sheldrake nous a présentés. Je n'ai pas dit que je te connaissais, bien sûr. Il semblait s'être brouillé avec sa petite amie.

— Elle était là elle aussi, Ellie ?

— Pendant une partie de la soirée. Ensuite elle est repartie très fâchée.

— Raconte-moi tout !

— Il n'y a pas grand-chose d'autre à raconter. Il a dit qu'il pensait qu'elle allait le plaquer.

— Il a dit ça ?

— Oui. Et il a dit que tu lui manquais. La maison aussi. Et les enfants. »

Il y eut à nouveau un moment de silence à l'autre bout du fil. « Est-ce que ta sœur entend cette conversation, Bernard ? finit par dire Yolande.

— Non, non. Je t'appelle du Waikiki Surfrider. Ça me fait penser que, demain matin, je vais devoir dire si je prolonge ma réservation ou si je quitte la chambre définitivement. Qu'en penses-tu ? Je trouve que ç'a été très excitant de te rencontrer ici en secret, à l'insu de tout le monde, mais je me demande, maintenant que... tu sais, maintenant que notre relation est plus... enfin... plus normale, je me demande si ça ne va pas nous paraître bizarre de continuer à nous rencontrer ici... Cette chambre a été une espèce de capsule, une bulle dans le temps et dans l'espace où la pesanteur n'existait plus, où les règles normales de la vie étaient suspendues pour un temps. Tu vois ce que je veux dire ? Et maintenant que Tess rentre chez elle, peut-être qu'on pourrait utiliser l'appartement. Je ne crois pas que ça me mettrait mal à l'aise maintenant. Qu'en penses-tu ? Il se tut, à bout de souffle.

— Je crois qu'on ferait mieux de se calmer, Bernard, dit Yolande.

— De se calmer ?

— De mettre notre relation en veilleuse. J'ai besoin de temps pour digérer tout ce que tu viens de me dire.

— Alors, est-ce que je dois libérer la chambre ?

— Ouais. Vaut mieux.

— D'accord, je vais le faire.

— Écoute, ça ne veut pas dire que je ne veux pas continuer à te voir.

— Tu es sûre ?

— Oui. On peut faire autre chose ensemble.

— Comme visiter Pearl Harbour et le Centre culturel polynésien ?

— Si tu y tiens. Bernard, tu ne pleures quand même pas ?

— Bien sûr que non.

— Je crois que si, grand nigaud.

— J'ai beaucoup trop bu, j'en ai bien peur.

— Bernard, essaie de comprendre. Il faut que je réfléchisse à ce que je viens d'apprendre à propos de Lewis. Je regrette que tu l'aies rencontré. J'aurais préféré que tu ne m'en parles pas.

— Moi aussi.

— Mais tu l'as fait, et je ne peux pas ne pas en tenir compte. Merde, tu me fais pleurer moi aussi. C'est à cause de ton incorrigible franchise, tout ça.

— Tu crois que c'est ça ?

— Écoute, je ne peux plus te parler maintenant. Roxy vient de rentrer. Je te téléphonerai demain, O.K. ?

— D'accord.

— Bonne nuit alors, mon cher Bernard.

— *Aloha* », dit-il.

Elle eut un petit rire hésitant. « Épargne-moi le folklore, s'il te plaît !

— Salut, au revoir, je t'aime. »

4

« La question à laquelle se trouve confronté le théologien de nos jours est donc la suivante : que peut-on sauver du naufrage eschatologique ?

» Le christianisme traditionnel était téléologique et apocalyptique, pour l'essentiel. Il présentait la vie individuelle et la vie collective des êtres humains comme un récit linéaire progressant vers un dénouement et suivi par quelque chose hors du temps : la mort, le jugement, l'enfer et le ciel. Cette vie n'était qu'une préparation pour la vie éternelle qui, seule, donnait un sens à notre vie. A la question : "Pourquoi Dieu vous a créé ?" le catéchisme répondait : "Dieu m'a créé pour le connaître, l'aimer et le servir en ce monde, et pour goûter avec lui le bonheur *à jamais dans l'autre monde.*" Mais les concepts et les images de cet autre monde que nous a transmis le catéchisme ne trouvent plus de crédibilité auprès des hommes et des femmes qui réfléchissent. L'idée même d'une autre vie qui attendrait l'être humain en tant qu'individu après la mort a été considérée avec scepticisme et quelque embarras — ou a été tout simplement ignorée — par presque tous les principaux théologiens du XXe siècle. Bultmann, Barth, Bonhoeffer, Tillich, par exemple, et même le jésuite Karl Rahner, tous ont rejeté les notions traditionnelles touchant à la survie individuelle après la mort. Pour Bultmann, le concept de "translation vers un monde de lumière céleste où le moi est destiné à recevoir une investiture céleste, un corps spirituel", était "non seulement incompréhensible quelle que soit la démarche intellectuelle adoptée", mais "totalement dépourvu de sens." Rahner a dit dans une interview : "après la mort, tout est fini. La vie est révolue et elle ne recommencera pas." Dans ses écrits, il était plus circonspect, prétendant que l'âme survivrait, mais dans un état non personnel, "pancosmique" :

> » l'âme, en se défaisant avec la mort de sa structure corporelle limitée, s'ouvre alors à l'univers et, en quelque sorte, devient un facteur codéterminant de l'univers

précisément dans la logique de celui-ci en tant que fondement de la vie personnelle des autres êtres corporels et spirituels.

» Ceci n'est cependant qu'un charabia métaphysique qui révèle une préférence pour un concept suffisamment abstrait de l'au-delà par opposition à un concept grossièrement anthropomorphique, mais ce genre d'au-delà, on ne peut pas l'attendre avec impatience ni se faire martyriser pour lui.

» Bien sûr, il y a encore beaucoup de chrétiens qui croient avec ferveur, même avec fanatisme, en un au-delà anthropomorphique, et il y en a encore beaucoup d'autres qui aimeraient y croire. Et il ne manque pas de pasteurs chrétiens pour les encourager dans ce sens avec chaleur, parfois avec sincérité, parfois aussi, comme les télévangélistes américains, pour des motifs plus douteux. Le fondamentalisme a profité précisément pour se développer du scepticisme eschatologique que véhiculait la théologie instituée, si bien que les formes du christianisme qui sont de nos jours les plus actives et les plus populaires sont aussi les plus indigentes sur le plan intellectuel. Cela semble être vrai pour d'autres grandes religions du monde. Dans ce domaine, comme dans beaucoup d'autres domaines de la vie du XXe siècle, la poésie de W. B. Yeats exprime les choses avec justesse :

> *Les meilleurs sont dépourvus de toute*
> *[conviction, tandis que les pires*
> *Sont pleins d'ardeur et de passion.* »

Bernard leva les yeux de son texte pour voir si la vingtaine d'étudiants qui se trouvaient dans la salle écoutaient encore. Il n'était pas bon conférencier, et il le savait. Il ne pouvait garder le contact visuel avec son auditoire (la moindre étincelle de doute ou d'ennui sur les visages le faisait s'interrompre en plein milieu d'une phrase). Il ne pouvait improviser à partir de simples notes et était obligé de rédiger péniblement tout son cours à l'avance, ce qui signifiait que le cours était probablement trop dense pour être aisément compris oralement. Il savait tout cela mais il était trop vieux pour apprendre de nouvelles recettes : il espérait seulement que tout le sérieux qu'il mettait à préparer ses conférences compensait le débit ennuyeux qu'il adoptait pour les donner. Ce matin, seuls trois ou quatre de ses étudiants semblaient avoir disjoncté. Les autres le regardaient attentivement ou écrivaient sur leurs bloc-notes. Il y avait dans le groupe l'habituelle proportion d'étudiants préparant un diplôme et d'auditeurs libres : missionnaires en sabbatique, mères de famille suivant des cours de téléenseignement, professeurs d'éducation religieuse, quelques pasteurs méthodistes africains, et deux religieuses anglicanes apparemment inquiètes qui, il en était presque sûr, allaient bientôt le quitter pour s'inscrire à un autre cours. On n'en était qu'à la seconde semaine du trimestre et il ne connaissait encore pratiquement aucun de leurs noms. Heureusement, après cette conférence d'ouverture, le cours allait se poursuivre sous forme de séminaire, ce qui n'était pas pour lui déplaire.

« La théologie moderne se trouve donc prise dans une double contrainte classique : d'un côté, l'idée d'un Dieu personnel créateur d'un monde accablé de mal et de souffrance appelle logiquement l'idée d'un au-delà où toutes ces choses seront rectifiées ou corrigées ; de l'autre, les concepts traditionnels de l'au-delà n'entraînent plus l'adhésion de l'intelligence, et de nouveaux concepts, comme ceux de Rahner, ne séduisent pas l'imagination populaire — ils sont en fait incompréhensibles pour le commun des laïcs. Il n'est donc pas étonnant que l'attention de la théologie moderne se soit tournée de plus en plus vers la transformation chrétienne de la vie présente, qu'il s'agisse du "christianisme sans religion" à la Bonhoeffer, de l'existentialisme chrétien de Tillich ou de divers types de théologies de la libération.

» Mais si l'on débarrasse le christianisme de la promesse d'une vie éternelle (et, soyons honnêtes, de la menace du châtiment éternel) qui l'a traditionnellement sous-tendu, ce qui nous reste estil différent de l'humanisme séculier ? Une des réponses à cette interrogation consiste à retourner la question et à se demander ce qu'a l'humanisme séculier qui ne soit pas dérivé du christianisme.

» Il y a un passage dans Matthieu, au chapitre 25, qui semble tout à fait à propos ici. L'Évangile de Saint-Matthieu est, de tous les évangiles synoptiques, le plus explicitement apocalyptique, et ce passage est parfois désigné par les exégètes sous le nom de Sermon de la Fin. Il se termine par cette description célèbre du Retour du Christ et du Jugement Dernier :

Quand le Fils de l'Homme viendra dans sa gloire, escorté de tous les anges, alors il prendra place sur son trône de gloire. Devant lui seront rassemblées toutes les nations et il séparera les gens les uns des autres tout comme le berger sépare les brebis des boucs. Il placera les brebis à sa droite et les boucs à sa gauche.

» On est ici en plein mythe. Mais, selon quels principes est-ce que le Christ-Roi sépare les brebis des boucs ? Pas du tout comme on pourrait s'y attendre en fonction de la ferveur de leur foi, ni de leur orthodoxie par rapport à la doctrine religieuse, ni de leur assiduité aux offices, ni de leur observance des commandements, ni même de quoi que ce soit de "religieux".

Alors, le Roi dira à ceux de sa droite : "Venez, les bénis de mon Père, recevez en héritage le royaume qui vous a été préparé depuis la fondation du monde. Car j'ai eu faim et vous m'avez donné à manger ; j'ai eu soif et vous m'avez donné à boire ; j'étais un étranger et vous m'avez accueilli, nu et vous m'avez vêtu, malade et vous m'avez visité, prisonnier et vous êtes venus me voir." Alors, les justes lui répondront : "Seigneur, quand nous est-il arrivé de te voir affamé et de te nourrir, assoiffé et de te désaltérer, étranger et de t'accueillir, nu et de te vêtir, malade ou prisonnier et de venir te voir ?" Et le Roi leur fera cette réponse : "En vérité je vous le dis, dans la mesure où vous l'avez fait à l'un de ces petits qui sont mes frères, c'est à moi que vous l'avez fait."

» Les justes semblent très surpris d'être sauvés, ou d'être sauvés pour la simple raison qu'ils ont fait du bien, avec désintéressement peut-être, mais tout en restant pragmatiques et simplement humains. C'est comme si Jésus laissait ce message essentiellement humaniste en sachant pertinemment qu'un jour toute la mythologie surnaturelle qui l'entourait devrait être rejetée. »

Bernard croisa le regard de l'une des religieuses et se risqua à improviser une petite plaisanterie : « C'est comme si quelqu'un lui refilait un tuyau. » La religieuse rougit et baissa les yeux.

« C'est tout pour aujourd'hui, dit-il. J'aimerais que vous jetiez un coup d'œil à ce chapitre de Matthieu pour la semaine prochaine, et à la liste des commentaires mentionnés dans le polycopié, à commencer par saint Augustin. Monsieur Barrington, dit-il, jetant son dévolu sur un professeur d'instruction religieuse apparemment sérieux qui avait pris un mi-temps pour se recycler, est-ce que vous pourriez lancer la discussion par un rapide exposé ? »

Barrington eut une sorte de petit rictus et hocha la tête. I' vint demander à Bernard des idées de lectures complémentaires tandis que les autres étudiants quittaient la salle un à un. Lorsqu'il fut parti, Bernard ramassa ses papiers et se dirigea vers la salle des professeurs, trouvant qu'il avait bien mérité un café. En chemin, il s'arrêta à la conciergerie du collège pour prendre son courrier. Giles Franklin, spécialiste des études missionnaires et l'un des plus anciens membres du corps professoral, était devant les boîtes aux lettres en train de distribuer des feuilles de papier jaunes ronéotypées. Il salua Bernard avec jovialité — Bernard ne l'avait jamais vu triste. C'était un gros homme plein de vitalité qui, en d'autres temps, aurait sûrement été moine avec ses joues roses et ridées comme des pommes et ses cheveux blancs dégarnis qui lui faisaient une tonsure naturelle. « Tenez, dit-il, glissant une feuille dans les mains de Bernard. Le programme des séminaires des profs pour ce trimestre. Je vous ai mis le 15 novembre. A propos... » Il baissa la voix. « J'ai été ravi d'apprendre que vous alliez être nommé à plein temps.

— Merci. J'ai été ravi, moi aussi », dit Bernard. Il sortit une pile d'enveloppes et de papiers de sa boîte aux lettres — il y avait toujours une quantité de notes de service en début d'année scolaire — et il les feuilleta. « Au moins, ça va me permettre d'avoir un vrai... » Il tomba sur une grosse enveloppe jaune portant une étiquette « par avion » et s'arrêta net.

« Qu'est-ce qu'il y a ? dit Franklin d'un ton jovial. On dirait que vous avez peur de l'ouvrir. Une revue vient de refuser un de vos articles ?

— Non, non. C'est personnel », dit Bernard.

Au lieu de se rendre à la salle des professeurs, il sortit dans le parc avec la lettre. C'était un jour d'octobre splendide. Le soleil était chaud sur ses épaules mais l'air, d'une limpidité tout à fait exceptionnelle pour Rummidge, avait quelque chose de piquant et de très automnal. Les hautes pressions et une brise venue tout droit des Collines de Malvern avaient dispersé la brume habituelle. Les formes et les couleurs avaient une netteté et un piqué presque artificiels comme dans les paysages préraphaélites du musée d'art de la ville. Des petits nuages blancs floconneux défilaient comme des moutons en train de paître dans un ciel bleu éclatant. A l'autre bout de la pelouse, là où, en été, on pratiquait une forme primitive de croquet, un hêtre pourpre flamboyait comme un arbre en feu qui n'arrive pas à se consumer. Il y avait un banc en bois sous cet arbre, dédié à un ancien directeur du collège ; c'était l'endroit favori de Bernard pour lire de la poésie. Il s'assit et soupesa la grosse enveloppe, scrutant l'écriture penchée de Yolande comme si elle pouvait l'éclairer sur le contenu de la lettre. Franklin n'était pas loin de la vérité : il était un peu inquiet de l'ouvrir. Pourquoi lui avait-elle écrit ? Elle n'avait pas écrit jusqu'à maintenant — c'était la première fois qu'il voyait son écriture, et il savait que la lettre venait d'elle seulement parce qu'elle avait mis son nom et son adresse dans le coin supérieur gauche de l'enveloppe. Elle l'appelait une fois par semaine, tôt le dimanche matin, heure anglaise, tandis qu'il attendait à l'heure dite près du téléphone à pièces des étudiants dans le hall désert. Elle n'avait dérogé à cette règle qu'une seule fois : c'était il y a dix jours quand elle l'avait appelé au beau milieu de la nuit pour lui dire qu'Ursula était morte paisiblement dans son sommeil. Elle avait téléphoné le dimanche suivant pour raconter comment s'était passé l'enterrement, et il s'attendait à un autre coup de fil ce week-end. Quand elle téléphonait, ils ne parlaient que d'Ursula ou échangeaient des banalités sur leurs vies respectives. La question de leurs relations était toujours, par un accord tacite, « en veilleuse ». Alors, pourquoi avait-elle écrit ? C'était peut-être une banale lettre de rupture comme on en trouve dans les romans. Il glissa l'ongle sous la pliure et déchira l'enveloppe tout du long.

Mon très cher Bernard,

Je t'écris pour te parler des derniers jours d'Ursula et de son enterrement, même si je viens à peine de raccrocher après t'avoir eu au téléphone ; c'est un instrument un peu frustrant quand on veut parler de choses importantes, surtout avec cet écho qu'on a parfois sur les liaisons par satellite. Et je me sens très mal à l'aise en te sachant debout dans une cabine publique au milieu d'une résidence d'étudiants —

maintenant qu'ils t'ont donné un vrai boulot, j'espère que tu vas avoir un téléphone à toi !

Ursula était une adorable personne. Je me suis prise d'affection pour elle pendant les quelques semaines qu'on a eues pour se connaître. Nous parlions beaucoup de toi. Elle t'était si reconnaissante d'avoir fait l'effort de venir jusqu'ici, en emmenant ton père avec toi — enfin, tu sais déjà tout ça, mais ce n'est pas inutile de le redire, parce qu'elle m'a fait promettre de ne pas te faire revenir ici lorsqu'il a semblé évident qu'elle baissait très vite. Elle savait que tu étais en train de reprendre tes cours, et même si tu avais pu te libérer, elle a dit que ce n'était pas la peine de te faire faire tout ce chemin à nouveau — « le temps qu'il arrive ici, je ne serai plus capable de lui parler. » Ç'a dû être un choc pour toi quand j'ai appelé pour te dire qu'elle était morte, mais c'est elle qui l'a voulu ainsi. Pendant la dernière semaine, elle était très mal, incapable d'avaler ses calmants, si bien qu'on a dû lui faire des piqûres. Elle ne pouvait plus beaucoup parler, mais elle aimait que j'aille la voir, que je m'assoie près d'elle et lui tienne la main. Le dernier jour, elle m'a chuchoté : « Pourquoi ils ne me laissent pas partir ? » et le soir même elle est morte paisiblement dans son sommeil. Enid da Silva m'a appelée tôt le lendemain matin.

Nous avions passé pas mal de temps les semaines précédentes à discuter de l'organisation de son enterrement. Il n'y avait rien de morbide ni de déprimant à cela, elle voulait simplement que tout soit en ordre avant de mourir. Au début, elle voulait que ses cendres soient dispersées de cet endroit, sur la route du bord de mer près de Diamond Head, où elle s'est arrêtée un jour avec toi. Mais on a découvert qu'il y avait une loi d'hygiène publique qui l'interdisait, et, de toute façon, le vent dominant à cette époque de l'année vient de la mer, ce qui aurait rendu l'opération délicate. Comme elle a dit elle-même (elle avait un excellent sens de l'humour, comme tu le sais) : « Je ne voudrais pas voler dans les cheveux de mes amis et partout sur leurs habits. » Alors, elle a décidé que ses cendres seraient répandues en mer au large de Waikiki.

Le père McPhee a célébré une petite cérémonie funéraire au crématorium. Sophie Knoepflmacher était là, et aussi une dizaine d'autres amis d'Ursula, de vieilles dames surtout. Sophie allait la voir à Makai Manor les jours où je ne pouvais pas y aller, et Ursula appréciait beaucoup ses visites, même si elle disait que Sophie n'était qu'une enquiquineuse. Le père McPhee a eu des paroles très gentilles sur Ursula et a rappelé que la présence des membres de sa famille pendant les derniers temps de sa maladie avait été pour elle d'un immense réconfort. Après le service, il a dit qu'il allait porter les cendres à la plage du Fort DeRussy pour les disperser, et que ceux qui voulaient venir pouvaient l'accompagner. Sophie et moi sommes allées en voiture avec lui. C'était un samedi après-midi, et il avait choisi ce moment parce que ça coïncidait avec la messe folk hawaïenne que l'aumônerie militaire organise (célèbre ? donne ? — je ne connais pas le verbe approprié) là-bas sur la plage du Fort DeRussy tous les samedis soir pendant les mois d'été. L'armée a l'un de ses quartiers généraux près de la plage. Ursula avait dit au père McPhee qu'elle allait quelquefois à cette messe, et lui connaissait l'aumônier qui l'organisait.

Inutile de dire que je n'avais pas entendu parler de cette fameuse messe avant de connaître Ursula. Comme tu le sais, je ne vais pas à l'église. La première chose que j'ai faite en atteignant ma majorité a été de ne plus aller le dimanche à l'église presbytérienne que fréquentait ma famille, et je n'ai jamais remis les pieds dans une église depuis, sauf pour des mariages, des enterrements ou des baptêmes. En fait, je crois que la seule fois où j'ai assisté à une messe catholique, c'était au mariage d'un de mes amis d'université. C'était dans une église italienne à Providence dans le Rhode Island, une église pleine d'horribles statues. Toute la cérémonie m'a fait penser à un spectacle de télé, avec les enfants de chœur en robes rouges, le prêtre dans sa tenue de brocart qui allait et venait comme à la parade, et les cierges, les cloches, le chœur qui braillait l'*Ave Maria*. Cette fois, c'était bien différent, rien qu'une simple table installée sur la plage, et les fidèles assis ou debout sur le sable, dispersés en cercle tout autour. Des gens, visiblement non catholiques, des touristes et des militaires qui se trouvaient à ce moment-là sur la plage et rentraient chez eux, s'arrêtèrent pour regarder, et certains se joignirent aux fidèles par curiosité. Il y avait des jeunes gens du pays qui distribuaient des fascicules contenant le texte du service. Je joins un exemplaire au cas où tu serais intéressé. Comme tu le vois, presque tout le service s'est déroulé en anglais, mais les chants étaient en hawaiien, accompagnés à la guitare par quelques gosses, et, pendant les cantiques, des filles du pays en pagne traditionnel ont dansé le *hula*. Je savais bien sûr que le *hula* était à l'origine une danse religieuse, mais le tourisme et Hollywood l'ont tellement rabaissé qu'il est difficile de le considérer encore comme tel. Même les représentations authentiques qui se tiennent au musée de l'Evêché sont essentiellement théâtrales, et le *hula* qu'on voit à Waikiki est à mi-chemin entre la danse du ventre et le burlesque. Ce fut donc un choc pour moi de voir danser le *hula* pendant la messe. Mais je me suis laissée prendre au jeu. Sans doute parce que les filles n'étaient ni de vraies danseuses ni des beautés exceptionnelles. Enfin, elles étaient O.K., mais sans plus. C'était un peu comme un concert de fin de semestre à l'école, d'un amateurisme désarmant. Et, bien sûr, elles n'avaient pas ce sourire figé et mièvre que l'on associe aux danseuses professionnelles de *hula*. Elles paraissaient graves, dignes. Sophie a observé la scène avec un très vif intérêt, et elle m'a dit après que c'était absolument charmant mais qu'elle ne croyait pas que ça prendrait au Temple.

C'était une superbe soirée. La chaleur du jour s'était dissipée, une brise suave soufflait de la mer, l'ombre du prêtre lorsqu'il leva l'hostie et le calice s'allongea sur le sable tandis que le soleil baissait dans le ciel. Il a dit une prière « pour le repos de l'âme d'Ursula », et ce mot de « repos » m'a paru très intéressant — une idée presque païenne, comme si l'âme de la personne défunte ne pouvait reposer en paix tant que les rites appropriés n'avaient pas été accomplis. Puis je me suis souvenue de cette citation célèbre (est-ce de Shakespeare ? tu le sais sûrement) : « Notre courte vie est cernée par le sommeil. »

Quand la messe a été terminée et que les gens se sont dispersés, le père McPhee, Sophie et moi sommes montés dans un petit canot de l'armée, un dinghy en caoutchouc avec un petit moteur de hors-bord à l'arrière, et on s'est éloignés poussivement à quatre cents mètres environ du rivage. Heureusement, c'était un soir calme, et de toute façon il n'y a pas tellement de surf à DeRussy, la balade n'a donc pas été trop mouvementée, même si Sophie a paru inquiète lorsque, à deux ou trois reprises, on a rencontré une grosse vague, et elle s'est mis les mains sur la tête comme si ses cheveux allaient s'envoler au vent. Lorsque nous eûmes franchi les rouleaux, le soldat qui pilotait le bateau a éteint le moteur et on a dérivé pendant quelques instants. Le père McPhee a ouvert l'urne qui contenait les cendres d'Ursula et l'a laissé traîner dans le sillage du bateau, laissant la mer engloutir les cendres. Elles ont troublé l'eau pendant quelques instants, puis elles ont disparu. Il a dit une courte prière, je ne me souviens pas très bien des paroles, pour dire qu'il confiait les restes d'Ursula à l'océan, puis il a suggéré qu'on observe quelques minutes de silence.

C'est étrange, la mort, quand on la touche de près. J'ai toujours cru que j'étais athée, matérialiste, que cette vie était tout ce que nous avions et qu'il valait mieux en profiter au maximum ; mais, ce soir-là, il semblait difficile de croire qu'Ursula avait totalement disparu, qu'elle était partie pour toujours. J'imagine que tout le monde connaît ces moments de doute — ou devrais-je dire, ces moments de foi ? Ce qui me rappelle une citation intéressante que j'ai trouvée l'autre jour — dans le *Reader's Digest* pour ne pas le nommer. Je l'ai lue chez le dentiste, et j'ai demandé à la secrétaire de m'en faire une photocopie. Je la joins à ma lettre.

Peut-être que tu la connais déjà. Le nom de l'auteur ne me dit rien, c'est un Espagnol, je suppose.

Sophie et le père McPhee avaient les yeux fermés pendant ces minutes de silence, mais moi je regardais vers la côte et je dois dire qu'Oahu était quelque chose ce soir-là. Même Waikiki était une vraie beauté. Les grands immeubles réfléchissaient la lumière du soleil couchant comme s'ils étaient illuminés, et ils se détachaient en relief sur les collines en arrière-plan qui étaient noires de nuages. Il y avait un arc-en-ciel par-dessus l'une des collines, derrière la tour du Hilton Hawaiian Village où se trouve cet immense arc-en-ciel peint sur le mur — tu as dû le voir en arrivant à Waikiki par le boulevard Ala Moana, on dit que c'est la céramique murale la plus grande du monde. Tout Hawaii peut se résumer dans cette image, je suppose : le vrai arc-en-ciel rivalisant avec l'arc-en-ciel artificiel. Néanmoins, tout ça m'a paru plutôt magnifique. Puis le père McPhee a fait un signe de la tête au soldat qui a aussitôt redémarré le moteur, et on est retournés poussivement vers la côte. J'avais le sentiment que nous avions fait le nécessaire pour le repos de l'âme d'Ursula.

Je crois t'avoir dit l'essentiel à propos de son testament, mais il faut que je t'avoue qu'elle m'a demandé mon avis à ce sujet avant de consulter Bellucci, et je n'ai pas hésité un instant à le lui donner. Bellucci, soit dit en passant, s'est montré très astucieux — le décor de son bureau en faux style de club de Harvard ou de Yale nous a induits en erreur. C'est lui qui a compris que la meilleure façon d'aider Patrick, c'était d'établir un fonds de charité en Angleterre. De cette façon, le gouvernement britannique ne pourra jamais mettre le grappin sur tout ou partie de cet argent, et si quelque chose de fatal devait arriver à Patrick (je ne sais pas combien de temps on lui donne à vivre) l'argent continuerait à aller à des gosses dans le besoin comme lui. Donc 150 000 dollars ont été consacrés à ce fonds (dont tu es l'un des administrateurs, bien sûr) et avec cet autre avantage qu'il n'y a pas de frais de succession à payer à l'État américain. Le reste de ses biens, déduction faite des taxes, va s'élever à environ 139 000 dollars. 35 000 dollars vont à ton père, avec cette recommandation expresse qu'il les utilise pour améliorer son confort et non pour qu'il les économise. Ça devrait lui permettre de recevoir Sophie Knoepflmacher — je suppose que tu sais qu'elle menace de lui rendre visite l'été prochain ? En fait, elle prétend qu'il l'a invitée — je suppose qu'il ne pensait pas un seul instant qu'elle le prendrait au mot. Je te signale aussi qu'Ursula a laissé à Sophie sa collection d'objets décoratifs, et à moi un collier en or que j'ai accepté par amitié. Elle a aussi fait un petit legs à Tess, plus qu'il n'en faut pour couvrir ses frais de voyage à Hawaii, ainsi que le reste de ses bijoux.

Ce qui laisse environ 100 000 dollars pour toi, Bernard. J'espère que tu n'auras pas de scrupules à accepter cet argent. Ursula et moi avons passé beaucoup de temps à discuter du problème, à décider d'une somme qui soit assez importante pour qu'elle te soit utile mais pas trop pour que tu te sentes obligé de t'en débarrasser. D'après ce que tu m'as dit des prix de l'immobilier à Rummidge, tu devrais pouvoir t'acheter un appartement avec ça, ou peut-être une petite maison. En tant qu'invitée potentielle, je ne demande qu'une chose, qu'il y ait le chauffage central et une douche (Ursula m'a raconté des histoires troublantes sur les installations domestiques en Grande-Bretagne, mais peut-être n'était-elle plus dans le coup).

Avec tout ça, tu devineras donc aisément que je viens te voir à Noël, du moins si tu veux encore de moi. Tu as été très patient, mon cher Bernard, aussi bien pendant notre dernière semaine ensemble à Oahu (en fait, j'ai beaucoup aimé cette semaine-là, cette galanterie d'un autre âge, cette camaraderie chaste, nos pique-niques, nos cabrioles dans les vagues et nos longues promenades en voiture autour de l'île) — que pendant les semaines qui ont suivi et où je te téléphonais ; jamais tu ne m'as questionnée à propos de Lewis,

313

même si je percevais toujours cette question dans ta voix quand on se disait au revoir.

Ainsi que ton récit le laissait prévoir, Ellie en a eu sa claque de Lewis pendant l'été, ou peut-être avait-elle rencontré quelqu'un un peu plus de son âge. Toujours est-il qu'elle l'a plaqué il y a environ trois semaines, et il m'a écrit une lettre disant qu'il avait été un imbécile et me demandant si on ne pouvait pas reprendre la vie commune. Il m'a invitée à dîner en ville, et j'ai accepté (bizarrement, il a choisi ce restaurant thaïlandais où nous sommes allés dîner, Tess, toi et moi). Il a dit qu'il ne voulait pas parler d'Ellie ni d'une éventuelle réconciliation entre nous ce soir-là, que c'était uniquement pour briser la glace, rétablir des rapports amicaux, causer des gosses, etc. Lewis peut être un homme charmant lorsqu'il s'en donne la peine, et on a passé une soirée très urbaine, le vin aidant. On a parlé de sujets peu risqués, comme la controverse qui agite Maui à propos de l'implantation d'un nouveau complexe touristique sur un ancien site funéraire hawaiien. J'ai dit avec véhémence que je trouvais que le repos des âmes des Hawaiiens ne devrait pas être troublé par des touristes qui viendraient rouler avec leurs trolleys de golf sur leurs tombes. Lewis a paru assez surpris de ma réaction, bien qu'il soit de mon avis, mais pour des raisons très sensées et par esprit de libéralisme. Il était venu me chercher en voiture si bien qu'il m'a ramenée ensuite à la maison et s'est invité pour un digestif. Il était encore très tôt et Roxy n'était pas rentrée — je crois qu'il avait arrangé ça avec elle, parce qu'il a bientôt essayé de m'entraîner au lit avec lui. J'ai refusé. Il m'a demandé s'il y avait quelqu'un d'autre, et j'ai dit, pas à Hawaii, et il a demandé si c'était cette espèce de Britannique dont Roxy lui avait parlé, et j'ai dit oui et que j'allais passer Noël avec lui. Je ne savais pas avant cet instant précis que c'était ce que j'avais décidé de faire, et j'ai laissé passer une quinzaine de jours avant de te le dire, pour être sûre. Et cette fois, je suis sûre. Lewis est correct, mais ce n'est pas un homme honnête. Maintenant que j'ai rencontré un homme honnête, je me demande pourquoi j'irais voir ailleurs.

J'ai dit que je ne lui chercherais plus de noises à propos de notre divorce et je lui ai proposé qu'on divise en deux tous les biens qu'on a en commun et que nous partagions la garde de Roxy. Il acceptera, j'en suis persuadé, une fois qu'il aura digéré sa déception d'avoir été éconduit.

Je ne sais pas encore si je veux t'épouser, mon cher Bernard, mais j'ai bien l'intention de chercher à le savoir en apprenant à mieux te connaître, toi et cet endroit apparemment étrange où tu habites. J'imagine que si je t'épousais, je devrais vivre là-bas, n'est-ce pas ? Je suis prête à changer de vie et à quitter Hawaii, et Rummidge serait apparemment pour moi un grand changement. Mais il faut que je reste ici au moins une autre année, et peut-être deux, jusqu'à ce que Roxy ait fini ses études secondaires ; tout dépend si elle décide d'aller vivre avec son père l'an prochain. Rien n'est fixé, rien n'est défini — sauf que j'ai réservé une place sur un vol charter pour Londres Heathrow le 22 décembre — peux-tu venir me chercher à l'aéroport ? (ne t'encombre pas d'un *lei*.) Quoi qu'il arrive, notre relation va être une succession de longues séparations chastes et de brèves cohabitations passionnées pendant quelque temps, mon chéri, mais mieux vaut ça que le contraire.

Bien tendrement à toi,

Yolande

A l'intérieur de l'enveloppe, il y avait un fascicule ronéotypé avec la liturgie de la messe folk hawaïenne et une photocopie de la page du *Reader's Digest*. Une citation tirée du *Sentiment tragique de la vie* de Miguel de Unamuno avait été soulignée au marqueur vert :

Dans le repli le plus secret de l'esprit de l'homme qui croit que la mort mettra fin à sa conscience personnelle et même à sa mémoire à tout jamais, dans ce repli intime une ombre plane, à son insu peut-être, une ombre vague se cache, l'ombre de l'ombre d'une incertitude, et tandis qu'il se dit : « Il n'y a rien d'autre à faire que de vivre cette vie fugitive, car il n'y en a pas d'autre ! » en même temps il entend, dans ce repli très secret, son propre doute lui murmurer : « Qui sait ?... » Il n'est pas sûr d'entendre correctement, mais il entend. De même, dans quelque repli de l'âme du vrai croyant qui a foi en la vie future, une voix étouffée, la voix du doute, murmure à l'oreille de son esprit : « Qui sait ?... » Peut-être que ces voix ne sont pas plus fortes que le bourdonnement des moustiques lorsque le vent rugit dans les arbres de la forêt ; c'est à peine si on perçoit ce bourdonnement, et pourtant, au milieu de l'orage qui gronde, on l'entend. Comment, sans ce doute, pourrions-nous vivre ?

Bernard replia les minces feuilles de papier à lettres et les remit dans l'enveloppe jaune, avec le fascicule et la photocopie. Levant les yeux, il aperçut au-delà des feuilles flamboyantes et scintillantes du hêtre pourpre le ciel bleu, et il sourit. Les feuilles bruissaient dans la brise, et deux ou trois descendirent en voletant comme de minuscules langues de feu. Il resta dans cette position, la tête en arrière, les bras étendus le long du dossier du banc, pendant quelques minutes, perdu dans une douce rêverie. Puis il se releva et revint à grandes enjambées vers le bâtiment du Collège, saisi par un violent désir de boire un café. Poussant les portes battantes de la salle des professeurs, il faillit entrer en collision avec Giles Franklin qui sortait.

« Re-bonjour ! » dit Franklin, retenant la porte pour laisser passer Bernard. Puis il ajouta d'un air jovial, en jetant un coup d'œil à l'enveloppe que Bernard tenait à la main : « Elles sont bonnes ou mauvaises, ces nouvelles ?

— Oh ! très bonnes, dit Bernard. Ce sont d'excellentes nouvelles. »

Collection de littérature étrangère
dirigée par Gilles Barbedette

Harold Acton
Pivoines et Poneys
traduit de l'anglais par Christian Thimonier

Paul Bowles
Le Scorpion
traduit de l'anglais par Chantal Mairot
L'Écho
traduit de l'anglais par Brice Matthieussent
Un thé sur la montagne
traduit de l'anglais par Brice Matthieussent

Truman Capote
Un été indien
traduit de l'anglais par Patrice Repusseau
Entretiens
traduit de l'anglais par Michel Waldberg

Andrea De Carlo
Chantilly-Express
traduit de l'italien par René de Ceccatty

Fausta Cialente
Les Quatre Filles Wieselberger
traduit de l'italien par Soula Aghion

Heimito von Doderer
Un meurtre que tout le monde commet
traduit de l'allemand par Pierre Deshusses
Les Chutes de Slunj
traduit de l'allemand par Albert Kohn et Pierre Deshusses
Les Fenêtres éclairées
traduit de l'allemand par Pierre Deshusses

Eva Figes
Lumière
traduit de l'anglais par Gilles Barbedette

Ronald Firbank
Les Excentricités du cardinal Pirelli
traduit de l'anglais par Patrick Reumaux

La Fleur foulée aux pieds
traduit de l'anglais par Jean Gattégno

Mario Fortunato
Lieux naturels
traduit de l'italien par François Bouchard

William Gass
Au cœur du cœur de ce pays
traduit de l'anglais par Marc Chénetier et Pierre Gault

Kaye Gibbons
Ellen Foster
traduit de l'anglais par Marie-Claire Pasquier

Une femme vertueuse
traduit de l'anglais par Marie-Claire Pasquier

Daniele Del Giudice
Le Stade de Wimbledon
traduit de l'italien par René de Ceccatty

William Goyen
Une forme sur la ville
traduit de l'anglais par Patrice Repusseau

Le Grand Réparateur
traduit de l'anglais par Patrice Repusseau

Maxine Hong Kingston
Les Hommes de Chine
traduit de l'anglais par Marie-France de Paloméra

Christopher Isherwood
Octobre
traduit de l'anglais par Gilles Barbedette

Fazil Iskander
Les Lapins et les Boas
traduit du russe par Bernard Kreise

Henry James
Mémoires d'un jeune garçon
traduit de l'anglais par Christine Bouvart

Mirko Kovač
La Vie de Malvina Trifković
traduit du serbo-croate par Pascale Delpech

Hermann Lenz
Les Yeux d'un serviteur
traduit de l'allemand par Michel-François Demet

Le Promeneur
traduit de l'allemand par Michel-François Demet

David Lodge
Jeu de société
traduit de l'anglais par Maurice et Yvonne Couturier

Changement de décor
traduit de l'anglais par Maurice et Yvonne Couturier

Un tout petit monde
traduit de l'anglais par Maurice et Yvonne Couturier

La Chute du British Museum
traduit de l'anglais par Laurent Dufour

Alison Lurie
Liaisons étrangères
traduit de l'anglais par Sophie Mayoux

Les Amours d'Emily Turner
traduit de l'anglais par Sophie Mayoux

La Ville de nulle part
traduit de l'anglais par Elisabeth Gille

La Vérité sur Lorin Jones
traduit de l'anglais par Sophie Mayoux

Des gens comme les autres
traduit de l'anglais par Marie-Claude Peugeot

Conflits de famille
traduit de l'anglais par Marie-Claude Peugeot

Des amis imaginaires
traduit de l'anglais par Marie-Claude Peugeot

Ne le dites pas aux grands
Essai sur la littérature enfantine
traduit de l'anglais par Monique Chassagnol

Comme des enfants
traduit de l'anglais par Marie-Claude Peugeot

Bernard Malamud
Le Peuple élu
traduit de l'anglais par Martine Chard-Hutchinson

Pluie de printemps
traduit de l'anglais par Martine Chard-Hutchinson

Javier Marías
L'Homme sentimental
traduit de l'espagnol par Laure Bataillon

Le Roman d'Oxford
traduit de l'espagnol par Anne-Marie et Alain Keruzoré

Ce que dit le majordome
traduit de l'espagnol par Anne-Marie et Alain Keruzoré

Aidan Mathews
Du muesli à minuit
traduit de l'anglais par Édith Soonckindt-Bielok

Steven Millhauser
La Galerie des jeux
traduit de l'anglais par Françoise Cartano

Le Royaume de Morphée
traduit de l'anglais par Françoise Cartano

Lorrie Moore
Des histoires pour rien
traduit de l'anglais par Marie-Claire Pasquier

Anagrammes
traduit de l'anglais par Édith Soonckindt

Vies cruelles
traduit de l'anglais par Édith Soonckindt

Vladimir Nabokov
L'Enchanteur
traduit de l'anglais par Gilles Barbedette

Nicolas Gogol
traduit de l'anglais par Bernard Géniès

Vladimir Nabokov — Edmund Wilson
Correspondance 1940-1971
traduit de l'anglais par Christine Raguet-Bouvart

Grace Paley
Les Petits Riens de la vie
traduit de l'anglais par Claude Richard

Plus tard le même jour
traduit de l'anglais par Claude Richard

Pier Paolo Pasolini
Descriptions de descriptions
traduit de l'italien par René de Ceccatty

Walker Percy
Le Syndrome de Thanatos
traduit de l'anglais par Bénédicte Chorier

Le Cinéphile
traduit de l'anglais par Claude Blanc

Le Dernier Gentleman
traduit de l'anglais par Bénédicte Chorier

Elisabetta Rasy
La Première Extase
traduit de l'italien par Nathalie Castagné

La Fin de la bataille
traduit de l'italien par Nathalie Castagné

Umberto Saba
Couleur du temps
traduit de l'italien par René de Ceccatty

Ombre des jours
traduit de l'italien par René de Ceccatty

Carl Seelig
Promenades avec Robert Walser
traduit de l'allemand par Bernard Kreiss

Sôseki
Oreiller d'herbes
traduit du japonais par René de Ceccatty et Ryôji
Nakamura

Clair-obscur
traduit du japonais par René de Ceccatty et Ryôji
Nakamura

Le 210e Jour
traduit du japonais par René de Ceccatty et Ryôji
Nakamura

Le Voyageur
traduit du japonais par René de Ceccatty et Ryôji
Nakamura

Gertrude Stein
Brewsie & Willie
traduit de l'anglais par Marie-Claire Pasquier

Wilma Stockenström
Le Baobab
traduit de l'anglais par Sophie Mayoux

Italo Svevo
Le Destin des souvenirs
traduit de l'italien par Soula Aghion

Elizabeth Taylor
Mrs Palfrey, Hôtel Claremont
traduit de l'anglais par Nicole Tisserand

Cet ouvrage a été réalisé par la
SOCIÉTÉ NOUVELLE FIRMIN-DIDOT
Mesnil-sur-l'Estrée
pour le compte des Éditions Rivages
en juillet 1992

Imprimé en France
Dépôt légal : août 1992
N° d'impression : 21442